Das große
Feng-Shui
Gesundheitsbuch

Wilhelm Gerstung • Jens Mehlhase

Das große Feng-Shui Gesundheitsbuch

Wie Sie sich vor schädlichen Energien schützen
und sich einen idealen Schlafplatz schaffen können
So bringen Sie mehr Qi ins Haus

WINDPFERD

1. Auflage 1997
© 1997 by Windpferd Verlagsgesellschaft mbH, Aitrang
Alle Rechte vorbehalten
Umschlaggestaltung: Kuhn Grafik, Digitales Design, Zürich
Abbildungen: Seite 12: Eva Wong, Feng-shui: the ancient wisdom of harmonious living for modern times, Shambhala Publications Inc., Boston, USA;
Seite 13: Evelyn Lip, Chinese Geomancy – A Layman´s Guide to Feng Shui, Time Books International, Singapur
Zeichnungen: Heike Cobaugh, Wiesbaden
Grafiken: Jens Mehlhase, Neumünster; Bearbeitung: Uwe Hiltmann
Lektorat: Uwe Hiltmann, Niedernhausen/Ts.
Layout/Satz: *panta rhei!* – MediaService, Uwe Hiltmann, Niedernhausen/Ts.
Herstellung: Schneelöwe, 87648 Aitrang

ISBN 3-89385-218-2

Printed in Germany

Inhaltsverzeichnis

Vorwort	9
Einführung in Feng Shui	11
Die Formschule	12
Die Kompaßschule	13
Die Analytische Schule	14
Feng Shui gestern und heute	16
„Westliches" Feng Shui und Gesundheit	16
Kapitel 1 – Aufspüren von Energien mit Biotensor und Pendel	
Die Arbeit mit dem Biotensor oder Pendel	20
Reaktionen des Biotensors	20
Das Pendel und seine Reaktionsmöglichkeiten	22
Testen Sie Biotensor oder Pendel: Wasser oder Apfelsaft?	23
Messen Sie schädliche Energien über verwirbelndem Wasser!	24
Wasserversuch I	24
Wasserversuch II	25
Messen Sie die Stärke der Energien über verwirbelndem Wasser!	25
Suchen Sie unterirdische Wasserführungen in Ihrem Haus oder Garten!	27
Wie Sie unterirdische Wasserführungen leicht finden können	28
Die Reaktion des Biotensors beim Begehen von Zimmern oder Grundstücken	28
Die Pendelreaktion beim Begehen von Zimmern oder Grundstücken	29
Suchen Sie Ein- und Austritt einer Wasserführung!	30
Die Bestimmung des Verlaufs einer Wasserführung	31
Kapitel 2 – Die unsichtbare Welt des Feng-Shui	
Eine Energie aus einer anderen Dimension	34
Die 3. Dimension	35
Die höheren Dimensionen	35
Die niedrigeren Dimensionen	35
Die Energien wechseln zwischen den Dimensionen	36
Die „unsichtbare" Welt hat 32 Ebenen	37
Die sichtbare und die „unsichtbare" Welt	37
Ist ein Fensterglas gleichzeitig rot, blau und grün?	37
Der Mensch ist 32mal unsichtbar	38
Sie haben bereits auf der 2. Ebene gemessen	38
Die Chinesen nennen Strukturen „Li"	40
Geomagnetische Strukturen	40

Negative Energien in den Kubenwänden schaden unserer Gesundheit	42

Kapitel 3 – Trans-Sha und Geo-Sha

Trans-Sha, das von unten kommt	46
Das Hartmann-System	46
Wie entsteht die Energie über einer unterirdischen Wasserführung?	48
Trans-Sha auch in den Wänden des 170-m-Systems	51
Trans-Sha kommt auch von der Seite	53
Metalle bestimmen die Richtung	53
Metalle in den Seitenwänden des 10-m- und 250-m-Systems	56
Linsen wirken stärker als Spiralen	59
Krank durch Geo-Sha?	60
Was ist Geo-Sha?	60
Das 10-m-System	61
Das 250-m-System	64
Typische Erkrankungen	68
Diagnose der Belastung durch Geo-Sha und Trans-Sha am Menschen	72
Therapie der Belastung durch Geo-Sha und Trans-Sha	75
Abbau der Verstrahlung durch Geo-Sha und Trans-Sha mit dem WS-Frequenzgerät	75
Polyxane	80

Kapitel 4 – Schlafplatzsanierung

Vermeiden Sie Metall im Schlafzimmer!	86
Untersuchung des Schlafplatzes auf Geo-Sha und Trans-Sha	89
„Abschirmmaterialien"	91
Unsichtbare Strukturen schützen vor Geo-Sha und Trans-Sha	91
EPS-Platten	92
Korkplatten geeigneter Qualität	100
Fresnel-Linsen	110
Styropor ist kein Abschirmmaterial	116
Abschirmmaterialien im Vergleich	117
Kombination von Abschirmmaterialien untereinander und mit anderen Stoffen	122
Besonderheiten bei Hochhäusern	127
Faustregeln zur Schlafplatzsanierung	129

Kapitel 5 – Per-Sha

Yang-Erkrankungen über Verwerfungszonen	132
Yin und Yang	132
Eine weitere Art von Sha: Per-Sha	132

Verwerfungszonen	132
Suchen Sie Verwerfungszonen!	133
Wirkung von Radioweckern mit roter Digitalanzeige	135
Diagnose und Therapie der Belastung durch Per-Sha am Menschen	137

Kapitel 6 – Belastungen durch Elektrosmog und Chemie

Feng Shui und Elektrosmog	140
Bislang keine verläßlichen Daten über Grenzwerte	140
Einfluß auf feinstoffliche Energien	140
Beschwerden und Erkrankungen durch Elektrosmog	141
Orientierende Messung der Belastung durch Elektroinstallation	141
Chemische Belastungen	149

Kapitel 7 – Qi

Positive Energien	152
Perm-Qi	152
Zusätzliches Perm-Qi kommt durch die Haustür	153
Besonderheiten auf der 1. und 2. Ebene!	160
Erhöhung des Perm-Qi durch Licht	167
Erhöhung des Perm-Qi durch Klangspiele	168
Erhöhung des Perm-Qi durch Korkplatten	168
Erhöhung des Perm-Qi durch EPS-Platten	169
Haben Sie genügend Perm-Qi?	170
Grundlage für die Messung von aufnehmbarem Perm-Qi ist der individuelle Bedarf	170
Vital-Qi	173
Sorgen Sie für genügend Vital-Qi!	179
Grundlage für die Messung von aufnehmbarem Vital-Qi ist der individuelle Bedarf	179

Kapitel 8 – Die „Fünf Elemente" und die Aura des Hauses

Wu Xing: Die Fünf Wandlungsgesetze	182
Die Bedeutung der Fünf Wandlungsgesetze für unsere Gesundheit	183
Die Aura des Hauses und ihre Strukturen	188
Äußere Aura-Strukturen	188
Innere Aura-Strukturen	189
Die Projektion der Sektoren auf den Grundriß des Hauses	190

Kapitel 9 – Die acht Trigrammsektoren

Die acht Trigramme und ihre Sektoren	194
Die acht Trigramme und ihre Beziehungen zu den Himmelsrichtungen und dem Wu Xing	196

Trigrammsektoren können Ihre Gesundheit beeinflussen	200
Problematische Trigrammsektoren (Übersicht)	216
Welches Wandlungsmaterial in welchen Sektor?	216
Fragen Sie nach dem Wandlungsmaterial	219
Die Projektion der Trigrammsektoren auf den Grundriß des Hauses	220
Wenn Trigrammsektoren außerhalb des Hauses liegen	222
Disposition zu Erkrankungen durch Aussparungen im Haus	224
Feng-Shui-Maßnahmen bei Aussparungen im Haus	226

Kapitel 10 – Tierzeichensektoren und Gesundheit

Die Tierzeichen-Sektoren	230
Störende Einflüsse im Tierzeichensektor	231

Zusammenfassung und Ausblick – Der gesunde Schlafplatz

Schädliche Energien	238
Positive Energien	239
Die Bedeutung der Sektoren	240
Ausblick	241

Anhang

Glossar	244
Bauanleitungen für Biotensor und Pendel	252
Chinesischer Mondkalender	253
Kopiervorlagen	272
Adressen, Rat und Hilfe	275
Zellglasplatten geeigneter Qualität	276
Über die Autoren	277

Vorwort

Dieses Buch ist entstanden aus der jahrelangen persönlichen Erfahrung mit Feng Shui. An diesen Erfahrungen möchten wir Sie gern teilhaben lassen. Seit Ende der siebziger Jahre befassen wir uns mit den feinstofflichen Energien, die auf unsere Gesundheit wirken. Zunächst einmal wendeten wir unsere Kenntnisse für uns selbst an, schon bald aber auch für Freunde und Bekannte. Wir sammelten eifrig alle Informationen, die uns zugänglich waren, und belegten Seminare und Workshops. Unsere Beratungen weiteten sich allmählich auf ganz Deutschland und das benachbarte Ausland aus. Es folgten eigene Seminare und schließlich die Gründung des Instituts für angewandtes Kanyu.

Der vorliegende Band zeigt auf, daß Feng Shui wesentlich stärkeren Einfluß auf Ihre Gesundheit haben kann, als Sie vielleicht gedacht haben. Wir haben während unserer Feng-Shui-Beratungen in Privathäusern immer wieder die Erfahrung gemacht, daß es oft gesundheitliche Probleme waren, die Anlaß dafür gaben, uns zu rufen. Ursache für gesundheitliche Probleme können sowohl der Einfluß negativer Energien als auch der Mangel an positiven Energien sein. Dies ist den Chinesen schon seit mehr als 3.000 Jahren bekannt. Sie verwenden für diese Energien insbesondere zwei Oberbegriffe: **Qi** für positive Energien und **Sha** für negative Energien.

Für unsere Gesundheit und unser Wohlbefinden ist es erforderlich, daß wir uns ausreichend mit positiven Energien versorgen. Wir nehmen diese positiven Energien zum Teil über unsere Nahrung auf, aber einen großen Teil dieser Energien nehmen wir darüber hinaus aus der Umgebung über unsere Aura auf. Deshalb sollten wir darauf achten, daß wir uns einen ausreichenden Teil des Tages und der Nacht in einer Umgebung aufhalten, die genügend positive Energien enthält. Besonders in der Erholungszeit in der Nacht ist dies wichtig.

Besonders während des Schlafes ist es notwendig, uns vor negativen Energien zu schützen. Da wir uns im Bett viele Stunden an gleicher Stelle aufhalten, sind wir den dort eventuell vorhandenen negativen Energien besonders konzentriert ausgesetzt. Unser Körper ist glücklicherweise meistens in der Lage, während des Schlafes die tagsüber aufgenommenen negativen Energien abzubauen. Wenn wir jedoch auch während der Nacht weitere negative Energien aufnehmen, findet dieser Abbauprozeß nicht statt. Im Gegenteil: die schädliche Wirkung dieser Energien wird derart potenziert, daß ernsthafte Krankheiten entstehen können.

Wie aber können wir herausfinden, ob wir uns „gut gebettet" haben oder nicht? Es ist oft möglich, diese negativen Energien ganz konkret zu lokalisieren und wir werden Ihnen eine Methode aufzeigen, wie Sie dies selbst tun können. Wenn wir die unterschiedlichen negativen Energien lokalisiert haben, können wir ihnen ausweichen oder geeignete Schutzmaßnahmen ergreifen. Da die Ausweichmöglichkeiten häufig begrenzt sind, gehen wir in diesem Buch ausführlich auf Schutzmaßnahmen ein.

Es gibt einige Menschen, die in der Lage sind, Energien „einfach so" zu spüren. Dazu gehört jedoch im allgemeinen eine gewisse Sensitivität gepaart mit viel Erfahrung. Wenn Sie nicht zu dieser Personengruppe gehören, gibt es für Sie ein ausgezeichnetes Hilfsmittel, das auch wir einsetzen, den Biotensor (auch Einhandrute genannt). Auch mit dem Pendel lassen sich auf uns einwirkende Energien gut aufspüren. Diese Methode ist besonders erfolgreich, wenn wir die Energien, die wir messen wollen, vorher möglichst genau kennen. Die richtige Benutzung des Biotensors oder Pendels werden wir in diesem Buch eingehend besprechen. Es wird Ihnen möglich sein, sämtliche Inhalte des Buches mit dem Biotensor oder Pendel nachzuvollziehen und für sich zu Hause individuell umzusetzen.

Der vorliegende Band ist der **erste Teil** einer fünfbändigen Reihe zum Thema Feng Shui. Die Reihe ist so konzipiert, daß das Gesamtgebiet des Feng Shui in fünf relativ abgeschlossene Themen aufgeteilt wird. So wird über den Gesundheitbereich hinaus Feng Shui u. a. auch zur Förderung harmonischer Beziehungen sowohl in der Familie als auch im Geschäftsleben erfolgreich angewandt. Dabei soll jeder einzelne Band auch für sich alleine den Zugang zu dem jeweiligen speziellen Thema ermöglichen.

Einführung in Feng Shui

Feng Shui kommt aus dem Chinesischen und heißt übersetzt: „Wind und Wasser". Feng Shui ist die Kunst des Lebens in Harmonie mit unserer sichtbaren und unsichtbaren Umgebung. Leben in Harmonie bedeutet Gesundheit, Wohlbefinden, beruflichen Erfolg, persönliches Glück und spirituelles Wachstum.

Chinesisches Schriftzeichen für Feng Shui

Um dieses Ziel zu erreichen, ist es notwendig, die für uns positiven Kräfte zu stärken und die negativen Kräfte zu meiden. In den alten Hochkulturen, so auch im alten China, war der Mensch bemüht, Harmonie zwischen sich und seiner Umgebung herzustellen. Hierfür war es erforderlich, die Gesetzmäßigkeiten der sichtbaren und unsichtbaren Welt zu studieren und zum Wohle des Menschen anzuwenden. Durch gezieltes Anwenden der Regeln des Feng Shui können wir u. a. positiv auf unsere **Gesundheit** und unser **Wohlbefinden** einwirken.

Die Kunst des Lebens in Harmonie mit unserer Umgebung stützt sich zum einen auf die Beobachtung der sichtbaren Welt, zum anderen aber auch auf die gefühlsmäßige Wahrnehmung der unsichtbaren Welt. Da nicht jeder Mensch die gleiche Wahrnehmungsfähigkeit besitzt, waren die Chinesen schon früh bemüht, auch dem weniger sensitiven Menschen Anhaltspunkte für die Beurteilung der verborgenen Energien an einem Ort an die Hand zu geben. Aus unterschiedlichen Ansätzen haben sich die verschiedenen „Schulen" des Feng Shui entwickelt, die wir Ihnen im folgenden kurz erläutern möchten.

Die Formschule

Die bergigen Regionen Südchinas boten durch ihren Formenreichtum das ideale Gebiet für die Entwicklung der sogenannten Formschule. Über die Beobachtung der Landschafts- und Flußformen kamen die alten Feng-Shui-Meister zu einer sehr differenzierten Bewertung der einzelnen Formen hinsichtlich ihrer positiven und negativen Wirkung auf den Menschen. Das Zusammenwirken von Bergformen und Flußläufen bestimmte den besten Ort für eine menschliche Siedlung. Dieser günstige Ort wurde auch „Xue" genannt.

Bergformen (alte chinesische Zeichnung)

Bekannt für seine grundlegenden Werke zur Formschule, so u. a. „Klassiker über die Kunst, den Drachen zu wecken", „Lehre von der Annäherung von Drachen", „Geheime Bedeutung des Universums" und „Methode der Zwölf-Sprossen-Linien", ist der kaiserliche Feng-Shui-Meister Yang Yun-sung. Er lebte von ca. 840–888 nach unserer Zeitrechnung. Die Formschule wurde seinerzeit „Xingshi" (Gestaltungen und Formen) genannt, heute ist sie unter dem Begriff „Luantou" (Berggipfel) bekannt.

Da die Konstellationen der Formschule recht vielfältig sind und ihre Regeln nicht allein mechanisch zu lernen sind, erfolgt die Bewertung oft auch gefühlsmäßig oder intuitiv.

Die Kompaßschule

Die Ebenen Nordchinas bieten insgesamt weniger Kriterien für die Landschaftsbeurteilung anhand von Formen. Hier war bereits zur Zeit der Sung-Dynastie (960–1279 nach unserer Zeitrechnung) ein umfangreiches System zur Bewertung eines Ortes aufgrund der Einflüsse der Himmelsrichtungen sowie auch zeitlicher Faktoren entwickelt. Die Bewertung der Energien am Ort erfolgte mit Hilfe des Kompasses („Luopan"), der speziell zu diesem Zweck entwickelt wurde.

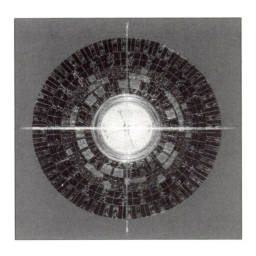

Ein alter chinesischer Feng-Shui-Kompaß (Luopan)

Bereits ca. 1085 nach unserer Zeitrechnung beschrieb Shen Gua den magnetischen Kompaß und seine Bedeutung für das System des Feng Shui in einem Buch. Erst nach der Verwendung für Feng-Shui-Bewertungen wurde der Kompaß von den Chinesen auch für die Seefahrt eingesetzt. Die Europäer verwendeten den Kompaß erst später als die Chinesen. Im Gegensatz zur europäischen Ausrichtung der Kompaßnadel nach Norden weist die Nadel des chinesischen Feng Shui Luopan nach Süden.

Der chinesische Feng-Shui-Gelehrte Wang Zhi gilt als einer der Hauptvertreter der Kompaßschule. Er lebte zur Zeit der Sung-Dynastie im Norden der Provinz Fukien. Dort verfaßte er seine Hauptwerke „Kanon des Kerns oder der Mitte" und „Abhandlung über die Fragen und Antworten". Wesentlicher Bestandteil der Kompaßschule sind astrologische Berechnungen, die die zeitlich wechselnden Einflüsse in die Betrachtungsweise des Feng Shui integrieren.

Die Analytische Schule

Es gibt Personen, die einige der Einflüsse, die an einem bestimmten Ort zu einer bestimmten Zeit auf den Menschen wirken, direkt wahrnehmen können. Dabei erfolgt die Wahrnehmung über verschiedene Sinne. Die Genauigkeit der Wahrnehmung kann dabei sehr unterschiedlich sein. Sie kann von einem mehr oder weniger unbestimmten Gefühl bis zu einer präzisen Bestimmung der Art und Stärke der Einflüsse reichen. Die direkte Wahrnehmung der Energien wird oft auch als Intuitive Schule bezeichnet.

Von einem unbestimmten Gefühl zu einer konkreten Beschreibung der energetischen Verhältnisse an einem Ort kann es ein weiter Weg sein. In der Regel erfordert es einen fundierten theroretischen Hintergrund, um die gemachten Wahrnehmungen richtig einordnen zu können. Es ist gut, wenn man weiß, welche Energien man eigentlich wahrgenommen hat. Wichtig ist aber auch die Möglichkeit, die eigene Wahrnehmung zu einem späteren Zeitpunkt wiederholen zu können. Der Biotensor, die moderne Form der Wünschelrute, oder das Pendel können dabei auch dem sensitiv Veranlagten eine große Hilfe sein, seine Wahrnehmung zu differenzieren.

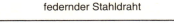

Gewicht an der Spitze
(z. B. als Stahlring)

federnder Stahldraht

Handgriff

Biotensor, die moderne Form der Wünschelrute

Die Benutzung des Biotensors, des Pendels oder anderer Methoden, Energien direkt zu bestimmen, wie z. B. die Kinesiologie, ist jedoch für den weniger sensitiv Veranlagten im allgemeinen unumgänglich. Die klassische Y-Wünschelrute haben die Ägypter und Chinesen schon vor über 4.000 Jahren benutzt, um unseren Sinnen verborgene Dinge aufzuspüren. Als ältestes Zeugnis ist ein Gesetz bekannt, erlassen vom chinesischen Kaiser Yu, aus dem Jahre 2200 vor unserer Zeitrechnung. Eigens dafür geschulte kaiserliche Beamte mußten Grundstücke, die für den Bau von Wohnhäusern vorgesehen waren, untersuchen, damit dort kein Gebäude entstünde, wo „böse Geister wirken, die Unheil und Krankheit nach sich ziehen".

Diese Art der Bestimmung der Qualitäten eines Ortes nennen wir die **Analytische Schule**. Sie ist im ost- und südostasiatischen Raum heute jedoch eher in Vergessenheit geraten. In Europa werden der Biotensor, das Pendel, die Y-Rute oder andere Rutenformen u. a. angewandt, um negative Einflüsse auf unsere Gesundheit, die ortsabhängig insbesondere am Schlafplatz wirken, zu erfassen. Das von den Chinesen überlieferte Wissen über Feng Shui ist keine Philosophie, sondern eine mittels Biotensor, Pendel oder anderer Methoden direkt nachvollziehbare Beschreibung des Verhaltens feinstofflicher Energien und deren Wirkung auf den Menschen. Da die Chinesen eine sehr blumige und für die Menschen des Westens häufig unverständliche Sprache verwenden, haben wir uns bemüht, Ihnen das uralte Feng-Shui-Wissen in diesem Buch so zu vermitteln, daß Sie die Analytische Schule wirklich direkt anwenden können.

Feng Shui gestern und heute

Zur Beantwortung bestimmter Fragen werden Methoden aller drei Feng-Shui-Schulen herangezogen. So wurde in alter Zeit zur Klärung der Frage, in welchem Landesteil Chinas die Hauptstadt liegen sollte, die Kompaßschule zur Anwendung gebracht. Die Kompaßschule berücksichtigt zeitlich wechselnde Einflüsse, so daß es in der Geschichte Chinas aufgrund dieser Erwägungen immer wieder zu Verlegungen der Hauptstadt kam. Die Besetzung Chinas durch die Mongolen wurde u. a. darauf zurückgeführt, daß die Hauptstadt aus Gründen der Bequemlichkeit nicht rechtzeitig in einen anderen Landesteil verlegt wurde, obwohl Feng-Shui-Meister nach den Kriterien der Kompaßschule dieses angeraten hatten.

Die Formschule wurde zu Rate gezogen, wenn es galt, in dem durch die Kompaßschule bestimmten Landesteil das geeignete Gelände für die Errichtung der Hauptstadt zu finden. Bereits für die Zeit der Shang-Dynastie (1751–1122 vor unserer Zeitrechnung) ist bekannt, daß die Stadtplanung nach Feng-Shui-Kriterien durchgeführt wurde.

Heute wird Feng Shui beispielsweise in Hong Kong, Taiwan, Singapur, Malaysia und vielen weiteren Ländern alltäglich angewandt. So ziehen z. B. in Hongkong und Singapur Architekten meistens einen Feng-Shui-Experten zu Rate, bevor ein Neubau begonnen wird. In China selbst hat sich die Feng-Shui-Tradition trotz Verfolgung zumindest in ländlichen Gegenden bis heute erhalten. In Japan wird Kaso, wie Feng Shui dort heißt, weiterhin bis in die Regierung hinein praktizert. Die heutigen Feng-Shui-Experten bedienen sich wie ihre Vorgänger im klassischen China aller erwähnten drei Schulen, oft ergänzt durch eigene Intuition und Erfahrung. Auch heute noch behalten die meisten Feng-Shui-Berater im Fernen Osten genauere Angaben über ihre Vorgehensweise lieber für sich. Es ist deshalb für westliche Betrachter oft schwer, hinter den blumigen Umschreibungen die Gesetzmäßigkeiten des Feng-Shui-Systems zu erkennen.

„Westliches" Feng Shui und Gesundheit

Im Westen hat es auch in der Vergangenheit nie ein so komplettes Feng-Shui-System wie in China gegeben. Das früher vorhandene Wissen ist in der modernen Architekturentwicklung weitgehend verloren gegangen. In China dagegen war und ist man bemüht, das Feng-Shui-System auch auf die moderne Bauweise zu übertragen. Das Feng-Shui-System und die traditionelle chinesische Medizin gehören zusammen. Im Westen, insbesondere im deutschsprachigen Raum, hat sich die Volks- und Naturheilkunde über die letzten Jahrhunderte erhalten und weiterentwickelt. Aus ihr heraus sind Impulse gekommen, nicht nur chemische oder technische Belastungen im Haus zu suchen, sondern auch feinstoffliche Energien aufzuspüren, die die Gesundheit des Menschen schädigen oder beeinträchtigen.

Kapitel 1

Aufspüren von Energien mit Biotensor und Pendel

Die Arbeit mit dem Biotensor oder Pendel

Biotensor oder Pendel ermöglichen es uns, auf eine präzise Frage aus einem uns nicht oder nur ungenügend bewußten eigenen Wahrnehmungsbereich eine positive oder negative Antwort zu bekommen. Dabei geht es um die Sichtbarmachung unserer eigenen Wahrnehmung. Biotensor oder Pendel können also nur anzeigen, was wir selbst unbewußt spüren. Bei entsprechender Fragestellung sind wir in der Lage, unsere unbewußte Wahrnehmung über eine Muskelreaktion sichtbar zu machen. Wir erhalten dann eine Reaktion von Biotensor oder Pendel.

Die meisten von Ihnen werden keinen Biotensor zu Hause haben. Da Sie aber wahrscheinlich trotzdem den Wunsch verspüren, die geschilderten praktischen Versuche gleich durchzuführen, beschreiben wir Ihnen, wie Sie die gleichen Versuche mit einem Pendel machen können. Sie können sich ohne Probleme zu Hause binnen fünf Minuten ein eigenes und gut funktionsfähiges Pendel herstellen, sofern Sie noch keines besitzen. **(Im Anhang finden Sie kurz beschrieben, wie Sie sich selbst ein Pendel herstellen können.)**

Reaktionen des Biotensors

Umfassen sie den Griff des Biotensors mit der Hand. Achten Sie darauf, daß Sie sich nicht verkrampfen. Wenn Sie einen Biotensor mit einem Ring als Gewicht an der Spitze benutzen, sollte der Ring in etwa waagerecht ausgerichtet sein.

Die Anzahl der einzelnen möglichen Biotensor-Reaktionen (Ausschläge) ist begrenzt. Es gilt also der einzelnen Reaktion des Biotensors eine eindeutige Bedeutung zuzuordnen. Diese Zuordnung geschieht auf dem Wege der für uns selbst eindeutigen gedanklichen Festlegung. In der Regel wird die Reaktion für JA und NEIN festgelegt. Es empfiehlt sich, eine weitere Reaktion für KEINE ANTWORT zu bestimmen. Es empfiehlt sich ferner, der Auf- und Abwärtsbewegung (vertikal) des Biotensors die Antwort JA zuzuordnen, der Bewegung nach links und rechts (horizontal) die Antwort NEIN. Haben sich bei Ihnen andere Reaktionen für JA und NEIN bzw. KEINE ANTWORT bewährt, dann bleiben Sie dabei.

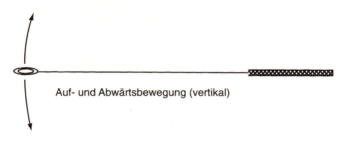

JA-Reaktion des Biotensors

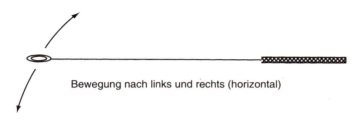

NEIN-Reaktion des Biotensors

keine Bewegung

KEINE ANTWORT-Reaktion des Biotensors

Das Pendel und seine Reaktionsmöglichkeiten

Auch den Pendelausschlägen sollten Sie eindeutig die Bedeutung JA, NEIN und KEINE ANTWORT zuordnen. Wir empfehlen der Pendelbewegung im Uhrzeigersinn (Rechtsdrehung) die Bedeutung JA, der Pendelbewegung gegen den Uhrzeigersinn (Linksdrehung) die Bedeutung NEIN zuzuordnen. Steht das Pendel still (keine Bewegung) ist die empfohlene Zuordnung KEINE ANTWORT. Haben sich bei Ihnen andere Reaktionen für JA und NEIN bzw. KEINE ANTWORT bewährt, bleiben Sie dabei.

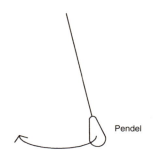
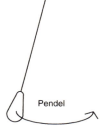

Bewegung im Uhrzeigersinn (Rechtsdrehung) Bewegung gegen den Uhrzeigersinn (Linksdrehung)

JA-Reaktion des Pendels   *NEIN-Reaktion des Pendels*

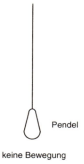

keine Bewegung

KEINE ANTWORT-Reaktion des Pendels

Wenn Sie zum gegenwärtigen Zeitpunkt keine praktischen Versuche mit dem Biotensor oder Pendel machen möchten, besteht die Möglichkeit, ab Kapitel 2 weiterzulesen.

Testen Sie Biotensor oder Pendel: Wasser oder Apfelsaft?

Machen Sie eine praktische Übung: Nehmen Sie eine Schüssel, und füllen Sie diese mit Wasser. Halten Sie die Spitze des Biotensors (das Pendel) am besten über die Schüssel, und stellen Sie sich nun laut oder einfach in Gedanken die Frage: *„Ist in der Schüssel Wasser?"*. Haben Sie sich richtig programmiert, wird sich der Biotensor auf und nieder – also vertikal – bewegen, d. h. ein JA anzeigen. (Das Pendel bewegt sich im Uhrzeigersinn, also rechtsherum.) Sollten sich Biotensor oder Pendel nicht bewegen oder eine andere Reaktion zeigen, wiederholen Sie die Frage so lange, bis Sie ein eindeutiges JA bekommen. Sollte trotz mehrfacher Versuche eine nur schwache Reaktion oder keine Reaktion erfolgen, nehmen Sie Biotensor oder Pendel in die andere Hand, und beginnen Sie noch einmal. Es kann sein, daß die Reaktion nun stärker ist. Es ist wichtig, daß Sie eine Reaktion auf Ihre Frage prinzipiell für möglich halten, da Sie sich sonst blockieren können.

Wenn Sie dies sicher beherrschen, testen Sie die NEIN-Reaktion. Fragen Sie z. B.: *„Ist dies Marmelade?"*. Nun muß eine NEIN-Reaktion erfolgen, das heißt, der Biotensor muß sich nach links und rechts – also horizontal – bewegen. (Das Pendel bewegt sich gegen den Uhrzeigersinn, also linksherum.) Sie stellen nun noch andere Fragen, die verneint werden müssen, z. B.: *„Ist dies Apfelsaft?"*. Sie wiederholen dies so lange, bis Sie eine sichere NEIN-Reaktion haben. Dann wiederholen Sie diese Übung auch mit anderen Gegenständen, bis Sie sich mit der NEIN-Reaktion sicher fühlen. Stellen Sie möglichst keine verneinenden Fragen, da Sie dann leicht verwirrt werden können, das heißt, fragen Sie besser nicht: „Ist dies kein Wasser?"!

Jetzt legen Sie die Reaktion für KEINE ANTWORT fest. Fragen Sie z. B.: *„Welche Farbe hat das Wasser?"*. Es kann jetzt nur die Reaktion für KEINE ANTWORT geben, das heißt, Biotensor oder Pendel bewegen sich nicht.

Messen Sie schädliche Energien über verwirbelndem Wasser!

Diejenigen von Ihnen, die bislang noch keine praktischen Erfahrungen mit dem Biotensor oder Pendel hatten, konnten inzwischen lernen, eindeutige Reaktionen zu erzielen (JA, NEIN, KEINE ANTWORT). Wir wollen uns zunächst mit der Messung von Energien über fließendem (verwirbelndem) Wasser befassen. Uns interessieren hier die Energien, die für den Menschen schädlich oder störend sind.

Wasserversuch I

Halten Sie Ihren Biotensor oder Pendel über einen geöffneten Wasserhahn und fragen Sie: *„Sind über dem Wasserhahn Energien, die für mich schädlich oder störend sind?"*. Biotensor oder Pendel müssen jetzt JA anzeigen. Wenn Sie kein JA bekommen, wiederholen Sie diese Messung einige Male, oder machen Sie mit Wasserversuch II weiter. Drehen Sie jetzt den Wasserhahn zu, und stellen Sie die gleiche Frage. Biotensor oder Pendel müssen jetzt NEIN anzeigen. Sollten Sie trotz mehrfacher Meßversuche weiterhin ein JA bekommen, haben Sie die Frage mental nicht präzise genug gestellt. Bei der Frage nach schädlichen oder störenden Energien, die durch *dieses* verwirbelnde Wasser entstanden sind, haben wir schädliche oder störende Energien durch verwirbelndes Wasser *anderen* Ursprungs ausgeschlossen.

Die hier angegebene ausführliche Fragestellung dient dazu, eine präzise Fragestellung zu üben. Bei der praktischen Arbeit ist es ausreichend, **die Frage in abgekürzter Form** zu stellen, wenn man in der Lage ist, sich präzise auf die gesuchte Energie einzustellen. Sie können beispielsweise in abgekürzter Form fragen: *„Sind hier für mich schädliche Energien durch dieses verwirbelnde Wasser?"*. Der Geübte wird es ausreichend finden, sich nur präzise auf die gesuchte Energie einzustellen. Er benötigt hierzu im Laufe der Zeit nicht einmal mehr die verbale Fragestellung. Machen Sie jetzt mit Wasserversuch II weiter.

Messung über dem Wasserhahn

Wasserversuch II

Nehmen Sie eine Schüssel (aus Plastik, Glas oder Porzellan, besser nicht aus Metall) und füllen Sie diese mit Wasser. Nehmen Sie einen Holz- oder Plastiklöffel, und rühren Sie kräftig um. Halten Sie Biotensor oder Pendel über das bewegte, verwirbelnde Wasser und fragen Sie: *„Sind über der Schüssel für mich schädliche Energien, die durch dieses verwirbelnde Wasser entstanden sind?"*. Biotensor oder Pendel müssen ein JA anzeigen. Wenn das Wasser völlig zum Stillstand gekommen ist, wiederholen sie diese Frage, Sie müssen jetzt ein NEIN bekommen. Wenn Sie weiterhin ein JA bekommen, haben Sie die Frage mental nicht präzise genug gestellt. Möglicherweise haben Sie schädliche Energien über einer Wasserführung gemessen. Wiederholen Sie die Messung an einem anderen Platz. Sie können auch noch eine dritten Wasserversuch in ähnlicher Weise mit einem Gartenschlauch im Garten durchführen.

Messen Sie die Stärke der Energien über verwirbelndem Wasser!

Je stärker Wasser verwirbelt, desto stärker ist auch die schädliche oder störende Energie, die dann von ihm ausgeht. Die Stärkebestimmung von schädlichen oder störenden Energien erfolgt auf einer Skala von 0 bis 100. Dabei gibt der Wert 100 den höchstmöglichen Wert an. Die maximale Stärke der schädlichen oder störenden Energien durch verwirbelndes Wasser ist jedoch nur 30. Diese Stärke finden Sie z. B. oberirdisch über Wasserfällen. Wichtig ist, daß Sie sich mental auf diesen Wert programmieren. Für die Bestimmung der Stärke von schädlichen oder störenden Energien durch verwirbelndes Wasser können Sie folgende Messung machen:

Drehen Sie einen Wasserhahn voll auf, und finden Sie heraus, welche Stärke auf der beschriebenen Skala von 0 bis 30 die schädlichen oder störenden Energien haben. Halten Sie Biotensor oder Pendel über den Wasserhahn. (In der Praxis hat es sich bewährt, das Pendel bereits zu Beginn der Messung hin und her schwingen zu lassen – d. h. auf Sie zu und von Ihnen weg. Wenn die Reaktion JA kommt, kann das Pendel schneller in eine Kreisbewegung kommen.) Fragen Sie: *„Ist die Stärke der schädlichen Energien durch dieses verwirbelnde Wasser 1 oder darüber?"*. Wenn Biotensor oder Pendel JA anzeigen, fragen Sie: *„Ist die Stärke der schädlichen Energien durch dieses verwirbelnde Wasser 2 oder darüber?"*. Wenn Sie ein JA bekommen, fahren Sie fort, indem Sie bei gleicher Fragestellung den Zahlenwert jeweils um 1 erhöhen. Sie fragen also, ob der Wert 1 oder darüber, 2 oder darüber und so weiter ist. Wenn Sie ein NEIN bekommen, fragen Sie nochmals nach dem Wert darunter. Jetzt müssen Sie wieder ein JA bekommen. Sie haben damit die Stärke der schädlichen oder störenden Energien ermittelt.

Wenn Sie also beispielsweise bei der Frage, ob die Stärke der schädlichen Energien 20 oder darüber sei, ein JA bekommen, bei 21 oder darüber dagegen ein NEIN, fragen Sie erneut nach 20 oder darüber. Sie müßten jetzt wieder ein JA bekommen, Sie haben damit die Stärke der schädlichen Energien (mit 20 oder darüber, aber kleiner als 21) ermittelt. Wenn Sie jedoch in diesem Beispiel bei der erneuten Frage nach 20 oder darüber ein NEIN bekommen, haben Sie falsch gemessen, denn die Stärke der schädlichen Energien ist ja gleich geblieben. Beginnen Sie von vorne.

Sie können auch zunächst in 5er Schritten zählen, also nach 5 oder darüber, 10 oder darüber, 15 oder darüber usw., bis Sie ein NEIN bekommen. Dann beginnen Sie wieder mit dem letzten Schritt und zählen Sie in 1er Schritten wie beschrieben weiter.

Suchen Sie unterirdische Wasserführungen in Ihrem Haus oder Garten!

Wenn Sie in der Lage waren, eine richtige und klare Reaktion auf schädigende oder störende Energien über verwirbelndem Wasser zu erhalten, können Sie jetzt versuchen, eine unterirdische Wasserführung zu suchen. Wie verwirbelndes Wasser auf den Menschen wirken kann, wollen wir Ihnen am folgenden Beispiel erläutern:

Ein Schwimmbad unter dem Schlafzimmer
Ein wohlhabender Handwerksmeister kaufte sich ein Haus in einem vornehmen Viertel. Das Haus besaß ein eigenes Schwimmbad, das direkt unter dem Schlafzimmer gelegen war. Zunächst traten bei seiner Frau morgendliche Muskelschmerzen auf. Nach einigen Wochen kamen rheumatische Gelenkbeschwerden hinzu. Als nach einem Vierteljahr auch der Handwerksmeister über Gelenkschmerzen klagte, riet ihnen die behandelnde Ärztin, einen Feng-Shui-Berater hinzuzuziehen. Dieser stellte eine Belastung durch verwirbelndes Wasser fest, hervorgrufen durch das Schwimmbad, das direkt unter dem Schlafzimmer gelegen war. Zur Sanierung des Schlafplatzes gehörte u. a., daß über Nacht die Umwälzpumpe des Schwimmbades abgeschaltet wurde. Schon nach kurzer Zeit besserten sich die Beschwerden des Ehepaares.

Ein Schwimmbad unter dem Schlafzimmer ist glücklicherweise eher selten anzutreffen. Häufiger sind unterirdische Wasserführungen. Wir möchten Ihnen im folgenden deshalb zeigen, wie Sie eine unterirdische Wasserführung mit dem Biotensor oder Pendel finden können.

Wie Sie unterirdische Wasserführungen leicht finden können

Sie bekommen mit dem Biotensor oder Pendel eine stärkere Reaktion, wenn Sie statt der Energie über verwirbelndem Wasser den **Träger** für diese Energie suchen. Lassen Sie uns zunächst erläutern, was wir unter Träger verstehen:

Damit sich Steine von einem Ort zum anderen bewegen, wird ein Träger (oder Transportmittel) benötigt. Feinstoffliche Energien benötigen wie die Steine zu ihrer Fortbewegung ebenfalls einen Träger.

Oft lassen sich mit dem Biotensor oder Pendel die Träger von Energien leichter finden als die Energien selbst, da die Reaktion des Biotensors oder Pendels so in der Regel deutlicher ausfällt. Das kann uns helfen, beispielsweise unterirdische Wasserführungen leichter zu finden. Statt nach der Energie fragen wir einfach nach dem Träger.

Sie sollten hierbei systematisch vorgehen. Sie müssen zunächst einmal mental eine präzise Frage formulieren. Diese könnte lauten: *„Sind hier Träger mit schädlichen Energien über verwirbelndem Wasser?"*. Mit dieser Fragestellung im Kopf gehen Sie langsam an den Wänden des auszumessenden Zimmers entlang. Nur wenn Sie einmal an den Zimmerwänden einschließlich Tür und Fenster herumgegangen sind, können Sie vermeiden, daß Sie eine Wasserführung, die z. B. nur eine Zimmerecke streift, übersehen.

Die Reaktion des Biotensors beim Begehen von Zimmern oder Grundstücken

Bei der Suche nach einer unterirdischen Wasserführung mit dem Biotensor hat sich folgendes bewährt: Sie halten den Biotensor still, solange Sie die gesuchten Träger mit schädlichen Energien noch nicht gefunden haben. Wenn Sie diese Träger gefunden haben, zeigt Ihnen der Biotensor sofort ein JA an. Diese Methode bedeutet, daß Sie, solange Sie noch nicht die gesuchten Träger mit schädlichen Energien gefunden haben, keine Reaktion des Biotensors haben wollen.

Es gibt eine zweite Möglichkeit der Reaktion des Biotensors, wenn Sie durch das Zimmer gehen: Sie stellen von Anfang an präzise die o. a. Frage. Dann wird Ihr Biotensor von Anfang an die Reaktion NEIN anzeigen, d. h. sich horizontal bewegen. Sie haben hier die Reaktion NEIN, wenn Sie sich nicht über einer Wasserführung befinden. Wenn Sie die gesuchten Träger mit schädlichen Energien gefunden haben, wird die Reaktion sofort auf JA umschlagen.

Die Pendelreaktion beim Begehen von Zimmern oder Grundstücken

Bei der Suche nach einer unterirdischen Wasserführung mit dem Pendel hat sich folgendes bewährt: Halten Sie das Pendel still, solange Sie die gesuchten Träger mit schädlichen Energien noch nicht gefunden haben. Dies bedeutet, Sie wollen keine Pendelreaktion, solange Sie die gesuchten Träger mit schädlichen Energien nicht gefunden haben. Wenn Sie diese Träger gefunden haben, schwingt das Pendel sofort hin und her, d. h. auf Sie zu und von Ihnen weg. Diese Reaktion dauert so lange, wie Sie die unterirdische Wasserführung überqueren. Haben Sie die Wasserführung überschritten, steht das Pendel wieder still. Sollte Ihnen die Reaktion nicht deutlich genug gewesen sein, überqueren Sie die Wasserführung noch einmal von der anderen Seite.

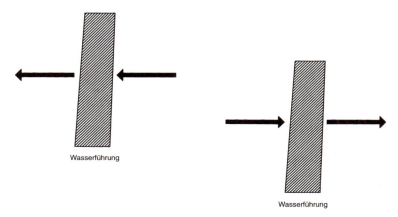

Überqueren einer Wasserführung von zwei Seiten her

Haben Sie mit dem Pendel beim Suchen nach einer unterirdischen Wasserführung mit einer anderen Pendelreaktion gute Erfahrungen gemacht, bleiben Sie dabei.

Suchen Sie Ein- und Austritt einer Wasserführung!

Gehen Sie jetzt an den Zimmerwänden oder an den Grundstücksgrenzen entlang. Wenn eine Wasserführung durch das von Ihnen untersuchte Zimmer (oder Grundstück) führt, werden Sie im allgemeinen zwei Stellen finden, an denen Ihnen Ihr Biotensor ein JA (bzw. Ihr Pendel eine Reaktion) für die Träger mit schädlichen Energien durch verwirbelndes Wasser anzeigt. Ihr Biotensor zeigt in der Regel deshalb zweimal ein JA (bzw. Ihr Pendel eine Reaktion) an, da die Wasserführung einen Eintritt und einen Austritt hat. Die Breite des Ein- und Austritts kann unterschiedlich sein. Wenn Sie eine Wasserführung gefunden haben, kontrollieren Sie Ihre Messung, indem Sie die Wasserführung in entgegengesetzter Richtung überqueren.

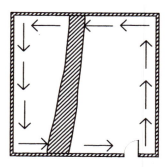

Wassersuche im Zimmer

Die Bestimmung des Verlaufs einer Wasserführung

Es gibt zwei Möglichkeiten, den Verlauf einer Wasserführung zu bestimmen:
1) Sie stellen sich mit dem Rücken zur Wand auf die Wasserführung. Sie nehmen den Biotensor oder das Pendel in die Hand und beschreiben langsam mit ausgestrecktem Arm einen Halbkreis mit der Fragestellung nach den Trägern mit schädlichen Energien durch verwirbelndes Wasser. Damit können Sie die Breite der Wasserführung bestimmen. Nun gehen Sie langsam in Richtung auf den anderen von Ihnen ermittelten Ein-/Austrittspunkt zu, wobei Sie den Verlauf der Wasserführung durch das Zimmer (bei Grundstücken entsprechend) mit dem Biotensor oder Pendel bestimmem. Sollten Sie mit einer Halbkreisbewegung nicht bequem die ganze Breite der Wasserführung erfassen können, ermitteln Sie zunächst den rechten Rand der Wasserführung bis zur anderen Seite des Zimmers. Den linken Rand ermitteln Sie, indem Sie zum Ausgangspunkt zurückkehren.
2) Die zweite Möglichkeit sieht wie folgt aus: Sie kreuzen die gedachte Verbindungslinie zwischen Ein- und Austrittsstellen mehrmals und erhalten so den genauen Verlauf.

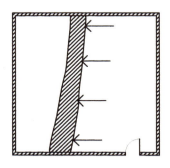

Bestimmung des Verlaufs einer Wasserführung im Zimmer

Wenn Sie drei Ein-/Austrittsstellen einer Wasserführung gefunden haben, handelt es sich, wenn Sie richtig gemessen haben, um eine Y-Wasserführung. Meist fließen dann zwei Wasserführungen ineinander, bzw. eine kleinere fließt in eine größere. Kreuzungen von Wasserführungen sind extrem selten. Sie entstehen dadurch, daß zwei Wasserführungen in verschiedenen Tiefen (Horizonten) übereinander fließen, was voraussetzt, daß zwischen den beiden Wasserführungen eine wasserundurchlässige Schicht ist.

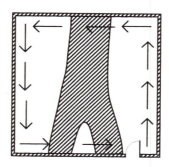

Eine Y-Wasserführung im Zimmer

Kapitel 2

Die unsichtbare Welt des Feng-Shui

Eine Energie aus
einer anderen Dimension

Vielleicht haben Sie sich schon gewundert, daß vom Wasser schädliche Energien ausgehen sollen, wo wir doch alle wissen, daß Wasser nicht nur unser wichtigstes Nahrungsmittel, sondern auch das Lebenselixier für die Erde ist. Es wird also nicht das Wasser selbst sein, das schädliche Energien aussendet. Durch verwirbelndes Wasser wird lediglich ein Prozeß möglich, der Energien aus einer anderen Dimension in unsere Dimension bringt. Was ist nun aber unter anderer Dimension bzw. unserer Dimension zu verstehen?

Der Begriff Dimension ist vielschichtig. Allgemein gebraucht bedeutet Dimension soviel wie Ausdehnung, Ausmaß oder Bereich. Vielleicht erinnern Sie sich noch an Ihren Kunst- oder Zeichenunterrricht während Ihrer Schulzeit. Wenn Sie einen Strich zeichnen, so wird dies 1. Dimension genannt. Die Fläche wird dann 2. Dimension genannt. Räumliches Zeichnen wäre dann die Beschreibung der 3. Dimension.

Etwas mathematischer ausgedrückt kann man dies auch so formulieren: Unter Dimension werden auch die Eigenschaften geometrischer Grundgebilde verstanden. Der Punkt ist dann Dimension 0 (Null), die Gerade Dimension 1, die Ebene Dimension 2, der Raum Dimension 3. Höhere Dimensionen in diesem Sinne kann sich der Mensch nicht vorstellen. Dennoch hat uns spätestens Einstein davon überzeugt, daß es mehr als 3 Dimensionen geben muß.

Während Einstein noch darüber nachdachte, wie die 4. Dimension genau zu beschreiben sei, geht die theoretische Physik heute sogar davon aus, daß es mehr als 4 Dimensionen geben muß. Im bekannten Pariser Forschungsinstitut C. E. R. N. kamen Wissenschaftler bereits vor zehn Jahren durch theoretische Berechnungen zu der Erkenntnis, daß alle bekannten physikalischen Vorgänge nur dann erklärbar waren, wenn man von 7 Dimensionen ausging. Auch die Lehre des Feng Shui geht davon aus, daß es 7 Dimensionen gibt.

Die 3. Dimension

Wir leben als Mensch mit unserem physischen Körper (Körper aus Fleisch und Blut) und unserem nicht-physischen oder feinstofflichen Körper (Aura) in der 3. Dimension. Auch Tiere und Pflanzen, die Erde, unser Sonnensystem, ja das ganze bekannte Universum existiert in der 3. Dimension. Trotzdem wirken auf uns Einflüsse aus anderen Dimensionen, beispielsweise astrologische Einflüsse. Diese Einflüsse sind im allgemeinen dadurch gekennzeichnet, daß wir sie zwar beschreiben, ihre Mechanismen aber bestenfalls teilweise durchschauen können. Die Chinesen haben diese Einflüsse schon sehr früh genau registriert und beschrieben.

Die höheren Dimensionen

Neben der 3. Dimension existieren 6 weitere Dimensionen. Es gibt höhere und niedrigere Dimensionen als die 3. Dimension. Als höhere Dimensionen bezeichnen wir die Dimensionen 4, 5, 6 und 7 (in aufsteigender Reihenfolge). In diesen höheren Dimensionen läuft die **Zeit** zunehmend **langsamer**. Könnten wir z. B. eine Reise in die 4. Dimension machen und würden uns dort ein Jahr aufhalten, wären in unserer 3. Dimension bereits 100 Jahre vergangen. Ein solcher „Zeitreisender" würde bei seiner Rückkehr in unsere, die 3. Dimension, seine Familie nicht mehr wiedersehen, da diese dann schon gestorben wäre. Er selbst wäre aber nur ein Jahr älter geworden. Die Zeit läuft in der 4. Dimension also langsamer als in der 3. Dimension. Die Zeit in der 5. Dimension läuft wiederum langsamer als in der 4. Dimension usw.

Die niedrigeren Dimensionen

Als niedrigere Dimensionen bezeichnen wir die Dimensionen 2 und 1 (in absteigender Reihenfolge). In diesen niedrigeren Dimensionen läuft die **Zeit** zunehmend **schneller** als in der 3. Dimension. D. h., die Zeit läuft in der 2. Dimension schneller als in der 3. Dimension. In der 1. Dimension läuft die Zeit wiederum schneller als in der 2. Dimension.

Wesen, die in einer höheren Dimension leben, können sich das Leben in einer niedrigeren Dimension im Prinzip vorstellen. So könnten wir uns z. B. vorstellen, daß ein Wesen nur in der Ebene, also in der 2. Dimension lebt. Umgekehrt ist es für ein Wesen, das in einer niedrigeren Dimension lebt, schwer möglich, sich ein Leben in einer höheren Dimension vorzustellen. Lassen Sie uns das an einem Beispiel verdeutlichen:

Nennen wir in unserem Beispiel die 2. Dimension Flächenland. Wie erlebt ein Bewohner von Flächenland unsere 3. Dimension? Wird eine Karotte durch Flächenland bewegt, so sieht dessen Bewohner, wie ein orangefarbener Kreis aus dem Nichts auftaucht und immer größer wird. Schließlich wird aus dem orangenen ein grüner Kreis, der dann wieder verschwindet.

Ähnlich erginge es uns, wenn wir die 4. Dimension erlebten. Wir würden nur dreidimensionale „Querschnitte" der vierdimensionalen Welt erkennen.

Die Eigenschaften, die eine höhere oder niedrigere Dimension hat, sind im übrigen schwer zu erklären. Wir kennen über unsere Wahrnehmung und unseren Erfahrungsschatz nur Erfahrungen aus der 3. Dimension. Trotzdem sind wir Einflüssen aus anderen Dimensionen ausgesetzt. Dabei sind die Einflüsse aus der 4. und 5. Dimension für das System des Feng Shui am wichtigsten.

Die Energien wechseln zwischen den Dimensionen

Sowohl die positiven als auch die negativen Energien des Feng Shui befinden sich nicht ständig in der 3. Dimension, auch wenn uns dies zunächst so erscheinen mag. Sie wechseln vielmehr die Dimension an sogenannten **Schnittstellen**. Die für unsere Gesundheit und unser Wohlbefinden wichtigen Energien wechseln von der 4. oder 5. Dimension in unsere 3. Dimension. Diese Energien geben hier aber nur ein „Gastspiel", obwohl sie während dieses Gastspiels für uns von enormer Wichtigkeit sind. Über ihre Wirkungen auf uns werden wir Sie im Laufe dieses Buches noch ausführlich informieren.

Ihr Gastspiel in unserer 3. Dimension beenden sie dadurch, daß sie wieder in eine höhere Dimension (4. oder 5. Dimension) verschwinden. Das Hin- und Herwechseln zwischen den Dimensionen entzieht sich zwar unserer Wahrnehmung, wir können aber diese Schnittstellen trotzdem genau beschreiben und lokalisieren.

Die „unsichtbare" Welt hat 32 Ebenen

Die sichtbare und die „unsichtbare" Welt

Die Einflüsse der Feng-Shui-Energien aus den höheren Dimensionen wirken auf den Menschen und seine Umgebung sehr differenziert. Um positive Energien zu verstärken oder negative Energien zu vermindern oder gar auszuschalten, bedarf es einer genaueren Kenntnis der Gesetzmäßigkeiten, wie diese Energien auf uns konkret wirken. Wir beschäftigen uns nun deshalb mit ein wenig Theorie.

In unserer 3. Dimension gibt es nicht nur das, was wir sehen, hören, schmecken, riechen oder tasten können. So existiert unser Körper in der 3. Dimension nicht nur aus Fleisch und Blut. Neben diesem sichtbaren, materiellen Körper gibt es auch unseren nicht materiellen Körper in Form der sogenannten Aura, der für die meisten Menschen jedoch nicht sichtbar ist. Der sichtbare und nicht sichtbare Körper gehören jedoch zusammen und bilden eine Einheit. Dies gilt nicht nur für den Körper des Menschen, sondern auch für Tiere und Pflanzen, die ebenfalls eine Aura haben. Es gilt sogar für Steine und die gesamte Materie in unserer 3. Dimension. Daneben gibt es viele unsichtbare „Dinge", die nur im unsichtbaren Bereich existieren. Da die meisten Menschen nur das Sichtbare direkt wahrnehmen können, neigen sie manchmal dazu, das Unsichtbare für nicht existent zu halten. Noch schwieriger ist es dann natürlich, das Unsichtbare differenziert zu betrachten.

Ist ein Fensterglas gleichzeitig rot, blau und grün?

Drei Hellseher bekommen den Auftrag zu beschreiben, was es in einem Zimmer an Unsichtbarem für sie „zu sehen" gibt. Der erste Hellseher sieht die Glasscheibe rot, der zweite blau, der dritte grün. Wer hat denn nun recht?

Unser Tip für Hellsichtige: Schauen Sie selbst, welche Farbe das Fensterglas hat. Möglicherweise sehen Sie das Fensterglas in keiner der drei genannten Farben, sondern in milchig-weiß. Wie ist dies zu erklären? Wahrscheinlich haben sowohl Sie als auch die drei Hellseher recht, Sie haben sich nur unterschiedlich programmiert. Sie haben entweder verschiedenen Energien wahrgenommen, die in der Tat jeweils verschiedene Farben haben. Es kann aber auch sein, daß Sie bzw. die Hellseher tatsächlich die Farbe des Glases auf verschiedenen unsichtbaren Ebenen* gesehen haben. Diese Ebenen könnte man auch als Feinheitsgrade bezeichnen.

Im Unterschied zum sichtbaren Bereich existiert im unsichtbaren Bereich z. B. eine Glasscheibe gleichzeitig auf verschiedenen Ebenen. Konkret: Die gleiche Glasscheibe ist zur gleichen Zeit im sichtbaren Bereich klar durchsichtig (ohne Farbe), im unsichtbaren Bereich dagegen sowohl rot, grün, blau und milchig-weiß. Man könnte auch sagen, daß es neben der sichtbaren Welt gleichzeitig mehrere verschiedene unsichtbare „Welten" gibt.

Der Mensch ist 32mal unsichtbar

Im unsichtbaren Bereich zählen wir insgesamt 32 Ebenen. Es ist jedoch für unser Thema nicht erforderlich, die Besonderheiten jeder einzelnen Ebene zu besprechen. Im Einzelfall ist es für unsere Gesundheit hilfreich, einige Ebenen etwas näher kennen zu lernen. Unser nicht sichtbarer Körper, unsere Aura, existiert nämlich ebenfalls auf diesen 32 unterschiedlichen Ebenen. Auch die Energien, die für unsere Gesundheit und unser Wohlbefinden wichtig sind, wirken auf insgesamt 32 Ebenen auf uns ein.

Sie haben bereits auf der 2. Ebene gemessen

Als Sie die Stärkebestimmung der Energie über verwirbelndem Wasser vorgenommen haben, haben Sie, ohne es zu wissen, auf der 2. Ebene gemessen. Auf der 2. Ebene ist in der Regel bei verwirbelndem Wasser die Energie am stärksten, außerdem wirkt die Energie der 2. Ebene hier am stärksten auf den Menschen.

---

* Unter Ebene werden hier nicht unterschiedliche Höhen im Raum verstanden.

Wir nennen die 32 Ebenen der Einfachheit halber Ebene 1 bis 32. Die Numerierung ist nicht zufällig gewählt, sie richtet sich vielmehr nach dem Feinheitsgrad im Verhältnis zueinander.

Wenn wir den sichtbaren Bereich als sichtbare Ebene bezeichnen würden, wäre sie die gröbste aller Ebenen. Wir wollen sie aber in die folgende Zählung der Ebenen nicht einbeziehen. Die 32 unsichtbaren Ebenen sind feiner als die sichtbare Ebene, lassen sich jedoch auch untereinander nach unterschiedlichen Feinheitsgraden ordnen.

Die erste unsichtbare Ebene ist die gröbste. Die zweite Ebene ist feiner als die erste. Wenn wir feiner sagen, können wir hier auch den Begriff feinstofflicher benutzen. Wir können also auch sagen, die zweite Ebene ist **feinstofflicher** als die erste. Bis einschließlich Ebene 10 werden die einzelnen Ebenen zunehmend feinstofflicher. Ab Ebene 11 hat der Feinheitsgrad so weit zugenommen, daß wir die 11. Ebene nicht mehr als feinstofflich, sondern als **nicht-stofflich** bezeichnen. Die 11. Ebene ist also nicht-stofflicher als die 10. Ebene. Die Feinheitsgrade nehmen auch ab der 11. Ebene weiter zu, so daß die 12. Ebene wieder nicht-stofflicher bzw. feiner ist als die 11. Ebene usw.

Die Chinesen
nennen Strukturen „Li"

Der Begriff „Li" wird von den Chinesen noch umfassender gebraucht als im Deutschen das Wort Struktur. So heißt zum Beispiel die Geographie im Chinesischen „Di Li" (zu übersetzen mit: die Strukturen der Erde). Auch energetische Bahnen im Körper (z. B. Akupunkturmeridiane) und feinste Denkstrukturen gehören dazu. Aus der Akupunktur wissen wir, daß die dort beschriebenen Strukturen nicht nur die Zusammenhänge als philosophisches Konzept erklären sollen, sondern auch ganz real genutzt werden, um z. B. durch Nadelung, Moxa-Therapie, Akupressur u. a. konkrete Resultate zu erzielen. Wenn wir im System des Feng Shui den Begriff Li verwenden, meinen wir unsichtbare Strukturen, auf denen sich Energien und deren Träger bewegen.

Das Zusammenspiel von Struktur (Li), Träger und Energie lassen Sie uns an einem Beispiel erläutern:

Wenn wir einen Fluß haben, so können darauf Boote, Baumstämme oder andere Teile schwimmen oder treiben. Die Boote, Baumstämme und andere schwimmende Teile wären die sich bewegende Energie, die vom Fluß (dem Träger) transportiert wird. Der Fluß selbst bewegt sich im Flußbett (in der Struktur Li).

Geomagnetische Strukturen

Neben dem physikalisch meßbaren Magnetfeld der Erde gibt es auch ein Magnetfeld auf den feineren Ebenen. Die Strukturen dieses feinstofflichen Magnetfeldes werden deshalb geomagnetische Strukturen genannt. Sie können u. a. auch Leitstruktur (Li) für feinstoffliche Energien mit ihren Trägern sein. Die geomagnetischen Strukturen haben in der Regel klar bestimmbare geometrische Formen wie z. B. Kuben (Würfel).

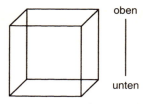

Kubus (Würfel) einzeln

Diese Strukturen sind dem menschlichen Auge normalerweise verborgen. Auch die Messung des Erdmagnetfeldes mit Hilfe physikalischer Meßgeräte führt uns nicht weiter. Die Kuben sind jedoch gut mittels Biotensor oder Pendel zu finden. Das Aufsuchen unterscheidet sich nicht wesentlich vom Suchen nach unterirdischen Wasserführungen. Neben Biotensor und Pendel sind auch L-förmige Ruten gut geeignet. (Eine Kurzbeschreibung der Benutzung ist im Anhang beschrieben.)

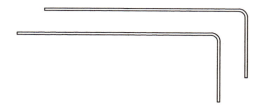

Ein Paar L-förmige Ruten

Kubensysteme

Die wichtigsten geomagnetischen Strukturen haben die Form aneinandergereihter Würfel (Kuben) und werden deshalb auch Kubensysteme genannt. Die einzelnen Kuben sind dabei sowohl seitlich als auch nach oben und unten aneinandergereiht. Diese Kubensysteme sind auf der ganzen Erde zu finden, sowohl über der Erde in die Höhe reichend als auch in die Erde hineinreichend. Wir finden sie in der freien Natur wie auch innerhalb von Häusern. Die Kubensysteme werden oft nach der mittleren Seitenlänge bzw. Höhe des einzelnen Würfels (Kubus) benannt. Die Seitenwände sind nach **Nord-Süd und Ost-West** ausgerichtet und zeigen dabei senkrecht nach oben. Die Dicke der Seitenwände des Würfels ist bei den einzelnen Kubensystemen unterschiedlich.

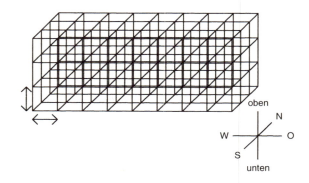

Ein Kubensystem besteht aus etwa gleichgroßen Einzelkuben. Die obere und untere Begrenzung der Kuben erfolgt horizontal. Die Kubensysteme werden häufig nach der mittleren Seitenlänge oder Höhe des einzelnen Kubus (Würfel) benannt (s. Pfeil).

Negative Energien in den Kubenwänden schaden unserer Gesundheit

Die Kubensysteme sind von besonderer Bedeutung für unsere Gesundheit. In den Seitenwänden bestimmter Kubensysteme werden für den Menschen negative Energien geleitet. Diese negativen Energien werden auch als Sha bezeichnet. Man kann sich leicht vorstellen, daß man während eines Tages häufiger die Seitenwände dieses Kubensystems durchschreitet bzw. sich „darin" kürzere oder längere Zeit aufhält. Glücklicherweise kann der Mensch von dem „Sha", das sich in diesen Seitenwänden befindet, eine ganze Menge vertragen, sofern er die Möglichkeit hat, dieses nachts auf einem unbelasteten Schlafplatz wieder abzubauen. Erst wenn man sich auch noch nachts diesem Sha aussetzt, weil man in einer solchen Kubenwand schläft, können Störungen des Befindens oder sogar gravierende Krankheiten auftreten. Die für unsere Gesundheit wichtigen Kubensysteme und die mit ihnen verbundenen Erkrankungen stellen wir in diesem Band ausführlich vor.

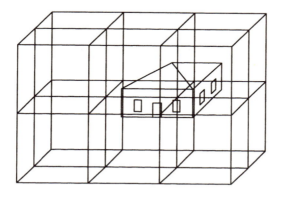

Ein Haus im Kubensystem: Die Kubenwände finden wir auch im Inneren eines Hauses

Kapitel 3

Trans-Sha und Geo-Sha

Trans-Sha, das von unten kommt

**Was hat das Hartmann-(Kuben-)System
mit Wasserführungen zu tun?**
Herr M. hatte gerade gelernt, mit dem Biotensor Wasser zu suchen. Da er sich mit dem Gedanken trug, ein Haus zu kaufen, achtete er bei den Hausbesichtigungen auf unterirdische Wasserführungen. Schon bei der ersten Besichtigung fiel ihm auf, daß alle zwei Meter eine Wasserführung zu finden war. Er entschloß sich, das Haus nicht zu kaufen. Als ihm bei der nächsten Hausbesichtigung das Gleiche passierte, begann er, an den Ergebnissen zu zweifeln. Ein befreundeter Heilpraktiker klärte ihn auf: „Du hast keine Wasserführungen, sondern die Seitenwände des Hartmann-Systems gefunden."

Das Hartmann-System

Hartmann-System ist die Kurzform für Hartmann-Kubensystem. Es wurde zuerst von dem deutschen Arzt Dr. E. Hartmann beschrieben. Betrachtet man das Hartmann-System nur in der Fläche, d. h. die Stellen, an denen es durch die Erdoberfläche oder die Zimmerdecke tritt, erscheint eine Gitterstruktur. Deshalb wird das Hartmann-System auch häufig Hartmann-Gitter genannt. Der Abstand der Seitenwände des Hartmann-Systems in Nord-Süd-Richtung beträgt ca. 2 m, in Ost-West-Richtung ca. 2,50 m. Die Höhe des einzelnen Würfels (Kubus) beträgt ca. 2 m. Die Seitenwände des Hartmann-Systems haben eine durchschnittliche Breite von 6–18 cm.

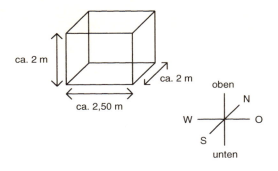

Der Hartmann-Kubus

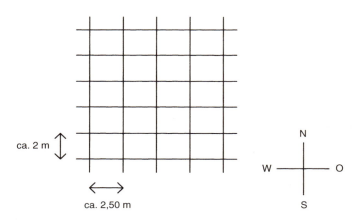

*Das Hartmann-System (Aufsicht).
Da das Hartmann-System von oben betrachtet wie ein Gitter aussieht,
wird es auch als Hartmann-Gitter bezeichnet*

Herr M. hatte sich gar nicht so sehr geirrt. In den Seitenwänden des Hartmann-Systems steigt die gleiche Energie auf wie über Wasserführungen. Voraussetzung hierfür ist jedoch, daß eine unterirdische Wasserführung die Seitenwände des Hartmann-Systems in der Nähe durchzieht.

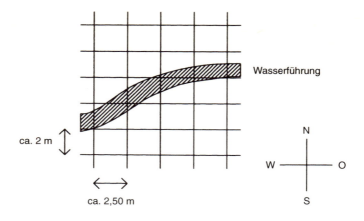

Eine Wasserführung im Hartmann-System (Aufsicht): Die Stärke der Energien in den Seitenwänden des Hartmann-Systems ist abhängig von der Stärke der nächstgelegenen Wasserführung und nimmt mit zunehmender Entfernung zur Wasserführung ab.

Wie entsteht die Energie über einer unterirdischen Wasserführung?

Es handelt sich bei der Energie über einer unterirdischen Wasserführung um eine Energie der 5. Dimension, die durch verwirbelndes Wasser in unsere Dimension gelangt. Diese Energie bewegt sich in der 5. Dimension langsamer als in unserer, der 3. Dimension. Wenn sie in unsere Dimension gelangt, wird sie schneller. Wir nennen diesen Vorgang deshalb **Beschleunigung**. Könnten wir die Fließrichtung dieser Energie der 5. Dimension in unserer Dimension wahrnehmen, würden wir sagen, daß es sich um eine Energie handelt, die von der Seite kommt. Wir nennen sie deshalb **Trans-Sha**.

> **Was ist Trans-Sha?**
> *Trans-Sha ist eine für den Menschen schädliche Energie. Wir finden Sie über unterirdischen Wasserführungen (verwirbelndem Wasser) sowie in den Seitenwänden des Hartmann-Systems und des 170-m-Systems. Trans-Sha kann auch durch Metalle aktiviert werden (s. Abschnitt „Trans-Sha kommt auch von der Seite").*

Das verwirbelnde Wasser einer unterirdischen Wasserführung aktiviert unsichtbare feinstoffliche Schnittstellen für Trans-Sha. Die Schnittstellen sind notwendig, damit Trans-Sha von der 5. Dimension in die 3. Dimension beschleunigt werden kann. Sie haben die Form einer Spirale mit einem Loch in der Mitte. Die Spiralen sitzen senkrecht in den Seitenwänden des Hartmann-Systems, sind aber auch über verwirbelndem Wasser zu finden. Sie bringen Trans-Sha nicht nur in unsere Dimension, sondern bewirken auch eine **Änderung der Fließrichtung nach oben.**

Trans-Sha steigt sowohl über einer Wasserführung als auch in den Seitenwänden des Hartmann-Systems senkrecht auf. Wenn wir also auf dem Erdboden oder dem Fußboden eines Zimmers stehen, so kommt Trans-Sha aus dem Erdboden bzw. von unten. Deshalb wird diese Energie gelegentlich auch als Erdstrahlung oder Erdstrahlen bezeichnet.

Ein Ehepaar schläft 20 Jahre in der Seitenwand des Hartmann-Systems

Lassen Sie uns einen erfahrenen Feng-Shui-Berater selbst zu Wort kommen: „An meine erste Schlafplatzuntersuchung kann ich mich noch sehr gut erinnern: Ein Rentnerehepaar bewohnte seit zwanzig Jahren ein Siedlungshaus in der Nähe von Kassel. Sie erzählten mir, daß sie zwei Jahre nach Ihren Einzug zum ersten Mal Nierenschmerzen gehabt hätten. Nach ärztlicher Behandlung seien die Schmerzen zunächst nicht mehr aufgetreten. Dafür wären dann aber Rückenschmerzen aufgetreten. In der Folgezeit hätten sich Nieren- und Rückenschmerzen immer wieder abgewechselt, ohne daß die ärztliche Behandlung einen dauerhaften Erfolg gebracht hätte. Bei der Untersuchung des Schlafplatzes stellte ich fest, daß das Ehepaar in einer Seitenwand des Hartmann-Systems schlief, die direkt durch die Nierengegend bzw. die schmerzhaftern Rückenpartien verlief. Schon wenige Tage nach Sanierung des Schlaf-

platzes kam es zu einer erheblichen Besserung der Beschwerden. Typisch für die schädliche Wirkung des Trans-Sha in den Seitenwänden des Hartmann-Systems ist eine Einwirkzeit von ca. zwei Jahren bis zum ersten Auftreten der Beschwerden."

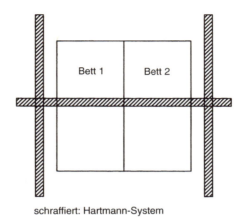

schraffiert: Hartmann-System

Ein Doppelbett in einer Seitenwand des Hartmann-Systems

Messung von Trans-Sha in den Seitenwänden des Hartmann-Systems mit dem Biotensor oder Pendel

Wenn wir Trans-Sha in den Seitenwänden des Hartmann-Systems suchen, so können wir mit dem Biotensor oder Pendel nach **Trans-Sha**, dem Träger oder der **geomagnetischen Struktur** fragen. In der Praxis hat sich auch hier bewährt, nach dem Träger zu fragen. Die Fragestellung ist hier: *„Sind hier die Träger, die Trans-Sha in den Seitenwänden des Hartmann-Systems führen?"*. Diese Fragestellung scheint zunächst kompliziert und zeitaufwendig zu sein. Sie dient jedoch der präzisen Programmierung bei der Suche nach Trans-Sha. Wenn Sie sich sicher sind, sich präzise programmiert zu haben, können Sie Ihre Fragestellung vereinfachen und einfach fragen: *„Ist hier Trans-Sha des Hartmann-Systems?"*. Da der Träger des Trans-Sha in den Seitenwänden des Hartmann-Systems der gleiche ist wie der Träger des Trans-Sha über einer Wasserführung, ist es leicht für Sie, die Seitenwände des Hartmann-Systems zu finden.

Wenn Sie die Seitenwände des Hartmann-Systems suchen, ist es zunächst sinnvoll, festzustellen, wo Norden ist. Wenn Sie nun in NS- oder OW-Richtung gehen, werden Sie die Seitenwände des Hartmann-Systems kreuzen. Suchen Sie sie mit folgender Fragestellung: *„Sind hier Träger, die Trans-Sha in den Seitenwänden des Hartmann-Systems führen?"*. Wenn Sie eine Seitenwand des Hartmann-Systems gefunden haben, können Sie die Stärke bestimmen. Die maximale Stärke ist 30.

Trans-Sha auch in den Wänden des 170-m-Systems

Trans-Sha finden wir nicht nur über verwirbelndem Wasser und in den Seitenwänden des Hartmann-Systems, sondern auch in den Seitenwänden eines weiteren geomagnetischen Kubensystems, des 170-m-Kubensystems, kurz 170-m-System genannt. Dieses System wurde zuerst von Wilhelm Gerstung beschrieben. Seine Seitenwände haben eine Dicke von 10–20 cm. Ähnlich wie beim Hartmann-System sitzen auch hier in den Seitenwänden Spiralen als Schnittstellen, die Trans-Sha der 5. Dimension in die 3. Dimension beschleunigen. Die Fortleitung des Trans-Sha erfolgt in den Seitenwänden des 170-m-Systems ebenfalls senkrecht nach oben. Es ist wichtig zu wissen, daß im Gegensatz zum Hartmann-System das Vorhandensein von Trans-Sha im 170-m-System nicht an das Vorhandensein einer unterirdischen Wasserführung gebunden ist.

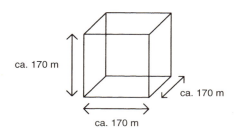

Der 170-m-Kubus

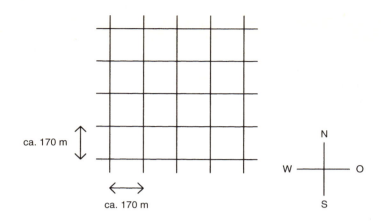

Das 170-m-System (Aufsicht)

Messung von Trans-Sha in den Seitenwänden des 170-m-Systems mit dem Biotensor oder Pendel

Beim **170-m-System** gehen Sie ähnlich vor wie beim Hartmann-System beschrieben. Die Fragestellung ist: *„Sind hier Träger, die Trans-Sha in den Seitenwänden des 170-m-Systems führen?"* oder in Kurzform: *„Ist hier Trans-Sha des 170-m-Systems?"*. Die maximale Stärke des Trans-Sha des 170-m-Systems ist wiederum 30.

Trans-Sha kommt auch von der Seite

Bislang haben wir Trans-Sha kennengelernt, das über Wasser und in den Seitenwänden des Hartmann- und 170-m-Systems nach oben geleitet wird. Leider schaffen wir durch unsere moderne Bau- und Einrichtungsweise eine Fülle von Situationen, die die für uns schädliches Trans-Sha seitlich in unsere Wohn- und Schlafzimmer bringen. Wie ist das möglich?

Metalle bestimmen die Richtung

Seit der industriellen Revolution ist es vor allem im Westen üblich, viele Metalle sowohl beim Hausbau als auch in der Inneneinrichtung zu verwenden. Metalle in den Seitenwänden des Hartmann- oder des 170-m-Systems verändern die Funktionsweise der Spiralen in deren Seitenwänden. Die Spiralen beschleunigen zunächst Trans-Sha der 5. Dimension wie beschrieben in unsere Dimension. Eine Änderung der Fließrichtung nach oben findet jedoch nicht statt. Statt dessen behält das Trans-Sha seine horizontale Fließrichtung weitgehend bei.

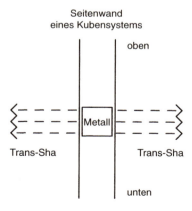

Metall bringt Trans-Sha in unsere Dimensiom

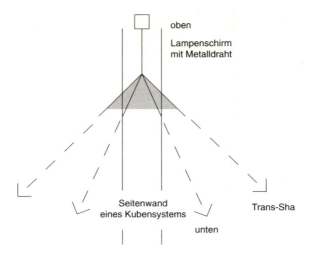

Abhängig von der Form des Metalls kann Trans-Sha in der 3. Dimension auch in die Richtung gelenkt werden, in die die Spitze bzw. hervorragende Teile eines Metallgegenstandes zeigen

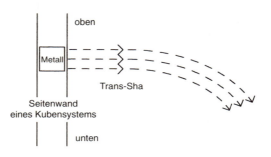

Bei längeren Distanzen ist ein bogenförmiger Verlauf nach unten anzutreffen

Wenn Trans-Sha der 3. Dimension auf weitere Metallgegenstände trifft, aktivieren diese Metalle weitere Spiralen des Hartmann-Systems, so daß erneut Trans-Sha aus einer höheren Dimension in die 3. Dimension beschleunigt wird. Dieser Vorgang wird auch **„Ping-Pong-Effekt"** genannt.

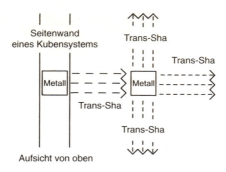

„Ping-Pong-Effekt"

Trans-Sha kann auch Zimmerwände durchdringen

Das Durchdringen ist abhängig von der Dicke und vom Baumaterial der Wand. Auch die Größe und die Form des Metalles spielen eine Rolle. Trans-Sha, das durch große und schwere Metalle aktiviert wurde, durchdringt eine Zimmerwand häufig gut, das Durchdringen von zwei Zimmerwänden findet man dagegen seltener. Trans-Sha, das durch kleine und leichte Metalle aktiviert wurde, durchdringt normale Zimmerwände dagegen selten. Leichtbauwände geben weniger Schutz als festes Mauerwerk. Auch Stahlbetonwände werden selten durchdrungen. Achten Sie dann aber darauf, daß sich keine Nägel in der Wand befinden.

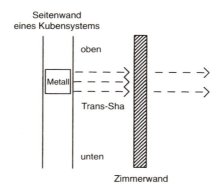

Trans-Sha kann auch Zimmerwände durchdringen

Metalle in den Seitenwänden des 10-m- und 250-m-Systems

Weitere wichtige Kubensysteme sind das 10-m- und 250-m-Kubensystem, auch kurz 10-m- und 250-m-System genannt. (Diese Kubensysteme werden im Abschnitt „Krank durch Geo-Sha" ausführlich besprochen.) Sie haben normalerweise mit Trans-Sha nichts zu tun. Stellt man jedoch Metalle in ihre Seitenwände, ist das dann auftretende Trans-Sha in der Regel mehr als doppelt so stark wie beim Hartmann- oder 170-m-System. Dies kann durchaus zu erheblichen Gesundheitsstörungen führen. Die im folgenden beschriebenen typischen Einrichtungsgegenstände aus Metall sowie die weiter unten beschriebenen festeingebauten Metallgegenstände können Trans-Sha sowohl in den Wänden des 170-m- und Hartmann-Systems als auch in den Wänden des 10-m- und 250-m-Systems aktivieren.

Typische Einrichtungsgegenstände aus Metall
Typische Einrichtungsgegenstände aus Metall im Schlafzimmer sind Nachttischlampen, Deckenlampen, Spiegel (Spiegelschränke), Garderobenständer, Metalljalousetten, Radiowecker, Fernsehgeräte usw.

Eine 15jährige ist keine Bettnässerin mehr
Ein Feng-Shui-Berater weiß von Folgendem zu berichten: „Eine Heilpraktikerin rief mich an und fragte, ob Bettnässen durch ein Feng-Shui-Problem entstehen oder gefördert werden könne. Eine ältere Frau aus einem kleinen Dorf, die bei ihr in Behandlung stand, hatte sie gefragt, was man gegen das Bettnässen ihrer 15jährigen Enkelin tun könne. Die Ärzte hätten bisher nicht helfen können, ihre Schwiegertochter würde sich noch zu Tode schämen.

Als ich schließlich die Wohnungsuntersuchung durchführte, war nur die Großmutter anwesend. Sie sagte mir, daß ihre Schwiegertochter von dem Termin nichts wisse, sie hätte ihr sogar ausdrücklich verboten, einen Feng-Shui-Berater kommen zu lassen. Das Bett selbst stand in keiner Kuben-Seitenwand, wohl aber ein Spiegel, er stand in einer Seitenwand des 10-m-Systems, das Bett wurde von der gesamten Spiegelfläche großflächig bestrahlt. Zusammen mit der Oma verstellte ich den Spiegel so, daß er nun nicht mehr in der Seitenwand des 10-m-Systems stand, aber auch so, daß es der Mutter des Mädchens nicht auffiel. Ca. vier Wochen später rief mich die Heilpraktikerin an, daß das Bettnässen verschwunden war."

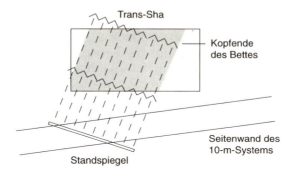

Ein Standspiegel in einer Seitenwand des 10-m-Systems

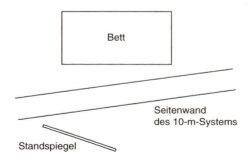

Der Standspiegel wurde verschoben

Festeingebaute Metallgegenstände

Aber auch festeingebaute Metallgegenstände wie Metallfenster, Tür- und Fenstergriffe aus Metall, Metallrolläden, Thermostate von Heizkörpern sowie sonstige Metallteile, die aus der Wand in das Zimmer hineinragen (auch Nägel) bringen häufig Trans-Sha ins Zimmer und damit auf den Schlafplatz oder an andere Stellen, an denen man sich häufig aufhält. Auch Dachrinnen aus Metall, Balkongitter und sonstige außen am Haus angebrachte Metallteile mit großer Masse, wie beispielsweise **Satellitenschüsseln** und Dachantennen, sowie Außenverkleidungen aus Aluminium oder anderem Metall können gegebenenfalls Trans-Sha ins Innere des Hauses bringen.

Aluminium- oder Kunststoffrolläden?

Ein Feng-Shui-Berater weist auf die Besonderheiten eines Schlafplatzes bei Nacht hin: „Ein Geschäftsmann, 45 Jahre, hatte einen Hörsturz erlitten. Sein Hausarzt sagte ihm, es sei bestimmt der Streß gewesen, in seinem Falle sei eine große Besserung nicht zu erwarten. Eine Ärztin für Naturheilverfahren, die er daraufhin konsultierte, gab ihm den Rat, einen Feng-Shui-Berater zu rufen. Oft sei ein Feng-Shui-Problem bei Hörsturz oder Tinitus im Spiel. Meine Untersuchung fiel zunächst negativ aus. Als ich mich verabschiedete, ließ seine Frau gerade die Aluminiumrolläden herunter. Wir gingen ins Schlafzimmer zurück. Es war nun eindeutig krankmachendes Trans-Sha mit dem Biotensor zu messen. Trotz weiterhin bestehender Angst vor möglichem Einbruch wurden ab sofort die Aluminiumrolläden nicht mehr heruntergelassen. Seine Beschwerden besserten sich erstaunlich rasch. Später wurden dann die Aluminiumrolläden durch Kunststoffrolläden ersetzt, da die Angst vor Einbruch weiterhin bestand."

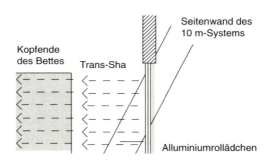

Aluminiumrolläden aktivieren Trans-Sha

Linsen wirken stärker als Spiralen

Die beiden Fallbeispiele mit schwerwiegenden Störungen durch schlecht plazierte Metalle sind typisch für die Seitenwände des 10-m-Systems. In den Seitenwänden sowohl des 10-m-Systems als auch des 250-m-Systems finden wir keine Spiralen, sondern Linsen, die über Metalle Trans-Sha aus der 5. Dimension beschleunigen.

Krank durch Geo-Sha?

> Was ist Geo-Sha?
> *Geo-Sha ist eigentlich eine Abkürzung für geomagnetisches Sha. Der Begriffsteil Sha zeigt an, daß es eine für den Menschen schädliche Energie ist.*

Haben Sie bereits persönliche Erfahrungen mit Geo-Sha gemacht? Haben Sie die letzte Nacht gut geschlafen? Sind Sie nachts aufgewacht, obwohl Sie keinen Wecker gestellt haben? Fühlen Sie sich morgens müde und abgeschlagen, obwohl Sie acht Stunden geschlafen haben? Schlafen Sie im Urlaub oder bei Freunden besser als zu Hause? Wenn Sie Probleme mit Ihrem Nachtschlaf oder chronische Gesundheitsprobleme haben, können Sie bereits, ohne es zu wissen, persönliche Erfahrungen mit Geo-Sha gemacht haben.

Was ist Geo-Sha?

Geo-Sha ist eine Energie, die auf den Menschen ähnlich wirkt wie das Ihnen schon bekannte Trans-Sha. Geo-Sha finden wir in den Seitenwänden bestimmter geomagnetischer Kubensysteme. Wichtig für unsere Gesundheit sind insbesondere das **10-m- und 250-m-System**. Wie bei Trans-Sha handelt es sich auch bei Geo-Sha um eine Energie aus einer höheren Dimension, die in diesem Fall durch Linsen in unsere Dimension gelangt. Im Gegensatz zu Trans-Sha hat diese Energie in der 5. Dimension jedoch eine andere Fließrichtung. Sie verhält sich auch in unserer Dimension anders als Trans-Sha.

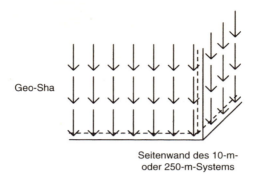

Seitenwand des 10-m-
oder 250-m-Systems

*Verlauf des Geo-Sha in den Seitenwänden
des 10-m- und 250-m-Systems*

Das 10-m-System

Das 10-m-System (nach seinem Entdecker auch Benker-Kubensystem oder Benker-System genannt) ist eine auf der ganzen Erde vorkommende geomagnetische Struktur. Es wird auch aufgrund seiner mittleren Seitenlänge und Höhe des Würfels (Kubus) von je 10 Metern 10-m-System genannt. Die Seitenwände des Würfels haben eine Dicke von 10 bis 60 cm. In seinen Seitenwänden wird für den Menschen schädliches Geo-Sha von oben nach unten geleitet. Das Hartmann-System paßt sich in seinem Verlauf zum Teil dem Verlauf des 10-m-Systems an. In der Seitenwand des 10-m-Systems oder unmittelbar daneben findet man jeweils eine Seitenwand des Hartmann-Systems.

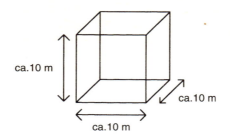

Der 10-m-Kubus

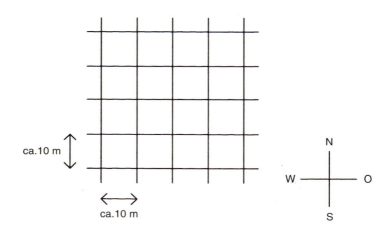

Das 10-m-System (Aufsicht)

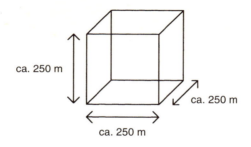

Der 250-m-Kubus

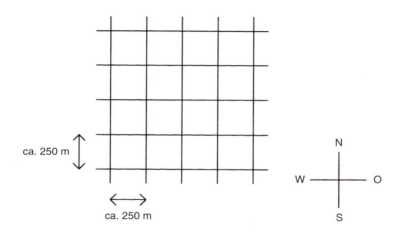

Das 250-m-System (Aufsicht)

Messung des Geo-Sha in den Seitenwänden des 250-m-Systems mit dem Biotensor und Pendel

Die Fragestellung beim 250-m-System ist: *„Sind hier Träger, die Geo-Sha in den Seitenwänden des 250-m-Systems führen?"* oder in Kurzform: *„Ist hier Geo-Sha des 250-m-Systems?"*, wobei Sie sich weiter mental auf den Träger einstellen. Die maximale Stärke des Geo-Sha in den Seitenwänden des 250-m-Systems ist **100**. Diese Werte beziehen sich auf die 2. Ebene.

Erwachen zwischen zwei und fünf Uhr

„Herr K. bekam von seinem Arzt den Rat, seine Wohnung von einem Feng-Shui-Experten untersuchen zu lassen. Bei meinem Besuch erklärte Herr K, daß er eigentlich nur noch ein reines Nervenbündel sei. Er könne nachts zwischen drei und fünf Uhr nicht schlafen, er müsse dann aufstehen und etwas lesen. Da er um sechs Uhr wieder aufstehe, weil er ja zum Dienst fahren müsse, lohne es sich für ihn fast nicht mehr, wieder ins Bett zu gehen.

Er schlief mit dem Kopf in einer Seitenwand des 250-m-Systems. Da die geplante Sanierungsmaßnahme nicht sofort durchgeführt werden konnte, empfahl ich ihm, sich in der Zwischenzeit mit dem Kopf ans Fußende zu legen. Nach einer Woche rief er mich an und berichtete, daß er bereits in der ersten Nacht besser geschlafen habe. Er sei nur noch von vier bis fünf Uhr auf gewesen, in der zweiten Nacht sei er zwar gegen vier Uhr aufgewacht, sei aber nicht aufgestanden, in der dritten Nacht habe er schon durchgeschlafen. Da der Erfolg anhielt, wurde er mit der Zeit auch zunehmend ruhiger."

Suchen Sie mit dem Biotensor oder Pendel Trans-Sha, das durch Metalle aktiviert wurde

Sie haben gelernt, die Seitenwände des 10-m- und 250-m-Systems zu finden. Wenn Metalle, wie oben beschrieben, in diesen Seitenwänden plaziert sind, beschleunigen die Linsen auch Trans-Sha in die 3. Dimension.

Denken Sie daran, daß die Form des Metalls Trans-Sha in eine bestimmte Richtung lenkt, z. B. durch Spitzen oder hervorragende Teile. Beachten Sie auch den bogenförmigen Verlauf nach unten bei längeren Distanzen. Wenn Trans-Sha auf weitere Metallteile trifft, kann der erwähnte Ping-Pong-Effekt entstehen.

Halten Sie Ihren Biotensor oder Ihr Pendel in die gedachte Verlängerung der Abstrahlung von der Spitze oder des hervorragenden Teils. Fragen Sie: *„Sind hier Träger mit Trans-Sha, die durch Metall aktiviert wurden?"*. Zu beiden Seiten dieser Hauptrichtung (a) gibt es mit einem Winkel von knapp 45 Grad ebenfalls horizontale Nebenrichtungen (b). Die Stärke des Trans-Sha in den Nebenrichtungen beträgt ca. jeweils die Hälfte der Stärke der Hauptrichtung. Suchen Sie auch die Nebenrichtungen. Außerdem läuft ein Teil des Trans-Sha horizontal in der Kubuswand weiter (c).

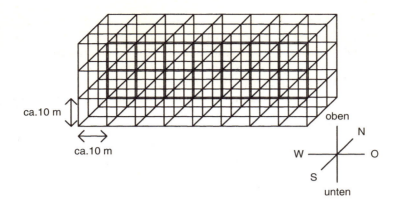

Das 10-m-System

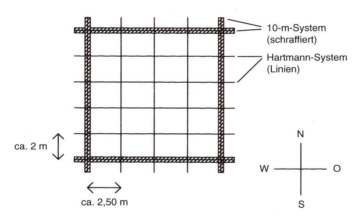

Das 10-m-System bestimmt den Verlauf des Hartmann-Systems (Aufsicht). In einer Seitenwand des 10-m-Systems verläuft auch jeweils eine Seitenwand des Hartmann-Systems

Messung des Geo-Sha in den Seitenwänden des 10-m-Systems mit Biotensor und Pendel

Beim **10-m-System** gehen Sie ähnlich vor wie beim Hartmann-System beschrieben. Die Fragestellung ist: *„Sind hier Träger, die*

Geo-Sha in den Seitenwänden des 10-m-Systems führen?" oder in Kurzform: *„Ist hier Geo-Sha des 10-m-Systems?"*, wobei Sie sich weiter mental auf den Träger einstellen. Die maximale Stärke des Geo-Sha in den Seitenwänden des 10-m-Systems ist unterschiedlich. In den in Nord-Süd-Richtung verlaufenden Wänden ist die maximale Stärke **60**, in den in Ost-West-Richtung verlaufenden Wänden **40**. Diese Werte beziehen sich, wie schon bei der Wasserführung beschrieben, auf die 2. Ebene. Die Stärke der Energie ist abhängig von der Tageszeit, dem Mondzyklus und anderen Faktoren. Es empfiehlt sich deshalb, auch nach dem **maximalen Nachtwert** zu fragen.

Hand- und Fußschmerzen durch Geo-Sha

Eine Feng-Shui-Beraterin beriet eine Bekannte in der Wohnung und am Arbeitsplatz: „Eine Künstlerin, die erfolgreich töpferte, hatte Schmerzen in den Händen, die immer häufiger auftraten. An ihrem Arbeitsplatz stellte ich Verstrahlung durch Geo-Sha fest. Ihr Arbeitsplatz lag genau in einer Seitenwand des 10-m-Systems. Die Sanierung gelang, indem Kork unter die Decke des darunterliegenden Kellers geklebt wurde*. Nach wenigen Tagen wunderte sie sich, daß ihre Hände nicht mehr schmerzten.

Als ich im Anschluß an die Arbeitsplatzsanierung ihre Wohnung auf Geo-Sha untersuchte, stellte ich fest, daß eine Seitenwand des 10-m-Systems durch das Fußende ihres Bettes verlief. Darauf fragte sie: „Kann es sein, daß meine unerklärlichen Fußschmerzen davon kommen? Bisher haben mich alle Ärzte für verrückt erklärt, wenn ich ihnen berichtet habe, daß ich jeden Morgen mit Fußschmerzen aufwache." Nach etwa einer Woche rief sie mich an und verkündete mir stolz, daß sie schon nach drei Tagen keine Schmerzen mehr hatte."

Das 250-m-System

Auch in den Seitenwänden des 250-m-Systems wird Geo-Sha von oben nach unten geleitet. Das 250-m-System wurde zuerst von Wilhelm Gerstung beschrieben, es hat in mitteleuropäischen Breiten eine mittlere Seitenlänge bzw. eine mittlere Höhe von ca. 250 m. Die Dicke der Seitenwände beträgt 50–90 cm.

---

* Auf Sanierungsmaßnahmen gehen wir später (Kapitel 4) ausführlich ein.

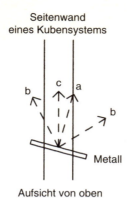

Messung von Trans-Sha, das durch Metall in der Seitenwand eines Kubensystems aktiviert wurde (Erläuterung im Text)

Messen Sie die Stärke von Trans-Sha, das durch Metalle aktiviert wird

Die gesundheitlich relevante Ebene ist bei Trans-Sha, das durch Metall aktiviert wurde, die **1. Ebene**. Auf der 1. Ebene finden wir folgende Maximalwerte:
- in der Seitenwand des 10-m-Systems: 50
- in der Seitenwand des 250-m-Systems: 60
- (in der Seitenwand des Hartmann- oder 170-m-Systems: 30).

Beachten sie, daß Sie sich bei der Bestimmung der Stärke des Trans-Sha durch Metalle mental auf die 1. Ebene einstellen. Die Frage könnte lauten: *„Ist die Stärke des Trans-Sha, das durch Metalle aktiviert wurde, auf der 1. Ebene 5 oder darüber?"*. Steigern Sie den Zahlenwert, wie bei verwirbelndem Wasser beschrieben.

Typische Erkrankungen

Wenn wir unsere Gesundheit schützen wollen, ist es besonders wichtig, uns insbesondere während des Schlafes vor Geo-Sha und Trans-Sha zu schützen. Die Einwirkung dieser Energien während unseres Schlafes kann vielfältigste Erkrankungen und Befindlichkeitsstörungen auslösen.

Befindlichkeitsstörungen
Viele Menschen erfahren die Wirkung dieser Energien in Form von Einschlaf- und Durchschlafstörungen, morgendlicher Abgeschlagenheit oder Erwachen mit Kopf- und Gliederschmerzen. Regelmäßiges Erwachen zwischen 2 und 5 Uhr morgens kann ebenfalls Ausdruck eines gestörten Schlafplatzes sein.

Chronische Erkrankungen
In Abhängigkeit von der Widerstandskraft des Körpers können sich nach längerer Einwirkung dieser Energien (insbesondere auf dem Schlafplatz) über Monate und Jahre neben Störungen des Befindens auch chronische Krankheiten entwickeln. Hierzu gehören beispielsweise chronisch wiederkehrende Infekte der oberen Luftwege und rheumatische Erkrankungen. Viele chronische Erkrankungen können in ihrem Entstehen gefördert bzw. in ihrem Erscheinungsbild verstärkt werden.

Insbesondere trifft dies zu auf: Bluthochdruck, Diabetes mellitus, Schilddrüsenerkrankungen, chronische Frauenleiden, Allergien, Asthma bronchiale, Neurodermitis (insbesondere bei Kindern) und chronische Hauterkrankungen. Man findet Verschlimmerung von Venenleiden bis hin zur Thrombose.

Spezielle Wirkungen bei Kindern
Bei Kindern finden sich u. a. unbegründetes Schreien bei Babies, Bettnässen, Lernschwierigkeiten und Konzentrationsstörungen.

Krebserkrankungen und Herzinfarkt
Besonders erwähnenswert ist, daß mehr als 80 Prozent der an **Krebs** Erkrankten durch Geo-Sha oder Trans-Sha aus den Seiten-

wänden des **10-m-Systems** betroffen sind. Krebserkrankungen sind, was Geo-Sha betrifft, häufiger bei Personen anzutreffen, die in der in Nord-Süd verlaufenden Seitenwand schlafen. Bei Personen, die in der in Ost-West verlaufenden Seitenwand schlafen, sind auffallend häufig **Herzinfarkte** zu beobachten. Diese Differenzierung der Häufungen bei Krebs und Herzinfarkt trifft nicht zu auf Trans-Sha, das durch Metalle in den Seitenwänden des 10-m-Systems aktiviert wurde. Hier finden wir sowohl für Krebs als auch für Herzinfarkt eine Häufung der Erkrankungen. Auch Trans-Sha, das durch Metalle in den Seitenwänden des 250-m-Systems aktiviert wird, kann die Entstehung von Krebserkrankungen fördern.

Die Wirkung von Geo-Sha und Trans-Sha auf den verschiedenen Ebenen

Wir wollen zunächst einen Überblick über die Wirkungen von Geo-Sha und Trans-Sha der verschiedenen Ebenen geben:

Ebene	Wirkungen	Anmerkungen
1. Ebene	Begünstigung bzw. Entstehung der oben erwähnten Erkrankungen in Kombination mit den feineren Ebenen des Geo-Sha und des Trans-Sha	In der Natur selten, wegen der Verwendung von Metall bei Hausbau und Einrichtung jedoch häufig vorkommend (in Form von Trans-Sha)
2. bis 4. Ebene	Die Wirkungen entsprechen denen der 1. Ebene	Insbesondere in den Seitenwänden der 10-m- und 250-m-Systeme
5. und 6. Ebene	Schlafstörungen, Unbehagen, Abgeschlagenheit und Müdigkeit, emotionale Störungen	
7. und 8. Ebene	Schwächung des Immunsystems*, somit Begünstigung der Entstehung von Krankheiten und Verzögerung der Heilung. Verstärkung der Wirkung von Geo-Sha und Trans-Sha der 1. bis 6. Ebene	
9. und 10. Ebene	Verstärkung der Wirkung der 1. bis 4. Ebene durch Schwächung des Immunsystems	Trans-Sha über Wasserführungen und in den Seitenwänden des Hartmann- und 170-m-Systems finden sich nicht auf den Ebenen 9 bis 12
11. und 12. Ebene	Antriebsarmut, depressive Verstimmungen	siehe 9. und 10. Ebene

---

* Unter Abwehr verstehen wir sowohl die Abwehrfunktionen des Immunsystems als auch die unserer Aura.

Wirkungen des Hartmann- und 170-m-Systems

In den Seitenwänden des Hartmann- und 170-m-Systems werden mit Ausnahme schwerwiegender internistischer Erkrankungen wie Krebs und Herzinfarkt alle oben beschriebenen Erkrankungen und Befindlichkeitsstörungen gefunden. Der Zeitraum, der erforderlich ist, um die betreffenden Erkrankungen bzw. Störungen hervorzubringen, ist größer als beim 10-m-System. Dies ergibt sich u. a. aus der geringeren Stärke der hier gefundenen Energien.

Das Zusammenwirken von Geo-Sha und Trans-Sha im 10-m-System

Die Kombination von Geo-Sha und Trans-Sha (durch Metalle) der verschiedenen Ebenen ist dafür verantwortlich, daß man bei Personen, die ihren Schlafplatz in den Seitenwänden des **10-m-Systems** haben, praktisch alle eingangs erwähnten Erkrankungen findet. Dabei ist zu bedenken, daß für die Schwere der Erkrankung und für den Zeitraum, in dem die Person auf dem Schlafplatz den Energien ausgesetzt ist, bis die Erkrankung ausbricht, die Konstitution des Patienten maßgeblich ist. Es spielen hier insbesondere genetische Faktoren, Ernährung, emotionale Einflüsse, wesentlich auch Umweltbelastungen und andere Einflüsse aus der Lebensführung der Person, eine Rolle.

Brustkrebs in einer Seitenwand des 10-m-Systems

Die 40-jährige Dagmar M. bemerkte einen tastbaren Knoten in ihrer linken Brust. Zunächst einmal wollte sie nicht wahrhaben, daß es etwas Ernstes sein könnte. Die Ärzte diagnostizierten jedoch Brustkrebs. Es erfolgte eine Operation. Die linke Brustdrüse wurde entfernt, die Lymphbahnen in der Achselhöhle waren glücklicherweise in Ordnung.

Frau M. hatte nicht geraucht, nicht übermäßig Alkohol getrunken und war bemüht, sich ausgewogen und gesund zu ernähren. Trotzdem hatte sie Brustkrebs bekommen. Wie konnte das passieren?

Frau M. wußte, daß ihre Mutter und ihre Cousine an Krebs erkrankt waren, daß also eine erbliche Veranlagung für diese Erkrankung bestand. Andererseits kannte sie auch viele Frauen, die in ihrer Familie gehäuft Erkrankungen an Krebs hatten, selbst aber bis ins hohe Lebensalter gesund geblieben waren. Was konnte also in ihrem Fall die spezielle Ursache sein?

Ein befreundeter Arzt machte bei ihr eine Feng-Shui-Untersuchung. Der Arzt ging mit dem Biotensor in der rechten Hand durch ihr Schlafzimmer und stellte fest, daß eine Seitenwand des 10-m-Systems durch ihr Bett verlief, und zwar von ihrem rechten Fuß zur linken Schulter. Frau M. lag also mit ihrer erkrankten linken Brust direkt im Strahlungsbereich des 10-m-Systems. Daraufhin schlug ihr der Arzt vor, das Bett ca. einen Meter zur Seite zu verschieben. Dies wurde auch sofort gemacht. Der Arzt wies Frau M. noch darauf hin, daß sie ihre Nachttischlampe nicht in den Verlauf der Seitenwände des 10-m-Systems stellen dürfe. Das Metall von Ständer und Drahtkorb des Schirms aktiviere sonst weitere ungünstige Energien, sogenanntes Trans-Sha.

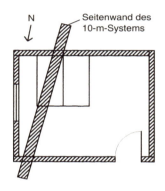 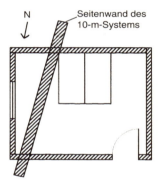

Eine Frau mit Brustkrebs schläft in einer Seitenwand des 10-m-Systems

Das Bett wurde verschoben

Diagnose der Belastung durch Geo-Sha und Trans-Sha am Menschen

Die Belastung durch Geo-Sha und Trans-Sha kann direkt am Menschen mittels Biotensor, Pendel (oder anderer direkter Testmethoden wie Kinesiologie) bestimmt werden. Wenn mittels Biotensor oder Pendel keine Belastung über dem individuellen Grenzwert durch Geo-Sha oder Trans-Sha festgestellt wird, empfiehlt es sich trotzdem, den Schlafraum zu untersuchen, um die Strukturen zu lokalisieren, die Geo-Sha und Trans-Sha führen. Es kann nämlich sein, daß der Betreffende zu einem späteren Zeitpunkt Metallgegenstände in diese Strukturen stellt und sich so belastet. In diesem Zusammenhang ist auch an evtl. geplante Umbaumaßnahmen zu denken.

Der individuelle Grenzwert
Der individuelle Grenzwert für eine schädliche Energie gibt an, wieviel der einzelne Mensch von dieser Energie auf einer Skala von 0 bis 100 maximal verträgt, ohne krank zu werden. Der individuelle Grenzwert für Geo-Sha und Trans-Sha liegt in der Regel zwischen 4 und 5.

Messung des Geo-Sha am Menschen
Für die Testung an der Person hat sich bewährt, über dem Kopf des Betreffenden mit dem Biotensor oder Pendel zu fragen: *„Ist diese Person durch Geo-Sha belastet, das über ihrem individuellen Grenzwert liegt?"*. Insbesondere bei Untersuchung mit dem Pendel sollte sich die untersuchte Person hinsetzen, damit man zum Messen genügend Platz oberhalb des Kopfes hat. Es empfiehlt sich, nicht nur wie bisher auf der 2. Ebene zu messen, sondern bei dieser Globalabfrage auch die Belastung auf der 10. Ebene zu berücksichtigen. Fragen Sie deshalb zur Sicherheit zusätzlich: *„Ist diese Person durch Geo-Sha der 10. Ebene über ihrem individuellen Grenzwert belastet?"*.

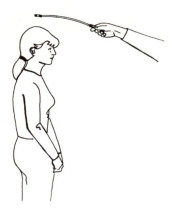

*Messung von Geo-Sha und Trans-Sha am Menschen
(Globalabfrage über dem Kopf der Person)*

Wenn Sie an der Person eine Belastung durch Geo-Sha über ihrem individuellen Grenzwert festgestellt haben, ist es sinnvoll, direkt am Körper abschnittsweise vorzugehen und nach der stärksten Belastung zu fragen. Sie fragen: *„Ist die stärkste Belastung dieser Person durch Geo-Sha im Kopfbereich?"*. Ist dies der Fall, fragen Sie nach einer Belastung der einzelnen Kopfabschnitte. Gehen Sie dabei systematisch vor, und achten Sie auf Ohren, Nase und Mund. Als nächtes fragen Sie am Rücken, an der Vorderseite des Rumpfes und an Armen und Beinen in ähnlich systematischer Weise. Dabei kann auch die Belastung innerer Organe, wie z. B. Leber, Gallenblase, Magen usw., wie auch der einzelnen Gelenke ermittelt werden.

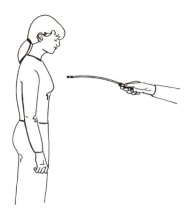

Messung von Geo-Sha und Trans-Sha am Menschen. Biotensor oder Pendel vor den betreffenen Körperabschnitt gehalten.

Messung von Trans-Sha am Menschen

Bei der Bestimmung der Belastung durch Trans-Sha gehen Sie im Prinzip genauso vor. Sie müssen aber dabei berücksichtigen, daß Trans-Sha auf der 2. Ebene über Wasserführungen, im Hartmann- und 170-m-System am stärksten ist. Wird Trans-Sha durch Metalle in einer Seitenwand des 10-m- oder 250-m-Systems aktiviert, finden Sie die stärkste Belastung auf der 1. Ebene. Berücksichtigen Sie deshalb bei der Globalabfrage beide Ebenen, und fragen Sie getrennt: *„Ist diese Person durch Trans-Sha der 1. Ebene über ihrem individuellen Grenzwert belastet?"* und: *„Ist diese Person durch Trans-Sha der 2. Ebene über ihrem individuellen Grenzwert belastet?"*.

Bestimmung der Stärke der Belastung

Wenn Sie die am stärksten belastete Körperregion gefunden haben, empfiehlt es sich, auch nach der Stärke der Belastung zu fragen. Die Frage lautet: *„Ist die Stärke der Belastung dieser Körperregion durch Geo-Sha 5 oder darüber?"* bzw.: *„Ist die Stärke der Belastung dieser Körperregion durch Trans-Sha 5 oder darüber?"*. Steigern Sie den Zahlenwert wie bereits bekannt.

Therapie der Belastung durch Geo-Sha und Trans-Sha

Wenn keine Therapie der Belastung durch Geo-Sha und Trans-Sha über Wasserführungen und in den Seitenwänden des 170-m oder Hartmann-Systems vorgenommen wird, kann der spontane Abbau der Belastung mehrere Monate bis Jahre dauern. Kinder und Personen mit guter Abwehrlage erholen sich in der Regel ziemlich schnell von der Belastung durch Geo-Sha und Trans-Sha. Ältere Menschen und Personen mit allgemein geschwächter Abwehr benötigen oft eine zusätzliche Therapie.*

Abbau der Verstrahlung durch Geo-Sha und Trans-Sha mit dem WS-Frequenzgerät

Seit vielen Jahren bewährt hat sich das **WS-Frequenzgerät**. WS steht für „weites Spektrum". Das Gerät wurde in China Mitte der 80er Jahre entwickelt und nutzt die seit Jahrtausenden bekannte Heilwirkung ausgewählter Natursteine. Die Steinmehle sind auf Keramikstäbe aufgetragen, die elektrisch erwärmt werden. Es unterstützt das menschliche Immunsystem, indem es auf die Aura des Menschen einwirkt. Das Gerät erzeugt ein Frequenzspektrum, das dem der menschlichen Aura sehr ähnlich ist; es kommt zu einer Resonanzschwingung. Da das Frequenzspektrum sehr breit angelegt ist, kann das WS-Frequenzgerät bei vielen Erkrankungen erfolgreich angewendet werden. Inzwischen verwenden immer mehr Ärzte und Heilpraktiker das WS-Frequenzgerät, um im Körper und in der Aura gespeichertes Geo-Sha und Trans-Sha – nach erfolgter Schlafplatzsanierung – bis auf den individuellen Grenzwert abzubauen.

---

* In Deutschland ist die Diagnose und Therapie von Krankheiten Ärzten und Heilpraktikern vorbehalten.

Das WS-Frequenzgerät (Höhe 20 cm, Breite 37 cm, Tiefe 17 cm)

Energetische „Öffnungen" erhöhen den Therapieerfolg

Es ist nicht unbedingt erforderlich, die im folgenden beschriebenen energetischen Öffnungen vor jeder Behandlung durchzuführen. Sie können jedoch den Abbau der Belastung durch Geo-Sha und Trans-Sha beschleunigen. Außerdem können leichte Körperreaktionen (leichter Kopfdruck oder auch kurzfristiges Herzklopfen) vermieden werden. Sie sollten aber in jedem Fall dann durchgeführt werden, wenn solche Körperreaktionen aufgetreten sind.

Energetische Öffnung der Füße und Hände

Bevor Sie die Behandlung beginnen, sollten Sie die **Füße** und **Hände** des Patienten energetisch öffnen. Stellen Sie sich dem Patienten gegenüber. Nehmen Sie mit der rechten Hand seinen linken Fuß und mit der linken Hand seinen rechten Fuß. Legen Sie jeweils den Daumen auf den Spann und die übrigen Finger auf die Mitte der Fußsohle (Fußgewölbe). Sie werden jetzt im allgemeinen den Durchfluß der Energien spüren. Sie können dies als Kribbeln, Wärme, Kälte, leichtes Ziehen oder leichten Druck verspüren. Wenn Sie nichts dergleichen verspüren sollten, fragen Sie den Patienten, ob er etwas gespürt hat (dies wird meistens der Fall sein). Auch wenn weder Sie noch der Patient etwas gefühlt haben, ist davon auszugehen, daß eine energetische Öffnung stattgefunden hat. Lassen Sie Ihre Hände ca. eine Minute in dieser Position. Verfahren Sie bei den Händen entsprechend. Sie können dort den Daumen entweder auf der Handaußen- oder Handinnenfläche haben, für die energetische Öffnung der Hände ist dies ohne Bedeutung, Sie bzw. der Patient werden die Energien bei der Öffnung der Hände genauso oder ähnlich spüren wie bei den Füßen.

Energetische Öffnung der Füße

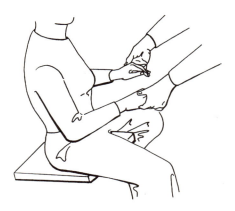

Energetische Öffnung der Hände

Weitere energetische Öffnungen

Es empfiehlt sich, vor der Anwendung des WS-Frequenzgerätes weitere energetische Öffnungen vorzunehmen. Stellen Sie sich seitlich rechts oder links neben den Patienten. Berühren Sie mit den drei mittleren Fingern der einen Hand die **untere Spitze des Brustbeins**, mit den drei mittleren Fingern der anderen Hand die **Wirbelsäule in gleicher Höhe gegenüber**. Sie werden die energetische Öffnung ähnlich wahrnehmen wie bei Füßen und Händen. Diese Öffnung ist besonders dann anzuraten, wenn der Patient unter Herzbeschwerden leidet.

Energetische Öffnung zwischen unterer Spitze des Brustbeins und Wirbelsäule in gleicher Höhe gegenüber

Die beiden folgenden energetischen Öffnungen sind besonders dann zu empfehlen, wenn die verstrahlte Körperregion im Kopfbereich liegt. Man sollte diese Öffnungen auch bei Personen vornehmen, die über Kopfschmerzen oder leichten Kopfdruck klagen. Stellen Sie sich wieder seitlich neben den Patienten. Legen Sie den Mittel- oder Zeigefinger der einen Hand **oberhalb der Einkerbung**

des Kehlkopfes, die drei mittleren Finger der anderen Hand auf den **Scheitelpunkt des Kopfes**. Ihre Wahrnehmung der Energien wird wieder ähnlich wie weiter oben beschrieben sein.

Energetische Öffnung oberhalb der Einkerbung des Kehlkopfes und dem Scheitelpunkt des Kopfes

Auch für die zweite energetische Kopföffnung sollten Sie seitlich neben dem Patienten stehen. Legen Sie einen bis drei Finger der einen Hand leicht auf das **Stirn-Chakra** (in der Mitte zwischen den Augenbrauen), die drei mittleren Finger der anderen Hand an das **Hinterhauptsbein am Kopf** (Hinterkopf). Nach dieser letzten energetischen Öffnung beginnen Sie mit der Behandlung.

Energetische Öffnung zwischen Stirnchakra und Hinterhauptsbein am Kopf (Hinterkopf)

Anwendung des WS-Frequenzgerätes

Das WS-Frequenzgerät wird 20 bis 40 cm vor die durch Geo-Sha oder Trans-Sha belastete Körperregion gebracht. Schalten Sie das Gerät zunächst auf Stufe LOW, nach 3 bis 5 Minuten schalten Sie auf HIGH. Es empfiehlt sich, den Biotensor oder das Pendel zwischen das WS-Frequenzgerät und die belastete Körperregion zu halten. Eine mentale Einstellung auf bestimmte Wellenlängen oder dergleichen ist hierbei nicht erforderlich. Dabei können unterschiedliche Bewegungsmuster auftreten. Biotensor oder Pendel bewegen sich solange, bis die erforderliche Behandlung abgeschlossen ist.

Die Belastung durch Geo-Sha und Trans-Sha sinkt bereits nach nur einer Behandlung merklich. Sie können dieses feststellen, indem Sie vor der Behandlung mit Biotensor oder Pendel den aktuellen Belastungswert, wie oben beschrieben, bestimmen. Diesen vergleichen Sie mit dem Belastungswert, den Sie unmittelbar nach der Behandlung ermitteln. Am nächsten Tag wird der Belastungswert wieder etwas ansteigen, jedoch erheblich unter dem Wert liegen, den Sie vor der Behandlung ermittelt haben. Es sind im allgemeinen mehrere Anwendungen erforderlich, um auf oder unter den individuellen Grenzwert zu kommen.

Am besten bestimmen Sie die Zeitdauer für die einzelnen Anwendungen mit Biotensor oder Pendel. Es empfiehlt sich, jeweils vor und nach der Anwendung den aktuellen Belastungswert mit Biotensor oder Pendel zu bestimmen. Die Häufigkeit der Anwendungen richtet sich nach den von Ihnen ermittelten Werten.

Das WS-Frequenzgerät kann auch ohne den Einsatz von Biotensor oder Pendel angewandt werden. Es empfiehlt sich dann, den Patienten bei der ersten Anwendung ca. 45 Minuten mit der belasteten Körperregion vor das WS-Frequenzgerät zu setzen, beim zweiten Mal sind 30 Minuten ausreichend. Für die weiteren Anwendugen sind 20 oder 15 Minuten zu empfehlen. Im allgemeinen sind bei Verstrahlung durch Geo-Sha und Trans-Sha fünf Anwendungen ausreichend.

Polyxane

Zur Therapie der Belastung durch Geo-Sha und Trans-Sha geeignet sind alternativ die sogenannten Polyxane der Firma Ritsert. Die Polyxane sind homöopatische Potenzakkorde von Carex flava, elong. und vesic. aus geobiologisch verschiedenen Wachstumszonen. Es gibt die Spezialitäten **Polyxan grün comp. Tropfen**, **Polyxan blau comp. Tropfen** und **Polyxan gelb comp. Tropfen** zu jeweils 30 ml. Polyxan grün comp. ist geeignet zur Therapie des ausgeglichenen Reaktionstyps, Polyxan blau comp. des Yang-Reaktionstyps und Polyxan gelb comp. des Yin-Reaktionstyps. Die normale Dosis ist 3 x 8 Tropfen, wobei hinsichtlich der Dauer der Anwendung häufig die Verwendung einer Flasche von 30 ml ausreichend ist. Sowohl die Art des Mittels wie auch Dosierung und Dauer der Anwendung sollten mittels Biotensor oder Pendel überprüft werden.

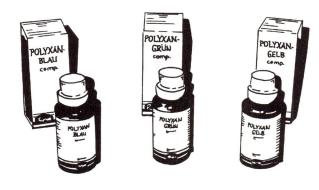

Polyxane

Ermittlung der geeigneten Polyxane

Es gibt zwei Möglichkeiten, die geeigneten Polyxane zu ermitteln.
1) Geben Sie der belasteten Person das betreffende Polyxan in die Hand, und stellen Sie die unten formulierten Fragen. Biotensor oder Pendel werden Ihnen die bekannten Reaktionen für JA oder NEIN geben.
2) Eine zweite Möglichkeit ist, das betreffende Polyxan auf einen Tisch zu stellen. Die belastete Person legt die die geöffnete Hand in einer Entfernung von ca. 30 bis 40 cm vom Polyxan entfernt ebenfalls auf den Tisch. Die Handfläche zeigt dabei zum Polyxan. Halten Sie Ihren Biotensor oder Ihr Pendel zwischen Handfläche und Polyxan, und stellen Sie die unten formulierten

Fragen. Sie werden bei diesem Beziehungstest eine andere Reaktion von Biotensor oder Pendel haben. Ist das Polyxan geeignet (die Antwort JA), so werden sich Biotensor oder Pendel in diesem Fall zwischen Handfläche und Polyxan hin und her bewegen. Ist das Polyxan ungeeignet (die Antwort NEIN), bewegt sich der Biotensor auf und ab. Das Pendel bewegt sich um 90 Grad gedreht zur JA-Reaktion. Es durchschneidet also sozusagen die Beziehung zwischen Polyxan und der Hand der Person.

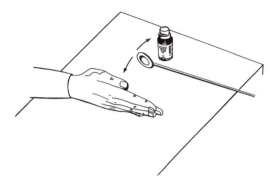

JA-Reaktion des Biotensors beim Polyxan-Test

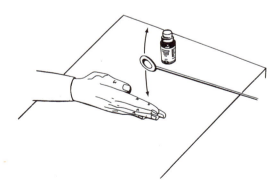

NEIN-Reaktion des Biotensors beim Polyxan-Test (ob der Ring des Biotensors senkrecht oder waagerecht gehalten wird, ist für die Reaktion nicht von Bedeutung)

Fragestellungen für das richtige Polyxan

Die geeigneten Polyxane sollten getrennt für die Belastung durch Geo-Sha und durch Trans-Sha mit Biotensor oder Pendel ermittelt werden. Wenn eine Belastung durch **Geo-Sha** vorliegt, ist als Fragestellung geeignet: *"Ist Polyxan ... (Bezeichnung) am besten geeignet, bei ... (Name der Person) die Belastung durch Geo-Sha zu beseitigen?"*. Fragen Sie die drei Polyxane nacheinander ab. Sie werden im allgemeinen nur ein JA bekommen.

Liegt eine Belastung durch **Trans-Sha** vor, fragen Sie: *"Ist Polyxan ... (Bezeichnung) am besten geeignet, bei ... (Name der Person) die Belastung durch Trans-Sha zu beseitigen?"*. Hier kann es sein, daß Sie für Polyxan gelb *und* grün ein JA bekommen. D. h., daß für die belastete Person eine Kombinationstherapie mit Polyxan gelb und grün am besten geeignet ist die Belastung durch Trans-Sha zu beseitigen. Polyxan blau wird in der Regel nicht mit anderen Polyxanen kombiniert.

Wenn Sie nur ein Polyxan ermittelt haben, ermitteln Sie noch die Anzahl der Tage, an denen die betreffende Person das Polyxan in der üblichen Dosis von 3 x 8 Tropfen einnehmen soll. Fragen Sie: *"Soll ... (Name der Person) Polyxan ... (Bezeichnung) fünf Tage oder länger einnehmen?"*. Zählen Sie die Tage einzeln hoch, bis Sie ein NEIN bekommen. Die letzte Frage, auf die Sie ein JA bekommen haben, gibt Ihnen die richtige Anzahl der Tage an.

Haben Sie zwei Polyxane ermittelt, müssen Sie ermitteln, wie oft das jeweilige Polyxan am Tag eingenommen werden soll. Dabei werden sie herausfinden, daß ein Polyxan einmal täglich einzunehmen ist, das zweite Polyxan zweimal täglich. Lassen sie das Polyxan, das einmal einzunehmen ist, mittags einnehmen, das andere morgens und abends.

Auch bei gleichzeitiger Belastung durch Geo-Sha und Trans-Sha werden Sie nicht mehr als zwei unterschiedliche Polyxane als geeignet finden. Auch hier findet sich lediglich die Kombination von Polyxan gelb mit Polyxan grün. Polyxan blau wird praktisch nur als Einzelmedikament gefunden.

Kapitel 4

Schlafplatzsanierung

Vermeiden Sie Metall im Schlafzimmer!

Für Gesundheit und Wohlbefinden ist es erforderlich, einen gesunden Schlafplatz zu haben. Das bedeutet u. a., daß Sie an Ihrem Schlafplatz lediglich eine Belastung durch Geo-Sha oder Trans-Sha *unterhalb* Ihres individuellen Grenzwertes haben dürfen. Den vorangehenden Abschnitten konnten Sie entnehmen, daß es letztendlich zwei Möglichkeiten der Belastung gibt:
1) Sie schlafen direkt in einem belasteten Bereich, z. B. in der Seitenwand eines der genannten Kubensysteme oder über einer Wasserführung.
2) Sie schlafen an sich in einem guten Bereich, aber es befinden sich Metalle in Seitenwänden (insbesondere des 10-m- oder 250-m-Systems), die Trans-Sha in erheblicher Stärke auf Ihren Schlafplatz bringen.

Zuviele Metalle im Schlafzimmer

Gerade auch die zweite Möglichkeit wird recht häufig angetroffen. Es ist deshalb zu empfehlen, im Schlafzimmer möglichst wenig Metalle zu plazieren oder zu installieren. Befindet sich in Ihrem Schlafzimmer die Seitenwand des 10-m-Systems, ist heutzutage oft durch Metalle das ganze Schlafzimmer mit Trans-Sha belastet. Sie können dann Ihr Bett verrücken, wie Sie wollen, Sie werden der Belastung durch Trans-Sha nicht entkommen.

Zu den **Einrichtungsgegenständen**, die Sie im Schlafzimmer meiden sollten, gehören insbesondere Spiegel (Spiegelschränke), Metallbetten (wenn das Metall über den Lattenrost hinausragt), Deckenlampen, Lichtleisten, Deckenstrahler, Halogenlichtanlagen an Drähten oder Metallschienen, Nachttischlampen aus Metall (bzw. mit Metallfuß oder Schirm mit Drahtgeflecht), Stehlampen, Beleuchtungen von Schlafzimmerschränken, Radiowecker, Telefone oder Handys neben dem Bett, Fernsehgeräte, Videorecorder, Stereoanlagen, Garderobenständer (auch fahrbare) aus Metall, Herrendiener aus Metall, Metallstühle, Metallregale, Schränke aus Ganzmetall und andere Designermöbel aus Metall und Kühlschränke.

Probleme machen auch Bilderrahmen aus Metall, Kupferbilder, Geldkassetten, große Schmuckschatullen (z. B. in Nachtschränken), Dekorationsgegenstände aus Metall, z. B. Metallfiguren, Metallteller (Wandteller), Zinnkannen, Kupferkannen, Gießkannen aus Kupfer oder Messing, Blumenvasen aus Metall (z. B. aus Messing), Blumenübertöpfe aus Metall, Blechmilchkannen als Dekoration, Blechdosen, Mülleimer und Papierkörbe aus Metall.

Schlüssel in Schranktüren, Schubladen und Zimmertüren können, wenn sie sich in den Seitenwänden des 10-m- oder 250-m-Systems befinden, eine äußerst starke Wirkung haben, da sie punktgenau den Schlafenden treffen können. Dieser Effekt ist dann besonders stark, wenn die belastete Person die Gewohnheit hat, die Schlafposition nicht zu verändern. **Kleiderstangen** aus Metall, insbesondere in Kombination mit Drahtbügeln oder Kleiderbügeln aus Ganzmetall, können, wenn die Bügel auf den Schlafenden zeigen, eine Belastung durch Trans-Sha auslösen.

Leider ist das Schlafzimmer heutzutage auch **Abstellplatz** für Metallgegenstände verschiedenster Art: Bügelbretter, Bügeleisen, Wäscheständer aus Metall, Nähmaschinen, Hometrainer und andere Trainingsgeräte aus Metall (z. B. Hanteln), Schreibmaschinen und sonstige Büromaschinen, Staubsauger, Leitern, Werkzeug, Stative, Kameras und Filmprojektoren, Kochtöpfe und Kochtopfsets, Rucksäcke mit Stahlgestell, alte Büromaschinen und Computer, alte Radios und Fernseher usw. Bei unseren Untersuchungen fanden wir auch Tischtennisplatten mit Metallgestell, Fahrräder, Münzsammlungen, Silberbestecke, Mikrowellenöfen, Toaster, Waffen, alte Waschmaschinen u. a.

In **Kinderzimmern** sind zusätzlich viele Metallspielzeuge zu finden. Dazu gehören u. a. Dreiräder, Kinderfahrräder und Roller, Tretautos, Puppenwagen, elektrische Eisenbahnen, ferngesteuerte Autos. Aber auch Kinderwagen, Sportwagen oder Buggies werden häufig von Eltern ins Kinderzimmer gestellt. Laufgitter mit Metallrahmen gehören ebenfalls zu den Gegenständen, die Trans-Sha aktivieren.

Metallbetten

Metallbetten aktivieren für den Schlafenden Trans-Sha insbesondere dann, wenn die metallenen Kopf- und/oder Fußteile höher sind als der Lattenrost. In diesem Fall ensteht Trans-Sha mit großer Stärke, wenn sich beispielsweise das Kopf- oder Fußteil des Bettes in einer Seitenwand des 10-m-Systems befindet. Zu den Metallbetten gehören auch sogenannte Krankenhausbetten, die für Kranke und Pflegebedürftige extra ins Haus geholt werden. Auch

Betten mit Elektromotoren können unabhängig von einer möglichen Belastung durch Elektrosmog zu Problemen mit Trans-Sha führen. **Federkernmatratzen** und Lattenroste aus Metall sind für den Schlafenden glücklicherweise selten Quelle für Trans-Sha, da dies eher die Tendenz hat, seitlich bzw. auch schräg nach unten zu verlaufen. **Heizdecken** sind in bezug auf Trans-Sha ähnlich einzuschätzen wie Federkernmatratzen. Zu beachten ist jedoch die Belastung durch Elektrosmog.

Festeingebaute oder festangebrachte Metallgegenstände

Aber auch Metallgegenstände wie Metallfenster, metallverstärkte Kunststoffenster, Metallfensterbänke, Tür- und Fenstergriffe aus Metall, Metallrolläden, Metalljalousetten, Gardinenstangen aus Metall, Tresore, Deckenventilatoren, Sonnenbänke, Thermostate von Heizkörpern sowie sonstige Metallteile, die aus der Wand in das Zimmer hineinragen (auch Nägel!) bringen häufig Trans-Sha ins Zimmer und damit auf den Schlafplatz oder an andere Stellen, an denen man sich häufig aufhält. Auch Dachrinnen aus Metall, Balkongitter, Kellerroste und sonstige außen am Haus angebrachte Metallteile mit großer Masse, wie beispielsweise **Satellitenschüsseln** und Dachantennen sowie Außenverkleidungen aus Aluminium oder anderem Metall können gegebenenfalls Trans-Sha ins Innere des Hauses bringen.

Fußbodenheizung

Die Fußbodenheizung mit Warmwasser führt über das verwirbelnde Wasser zu einer Belastung durch Trans-Sha im ganzen Raum und in den Räumen darüber. Die durchschnittliche Stärke der Belastung liegt etwa bei 8 (auf der bekannten Skala von 0 bis 100). Verwendet werden Kunststoffrohre, Kupferrohre und Edelstahlrohre. Bei Kupferrohren und Edelstahlrohren treten keine zusätzlichen nennenswerten Probleme mit Trans-Sha durch Metall auf. Im Kapitel 7 im Abschnitt „Vital-Qi" werden wir jedoch eine andere Problematik der Fußbodenheizung in bezug auf Kupfer- und Edelstahlrohre ansprechen.

Untersuchung des Schlafplatzes auf Geo-Sha und Trans-Sha

Was Sie vor der eigentlichen Schlafplatzuntersuchung machen sollten

Vor der Untersuchung des Schlafplatzes sollten Sie sich ein Bild von der Umgebung machen. Es empfiehlt sich, wenn möglich, einmal das ganze Haus zu umschreiten. Dabei ist auf große Metallteile zu achten, die Trans-Sha ins Haus lenken können. Es kann sich hierbei um bewegliche oder festinstallierte Metallteile handeln. Zu den **beweglichen Metallteilen**, die man häufig findet, gehören Autos, fahrbare Müllcontainer, aber auch Garagentore. Bewegliche Metallteile können dazu führen, daß der Verlauf der Seitenwände des 10-m- und 250-m-Systems verändert wird. Zu den **festen Metallteilen am Haus** gehören Balkongitter, metallene Regenrinnen, Satellitenschüsseln u. a. Außerdem finden Sie möglicherweise deutlich sichtbare Belastungsquellen durch Hochspannungseinrichtungen wie Überlandleitungen, Transformatorhäuschen oder elektrifizierte Eisenbahn- und Straßenbahntrassen (s. Kapitel 6 im Abschnitt „Feng Shui und Elektrosmog").

Untersuchung des Schlafplatzes auf Geo-Sha und Trans-Sha

Wenn Personen bereits seit mehreren Jahren den gleichen Schlafplatz haben und in dieser Zeit Gesundheitsstörungen aufgetreten sind (wie im Abschnitt „Typische Erkrankungen" beschrieben), sollten Sie besonders sorgfältig nach einer Belastung des Schlafplatzes durch Geo-Sha oder Trans-Sha fahnden.

Bei der Untersuchung empfiehlt es sich, im Haus oder in der Wohnung den Verlauf der Seitenwände des **10-m- und 250-m-Systems** zu suchen. Dies ist deshalb von Bedeutung, da nicht nur eine direkte Belastung des Schlafplatzes vorliegen kann, sondern auch Trans-Sha durch Metalle in das Schlafzimmer gelenkt werden kann. Ermitteln Sie den Verlauf der genannten Kubensysteme im Haus oder in der Wohnung mit dem Biotensor oder Pendel wie in Kapitel 3 beschrieben.

Nehmen Sie eine besonders sorgfältige Untersuchung des Schlafzimmers auf Trans-Sha über unterirdischen **Wasserführungen** und in den Seitenwänden des **Hartmann-** und des **170-m-Systems** vor. Dabei ist darauf zu achten, daß Metalle auch über unterirdischen Wasserführungen eventuell Trans-Sha aus dem Nebenzimmer insbesondere durch dünne Wände oder Türen ins Schlafzimmer lenken können. Ist nicht im ganzen Haus oder der ganzen Wohnung nach diesen Strukturen gesucht worden, ist mit dem Biotensor oder Pendel zumindest im Schlafzimmer nach einer entsprechenden Belastung zu fragen. Sie sollten auch nach **Verwerfungszonen** suchen (Einzelheiten finden Sie in Kapitel 5 im Abschnitt „Yang-Erkrankungen über Verwerfungszonen").

Besondere Verhältnisse über Nacht

Bei der Untersuchung des Schlafplatzes auf Geo-Sha und Trans-Sha ist darauf zu achten, daß die nächtlichen Verhältnisse am Schlafplatz oft anders sind als am Tage. Heruntergelassene Metallrolläden, Autos, die in der Nacht vor dem Haus oder in der Garage parken, können Trans-Sha ins Haus lenken oder die Seitenwände des 10-m- oder 250-m-Systems verschieben. Dabei kann es sowohl zu einer Anziehung als auch zu einer Abstoßung der Seitenwände der Systeme kommen.

Was Sie im Zweifelsfall tun können

Wenn Sie bei einer Person eine Belastung durch Geo-Sha oder Trans-Sha festgestellt haben, Sie jedoch auf dem Schlafplatz keine Belastung feststellen können, sollten Sie solange nach einer Belastungsquelle zu fahnden, bis diese eindeutig auszumachen ist. So kann beispielsweise eine starke Belastung auf dem Arbeitsplatz vorliegen, besonders bei sitzender Tätigkeit. Im Zweifelsfall muß die Untersuchung des Schlafplatzes in der Nacht wiederholt werden, wenn anders für die Belastung keine Erklärung gefunden werden konnte. Nach erfolgter Schlafplatzsanierung und Therapie der betroffenen Person sollten Sie erneut den Patienten auf eine Belastung durch Geo-Sha oder Trans-Sha untersuchen.

„Abschirmmaterialien"

Herr F. hatte ein Schweregefühl in den Gliedern. Er ließ seinen Schlafplatz von einem Feng-Shui-Berater untersuchen. Dabei stellte sich heraus, daß sein Bett über einer unterirdischen Wasserführung stand. Auf der gegenüberliegenden Seite des Zimmers verlief eine Seitenwand des 10-m-Systems. Die einzige Möglichkeit, das Bett belastungsfrei zu plazieren, wäre die Mitte des Zimmers gewesen. Da Herr F. dieses nicht wollte und der Feng-Shui-Berater ihm auch aus anderen Gründen davon abriet, mußte eine andere Lösung gefunden werden. Der Feng-Shui-Berater riet ihm, das Bett am alten Platz stehen zu lassen und den Bettplatz mit EPS- oder Korkplatten geeigneter Qualität zu unterlegen. Herr F. entschied sich, Korkplatten geeigneter Qualität unter sein Bett zu legen. Drei Monate später verschwand das Schweregefühl in den Gliedern.

Unsichtbare Strukturen schützen vor Geo-Sha und Trans-Sha

Wie Herrn F. geht es sicherlich vielen. Oft besteht keine oder nur wenig Möglichkeit, den Schlafplatz zu verlegen, doch glücklicherweise gibt es Materialien, die uns vor Geo-Sha und Trans-Sha wirksam schützen können. Diese Materialien bauen eine unsichtbare Struktur auf. Im Bereich dieser Struktur werden Linsen und Spiralen in ihrer Funktion so verändert, daß in diesem Bereich fast kein Geo-Sha und Trans-Sha mehr in unserer Dimension enstehen. Diese Struktur schützt uns wie ein „Faradayscher Käfig", wenngleich der Wirkungsmechanismus ein völlig anderer ist. Das Sha wird nicht abgeleitet und wird auch nicht vom Material abgeschirmt oder gefiltert, sondern es entsteht erst gar nicht. Innerhalb dieser Struktur findet keine Beschleunigung von Sha in unsere Dimension statt.

Folgende Materialien sind für den Aufbau einer solchen Struktur besonders geeignet: **EPS-Platten, Korkplatten geeigneter Qualität, Zellglasplatten geeigneter Qualität** und **PVC-Weitwinkellinsen**

(Fresnellinsen). Da jedes Material eine etwas andere Struktur aufbaut und unterschiedlich lange hält, ist es notwendig, die einzelnen Materialien gesondert zu besprechen.

EPS-Platten

EPS-Platten (extrudierte Polystyrol-Hartschaumplatten) bestehen aus Kunststoff. Es ist ein geschlossenzelliger Polystyrol-Schaum, der unter Druck gewalzt (extrudiert) wird. EPS-Platten haben eine glatte Oberfläche und werden vor allem für die Wärmedämmung von Gebäuden eingesetzt. Sie haben eine sehr günstige Wärmeleitfähigkeit, eine hohe Druckfestigkeit, sind verrottungsbeständig und resistent gegen Frost-Tauwechsel. Sie können sowohl als Wärmedämmung von Flachdächern als auch zur Perimeterdämmung von Boden im Erdreich eingesetzt werden. EPS-Platten sind ab 8 cm Dicke als Wärmedämmumg unter Schwimmestrich zugelassen.

EPS-Platten werden in Deutschland von verschiedenen Firmen angeboten. Die Standardgrößen der Platten sind 60 x 125 cm. Die Platten sind ab einer Dicke von 2 cm im Baustoff-Fachhandel zu erhalten. Die EPS-Platten sind ab 3 cm Dicke mit Stufenfalz erhältlich, so daß bei der Abdeckung Lücken vermieden werden können. Geeignet sind folgende Platten: **Fina X** von der Firma Isofoam, **Styrodur** von der Firma BASF, **Roofmate** von der Firma Dow Chemical und **Jackodur** von der Firma Gefinex.

Struktur durch horizontal gelegte EPS-Platten
Horizontal gelegte EPS-Platten ergeben die gewünschte unsichtbare Struktur. Sie bauen diese Struktur sowohl nach oben als auch nach unten auf. Wir finden also in den Seitenwänden der entsprechenden Kubensysteme fast kein Sha mehr. Auch Metalle, die in den Seitenwänden stehen, bringen fast kein Trans-Sha mehr in den Raum. Das bedeutet, daß die EPS-Platte sowohl oberhalb als auch unterhalb der Platte ausreichend Schutz gibt.

Die Länge der Struktur nach oben beträgt bei rechteckigen Platten mehr als das Vierfache der Diagonale, von der Platte aus gemessen. Werden mehrere Platten lückenlos aneinandergelegt, so zählt die Diagonale der Gesamtfläche. Für den vollständigen Aufbau der Struktur nach oben ist eine **Mindestfläche** von ca. **0,75 qm** erforderlich. Für den vollständigen Aufbau der Struktur bis zum Erdboden ist jedoch eine **Mindestfläche** von **1 qm** notwendig.

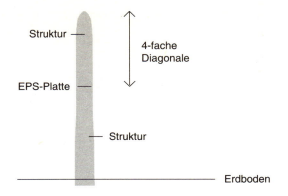

Unsichtbare Struktur durch waagerecht gelegte EPS-Platten: Die Struktur beträgt nach oben das vierfache der Diagonale, nach unten reicht sie bis zum Erdboden

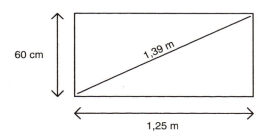

Die Länge der unsichtbaren Struktur bei EPS-Platten beträgt das vierfache der Diagonale. Bei einer EPS-Platte sind dies also gut 5,50 m

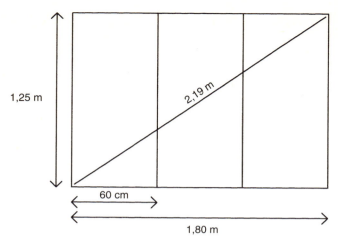

Die Länge der unsichtbaren Struktur beträgt bei 3 aneinander gelegten Platten gut 8,75 m (vierfaches der Gesamtdiagonale)

Dauer der Wirkung von EPS-Platten

Die Wirkung der EPS-Platten ist zeitlich begrenzt, in bezug auf Geo-Sha beträgt sie ab Fertigstellung ca. 9 Jahre. EPS-Platten verlieren ihre Wirkung auf Trans-Sha, die durch Metalle aktiviert wurden, bereits nach 8 Jahren. Auf Trans-Sha über verwirbelndem Wasser wirken sie dagegen ca. 10 Jahre.

Anwendung der EPS-Platten im Haus

Ideal ist es, die EPS-Platten in den Räumen über dem Schlafzimmer so zu verlegen, daß das ganze Schlafzimmer von oben abgedeckt ist. Es ist auch möglich, die EPS-Platten in Geschossen unterhalb des Schlafzimmers (auch in Kellerräumen) zu verlegen. Dabei ist darauf zu achten, daß der gewünschte Schutz nach oben bis zum Vierfachen der Diagonale reicht.

Kann das Schlafzimmer nicht vollständig über- oder unterlegt werden, so sollten zumindest die Bettfläche als auch die Flächen, auf denen sich Metalle befinden, vollständig über- oder unterlegt werden. Dabei können die EPS-Platten auch direkt unter das Bett auf den Fußboden gelegt werden. Bei der Verlegung ist ausdrücklich darauf zu achten, daß die EPS-Platten nur dann ihre Wirkung entfalten, d. h. eine geeignete Struktur aufbauen, wenn sie strikt horizontal (waagerecht) verlegt werden. In Altbauten mit etwas geneigten Fußböden ist es eventuell nötig, eine Wasserwaage zu verwenden.

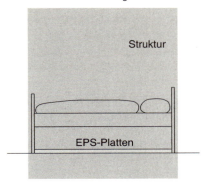

Ein Bett wird mit EPS-Platten unterlegt

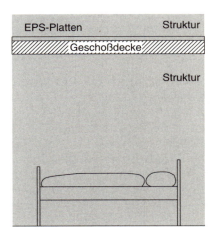

Der Fußboden im Geschoß über dem Schlafzimmer wird mit EPS-Platten ausgelegt

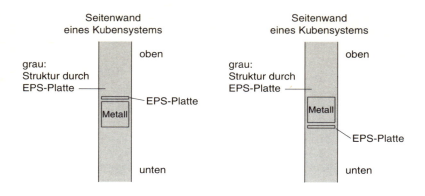

Eine EPS-Platte kann sowohl über Metall als auch unter Metall gelegt werden

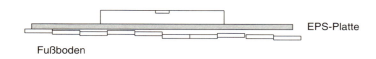

Bei geneigten oder unebenen Fußböden muß die waagerechte Verlegung von EPS-Platten mit einer Wasserwaage kontrolliert werden

EPS-Platten: Gut für Gesundheit und Wohlbefinden

Ein 45-jähriger Kfz-Meister hatte schon mehrere Jahre aus gesundheitlichen Gründen nicht mehr gearbeitet. Er litt an langjährigen Kieferschmerzen und Depressionen und fühlte sich nicht in der Lage zu arbeiten, obwohl ihm sein Beruf durchaus Freude bereitet hatte. Eine Feng-Shui-Untersuchung bei ihm im Hause hatte u. a. eine Reihe von Problemen durch Geo-Sha und Trans-Sha offenbart. Da vorgesehen war, im Erdgeschoß neue Holzdielen zu verlegen, wurden bei der Gelegenheit EPS-Platten unter dem gesamten Wohnzimmer verlegt. Da der größte Teil des Schlafzimmers über dem Wohnzimmer lag, war damit auch das Schlafzimmer durch die Struktur über den EPS-Platten geschützt. In den folgenden Monaten konnte der Kfz-Meister über diese Besserungen berichten:

Der Schlaf war besser geworden, die Kieferbeschwerden ließen nach, das Allgemeinbefinden und auch die Stimmungslage wurden nach und nach besser. Der kleine Sohn schlief ebenfalls ruhiger und die Kinder spielten auffällig gern im Wohnzimmer, das sie zuvor eher gemieden hatten, auf dem Boden. Das ganze Familienleben verlagerte sich von der Küche ins Wohnzimmer.

EPS-Platten sollten nicht vertikal (senkrecht) angewendet werden

Zum Teil findet man EPS-Platten als Wärmedämmaterial auch für Hauswände. Wenn die EPS-Platten direkt auf die Haupthimmelsrichtungen (Norden, Osten, Süden oder Westen) zeigen, besteht die Möglichkeit, daß ungünstige Energien in das Haus gelangen. Prüfen Sie die zu meidenden Richtungen mit Biotensor oder Pendel. Sie werden im allgemeinen eine Abweichung zwischen 2,5 und 5 Grad nach Westen gegenüber der geographischen Nordrichtung feststellen. In dieser Weise wirken EPS-Platten ca. 11 Jahre nach Herstellung, d. h. 11 Jahre nach dem Hausbau hört diese Wirkung auf.

Zellglasplatten geeigneter Qualität

Das Ausgangsmaterial für die Herstellung von Zellglas ist Sand. Spezialzusätze lassen daraus in der ersten Produktionsstufe einen hochwertigen Glastyp entstehen. Dieses Produkt wird anschließend extrudiert, zerkleinert und dann zu Glaspulver vermahlen. Das mit Kohlenstoff versetzte Glaspulver wird in einem Ofen auf ca. 1.000 Grad Celsius erhitzt. Hierbei oxidiert der Kohlenstoff, und es kommt zur Bildung von Gasblasen beim Aufschäumungsprozeß. Anschließend wird das Material in einem Streckofen langsam abgekühlt.

Zellglas ist wasserdicht, dampfdicht, nicht brennbar, druckfest, säurebeständig, schädlingssicher und unverrottbar.

Zellglas wird von verschiedenen Firmen für unterschiedliche Zwecke mit unterschiedlichen Eigenschaften in verschiedenen Formaten angeboten. Die im allgemeinen verwendeten Qualitäten für Bodenplatten von Häusern sind zum Schutz vor Sha nicht ausreichend wirksam. Die in Frage kommenden Baustoffhandlungen sind in der Regel auch nicht in der Lage, diesbezügliche Auskünfte zu erteilen. Informationen zu den derzeit angebotenen geeigneten Qualitäten erhalten Sie über die im Anhang unter „Rat und Hilfe" angegebene Adresse.

Struktur durch waagerecht gelegte Zellglasplatten geeigneter Qualität

Waagerecht gelegte Zellglasplatten verhalten sich hinsichtlich des Aufbaus einer unsichtbaren Struktur wie EPS-Platten, mit dem Unterschied, daß die Höhe der Struktur nach oben mindestens das 3,3fache der Diagonale bei rechteckigen Platten beträgt. Die Mindestfläche für den vollständigen Aufbau der Struktur sowohl nach oben wie auch nach unten bis zum Erdboden beträgt 0,25 qm.

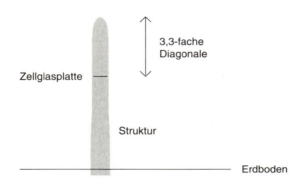

Unsichtbare Struktur durch waagerecht gelegte Zellglasplatten

Dauer der Wirkung

Die Dauer der Wirkung von Zellglasplatten beträgt 60 Jahre und mehr.

Anwendung der Zellglasplatten

Die Zellglasplatten können folgendermaßen waagerecht unter Feng-Shui-Gesichtspunkten verlegt werden:
a) unter Bodenplatten von Häusern und Hochhäusern
b) über der Bodenplatte unter Estrich
c) in der Landwirtschaft, z. B. in Bodenplatten für Viehställe

Die lange Haltbarkeit ermöglicht insbesondere den Einsatz beim Bau an Stellen, wo ein Austausch von Materialien nicht möglich ist. Bei Häusern ab ca. 20 m Höhe kann Zellglas auch zur Abschirmung von oben in Flachdächern eingesetzt werden. Bei niedrigeren Häusern ist aus Feng-Shui-Gesichtspunkten eine Abdeckung von oben nicht zu empfehlen. Vom Einsatz in Dachschrägen ist unter Feng-Shui-Gesichtspunkten ebenfalls abzuraten. Zellglas eignet sich nicht gut für die Kombination mit anderen „Abschirmmaterialien" (s. Abschnitt „Kombination von Abschirmmaterialien").

Wenn ein Haus mit seinen Dachüberhängen über die Bodenplatte hinausreicht, sollte auch die Fläche außerhalb der Bodenplatte unter den Dachüberhängen mit Zellglas ausgelegt werden. Dies ist insbesondere dann wichtig, wenn Dachrinnen aus Metall sind oder sonstige Metalle am Haus angebracht sind. Auch Balkone sollten mit Zellglas unterlegt werden, insbesondere wenn sie Geländer aus Metall haben.

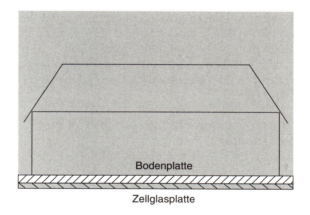

Zellglasplatten müssen so unter dem Haus verlegt werden, daß alle Mauern, Dachüberhänge und Balkone in die unsichtbare Struktur kommen.

Ein Balkon wird „entstört"

Eine Frau litt seit Jahren an chronischen Schmerzen. Ihr Bett wurde aus der Seitenwand des 10-m-Systems herausgestellt. Vom schweren Metallgitter des Balkons kam jedoch weiterhin Trans-Sha großer Stärke ins Schlafzimmer, auch auf den neuen Schlafplatz. Das Problem wurde dadurch gelöst, daß direkt unter den Balkon von unten Zellglasplatten geklebt wurden, die für das Schlafzimmer den erwünschten Schutz brachten.

Korkplatten geeigneter Qualität

Seit vielen Jahren werden Korkplatten geeigneter Qualität erfolgreich bei der Schlafplatzsanierung eingesetzt. Das Ausgangsmaterial für Korkplatten ist die Rinde der Korkeiche (Quercus suber lin.). Die vom Handel angebotenen Korkqualitäten und Dicken der Platten sind leider oft ungeeignet. Sie enthalten entweder zuviel Klebstoffe oder ungeeignetes Füllmaterial wie Holzabfälle. Die Platten sind außerdem ungeeignet, wenn Korkgranulat einer Schälung verwendet wurde, die nicht in genügendem Maße eine geeignete Struktur aufbaut (z. B. 1. Schälung). Geeignet sind Platten von 8-15 mm Dicke, dickere Platten können auch verwendet werden. Die Korkplatten haben eine Standardgröße von ca. 60 x 90 cm, geeignet ist auch Korkparkett mit einer Stärke von 8-10 mm bei einer Größe von 30 x 30 cm. Korkplatten bzw. Korkparkett geeigneter Qualität gibt es nur über ausgewählte Bezugsadressen (siehe Anhang „Rat und Hilfe").

Struktur durch waagerecht gelegte Korkplatten geeigneter Qualität

Im Gegensatz zu EPS-Platten und Zellglasplatten, die nur waagerecht verlegt werden sollten, können Korkplatten waagerecht und senkrecht erfolgreich zur Schlafplatzsanierung eingesetzt werden.

Waagerecht gelegte Korkplatten geeigneter Qualität im handelsüblichen Format (60 x 90 cm) bauen oberhalb und unterhalb der Korkplatte eine unsichtbare Struktur auf. Diese Struktur ist jedoch etwas anders geformt, als wir es von EPS-Platten und Zellglasplatten kennen. Die Länge der Struktur nach oben beträgt bei rechteckigen Korkplatten in der Mitte (über ca. 25 % der Gesamtfläche) von der Platte aus gemessen mehr als das Zweifache der Diagonale. Daneben beträgt die Länge der Struktur zumindest knapp das Diagonalmaß, wobei jedoch am Rand der Korkplatte insgesamt ca. 20 % Flächenanteil ausgespart bleiben. Die Mindestfläche für den vollständigen Aufbau nach oben beträgt 0,25 qm. Die Mindestfläche für den Aufbau einer Struktur bis zum Erdboden ist sogar weniger als 0,25 qm.

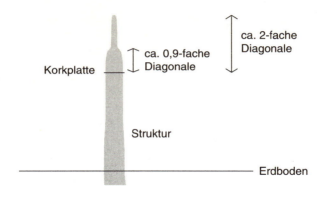

Unsichtbare Strukturen durch waagerecht gelegte nichtquadratische Korkplatten.

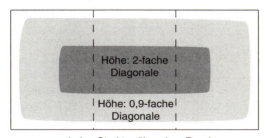

keine Struktur über dem Rand

Unsichtbare Strukturen durch waagerecht gelegte nichtquadratische Korkplatten (Aufsicht).

Besonderheiten bei Korkparkett bzw. bei quadratischen Korkplatten

Korkparkett geeigneter Qualität besteht aus quadratischen Einzelplatten (30 x 30 cm). Über quadratischen Korkplatten geeigneter Qualität finden wir eine einheitliche unsichtbare Struktur mit einer Höhe vom 1,9fachen der Diagonale.

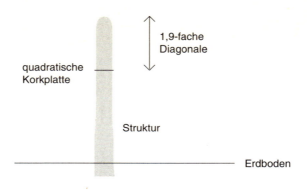

Unsichtbare Strukturen durch waagerecht gelegte quadratische Korkplatten

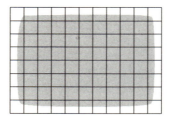

Unsichtbare Strukturen durch waagerecht gelegte quadratische Korkplatten (Aufsicht)

Dauer der Wirkung bei waagerechter Verlegung

Korkplatten haben eine lange Haltbarkeit in bezug auf Geo-Sha und Trans-Sha. Die Länge der Haltbarkeit läßt sich durch geeignete Pflege erhöhen. Hierzu gehören das zwei- bis dreimalige Lüften im Jahr an trockenen sonnigen Tagen. Die Platten sollten vor Feuchtigkeit geschützt werden. Es ist darauf zu achten, daß Korkplatten, wenn möglich, nicht direkt unter die Matratze gelegt werden. Wenn diese Punkte beachtet werden, beträgt die Haltbarkeit 40 Jahre und mehr.

Waagerechte Anwendung von geeigneten Korkplatten

Im Prinzip können Korkplatten eingesetzt werden wie EPS-Platten. Es ist jedoch zu berücksichtigen, daß die Höhe der Struktur nach oben deutlich geringer ausfällt und sich an den Rändern der ausgelegten Fläche eine ungeschützte Zone befindet. Für einen ausreichenden Schutz nach oben ist also eine größere Fläche erforderlich.

Häufig werden Korkplatten unter das **Bett** (auf den Fußboden) gelegt. Da die Standardgröße 60 x 90 cm ist, sind zumindest 3 Platten erforderlich, um einen großen Teil der Schlaffläche zu schützen. Zu berücksichtigen ist dabei die ungeschützte Zone über dem Rand der Korkplatten. Es ist unbedingt darauf zu achten, daß die einzelnen Korkplatten bündig aneinanderliegen. Zur Fixierung kann ein stabiles Klebeband benutzt werden. Sollten nur 3 Platten ausgelegt werden, sollten insbesondere der Kopf und die belasteten Körperpartien ausreichend geschützt sein.

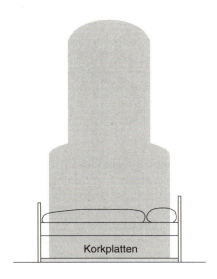

Unsichtbare Struktur durch waagerecht verlegte Korkplatten bei kompletter Unterlegung des Bettes (Seitenansicht)

Auch **Einrichtungsgegenstände aus Metall** kann man gut mit Kork unterlegen. Man sollte dann aber darauf achten, daß dieser Einrichtungsgegenstand sich möglichst vollständig in der von der

Korkplatte aufgebauten Struktur befindet. Korkplatten können aber auch über Metallgegenstände gelegt werden, wenn dies praktikabel ist. Eine Kombination von Über- und Unterlegung ist z. B. gut bei Stereotürmen möglich. Hier kann man die Korkplatte auch in die Mitte legen, da sich die Struktur dann sowohl nach oben und nach unten ausreichend aufbaut. Eine Verlegung von Korkplatten ist auch unter Teppichboden möglich. Frei verlegt bieten Korkplatten jedoch nicht die gewünschte Trittfestigkeit, so daß sich dann eher der Einsatz von Korkparkett empfiehlt.

Korkplatten gegen Panikanfälle

Eine Patientin war schon seit Jahren wegen Angstzuständen sowohl in ärztlicher als auch in psychologischer Behandlung, bisher ohne anhaltenden Erfolg. Im Gegenteil, aus den Angstzuständen wurden fast regelmäßig auftretende Panikanfälle, die meistens zwischen zwei und fünf Uhr nachts auftraten. Als der Schlafplatz untersucht wurde, wurde festgestellt, daß ihr Bett in einer Seitenwand des 250-m-Systems stand. Die Wirkung des Geo-Sha wurde noch dadurch gesteigert, daß zwei Spiegel neben den Betten genau in einer Seitenwand des 250-m-Systems standen Die Patientin war nicht zu überzeugen, ihr Bett auf einen ungestörten Platz zu stellen. Nachdem das Bett mit Korkplatten geeigneter Qualität unterlegt worden war und auch die Spiegel entfernt wurden, wurden die Panikanfälle zunächst weniger heftig, dann traten sie weniger häufig auf.

Waagerechte Anwendung von geeignetem Korkparkett

Bei großflächigen Verlegungen empfiehlt es sich, Korkparkett zu verwenden, da dieses trittfest ist. Dabei ist darauf zu achten, daß das Korkparkett eine Mindestdicke von 8 mm hat. Das Korkparkett, das üblicherweise in Baumärkten angeboten wird, ist in der Regel zu dünn (0,48 mm oder 0,64 mm) und auch von der Qualität zur Schlafplatzsanierung ungeeignet (wegen Bezugsadressen s. Anhang „Rat und Hilfe"). Das Verlegen von Korkparkett erfordert technisches Geschick und sollte im Zweifelsfall besser dem Fachmann überlassen werden. Es wird auf glattem Untergrund verklebt und anschließend versiegelt bzw. mit Wachs behandelt.

Korkparkett statt Operation

Ein Feng-Shui-Berater, der mit einer Ärztin zusammenarbeitete, berichtete Folgendes: „Die 45jährige Frau S. litt unter akutem Rheu-

ma. Besonders ihre Knie waren betroffen. Obwohl sie alle bekannten Ärzte und Heilpraktiker der näheren und weiteren Umgebung aufgesucht hatte, verschlechterte sich das Krankheitsbild zunehmend. Es fiel ihr sogar schwer, sich mit Krücken vorwärts zu bewegen. Obwohl sie früher gern in der Stadt einen Geschäftsbummel machte, blieb sie jetzt möglichst im Haus, oft sogar im Bett. Als ich eine Feng-Shui-Untersuchung im Hause durchführte, hatte sie gerade die Nachricht erhalten, daß ihr rechtes Knie durch eine Endoprothese ersetzt werden sollte. Auch ihr linkes Knie sollte später, wenn sie das rechte Bein wieder benutzen konnte, operiert werden. Sie schlief mit beiden Knien in einer Seitenwand des 10-m-Systems. Zusätzlich stand ein Spiegelschrank in dieser Seitenwand, so daß sie auch von der Seite bestrahlt wurde.

Sie und ihr Mann beschlossen, das Zimmer direkt unter dem Schlafzimmer mit Korkparkett auszulegen, zusätzlich wurde der Spiegelschrank durch einen neuen Schlafzimmerschrank ohne Spiegel ersetzt. In diesem Falle reichte eine reine Schlafplatzsanierung unter Feng-Shui-Gesichtspunkten nicht aus. Die Belastung der Patientin mußte zusätzlich abgebaut werden. Frau S. wählte die Therapie mit dem WS-Frequenzgerät. Nachdem ihre Knie insgesamt neunmal mit dem WS-Frequenzgerät bestrahlt worden waren, traf ich Frau S. in der Stadt. Sie lief zwar noch etwas langsam, war aber quasi schmerzfrei. Als ich sie nach weiteren vier Wochen in einem Supermarkt traf, hatte sich ihr Zustand nochmals verbessert."

Schutz durch Korkparkett fürs ganze Haus

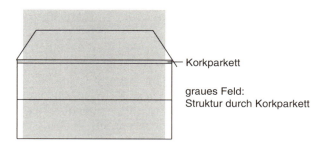

Eine großflächige Sanierung mit Korkparkett ist im obersten Stockwerk möglich. Hier: Verlegung im ausgebauten Dachboden

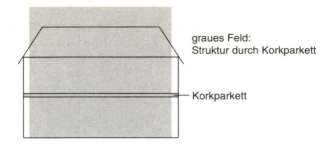

Auch in der Mitte des Hauses ist die Verlegung von Korkparkett als
Schutz für das ganze Haus sinnvoll

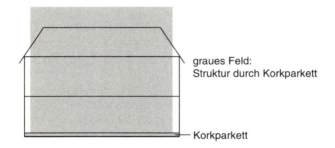

Wenn Sie Korkparkett im Erdgeschoß eines Hauses verlegen, sollte das
Haus nicht höher als der Schutz durch die unsichtbare Struktur sein

Struktur durch senkrecht angebrachte Korkplatten geeigneter Qualität

Senkrecht (vertikal) angebrachte Korkplatten geeigneter Qualität bauen ebenfalls eine Struktur auf. Diese ist jedoch kleiner als bei der waagerechten Anwendung. Die Struktur bildet sich nur seitlich der Flächen aus. Sie hat eine Länge zu jeder Seite von ca. dem 1,2fachen der Diagonale der Korkplatte, wobei ab einer Mindestfläche von ca. 1 qm bereits fast die maximale Wirkung der Struktur erzielt wird. Der Rand der Korkplatte ist dabei ohne Struktur. Dieser ungeschützte Teil an jedem Rand beträgt ca. 10 % der Höhe bzw. Breite der Korkplatte.

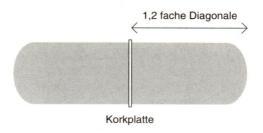

Korkplatte

Unsichtbare Struktur durch senkrecht angebrachte Korkplatten

Wirkung der Struktur durch senkrecht angebrachte geeignete Korkplatten

Diese Struktur bewirkt in erster Linie, daß Trans-Sha nicht durch Metalle in den Seitenwänden des 10-m- und 250-m-Systems aktiviert wird. Ähnliches gilt auch für Metalle in den Seitenwänden des 170-m- und Hartmannn-Systems.

Dauer der Wirkung bei senkrechter Anwendung

Die Dauer der Wirkung ist vergleichbar der Dauer bei waagerechter Anwendung und beträgt 40 Jahre und mehr.

Senkrechte Verwendung von geeigneten Korkplatten

Korkplatten können auch seitlich von Metallen angebracht werden, um zu verhindern, daß durch diese Trans-Sha aktiviert wird. Dies gilt sowohl für sichtbare Metalle als auch für nicht sichtbare Metalle, die beispielsweise in Form von Eisenträgern bei versetzten Ebenen im Haus Probleme bereiten können. Hier sollten dann Korkplatten an die Zimmerwand angebracht werden. Da die Struktur bei vertikaler Anwendung vergleichsweise klein ist und es im Einzelfall schwirig sein mag, die Korkplatte an den Rändern ausreichend überstehen zu lassen, ist die senkrechte Anwendung nur dann zu empfehlen, wenn die waagerechte Anwendung nicht möglich ist.

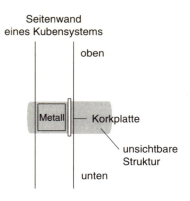

Korkplatten können auch seitlich von Metallen angebracht werden, damit kein Trans-Sha in der Seitenwand eines Kubensystems aktiviert wird.

Stahlkonstruktion vor der Hauswand

Der kaufmännische Direktor eines Unternehmens hatte seine Wohnung im obersten Stockwerk des Firmengebäudes. Vor der Hauswand befand sich eine schwere Stahlträgerkonstruktion, die Trans-Sha erheblicher Stärke ins Schlafzimmer brachte. Nach einer Feng-Shui-Beratung wurden von einem Fachmann an der Schlafzimmerwand nach außen hin Korkplatten angebracht. Dies brachte nach kurzer Zeit eine erhebliche Besserung der multiplen Beschwerden, über die der kaufmännische Direktor des Unternehmens zuvor geklagt hatte.

Werden Korkplatten an Zimmerwänden angebracht, die gleichzeitig Außenwände sind, so kann das wegen der hohen Dampfundurchlässigkeit des Korks zu Problemen mit Schimmelbildung führen. Eine solche Maßnahme sollte deshalb von einem Baufachmann durchgeführt werden.

Stahlträger und versetzte Ebenen

Ein Ehepaar bewohnte ein Reihenhaus am Hang. Bei der Feng-Shui-Untersuchung fand sich u. a. eine erhebliche Belastung des Ehebettes durch Trans-Sha, die aus der Wand am Kopfende des Bettes kam. Die Schlafzimmerwand selbst befand sich weder in der

Wand des 10-m- noch des 250-m-Systems. Die Belastung mußte also aus dem Nachbarhaus kommen. Das Ehepaar versicherte, die Nachbarn hätten im ganzen Haus keine größeren Metallgegenstände plaziert. Als der Feng-Shui-Berater beharrlich nachfragte, welche Metalle beim Hausbau verwendet worden seien, stellte sich heraus, daß massive Stahlträger eingebaut worden waren. Wegen der Hanglage war das Nachbarreihenhaus in der Höhe versetzt, so daß der Stahlträger sich genau über den Köpfen des Ehepaares in der Schlafzimmerwand befand. Die Schlafzimmerwand wurde an dieser Stelle ausreichend mit Korkplatten abgedeckt. Die Beschwerden klangen bei gleichzeitiger Therapie rasch ab.

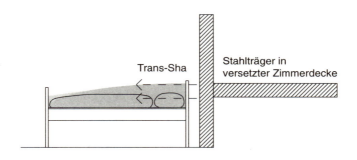

Ein Stahlträger bringt Trans-Sha aufs Bett

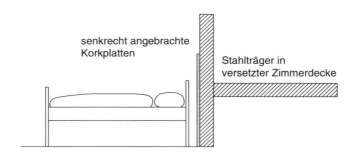

Korkplatten werden senkrecht angebracht

Fresnel-Linsen

Fresnel-Weitwinkellinsen aus PVC werden im Fachhandel zur Verbesserung der Sicht nach hinten für Karavane, Kleintransporter und Busse angeboten. Zu diesem Zweck werden sie an der hinteren Windschutzscheibe befestigt. Es gibt sie in verschiedenen Größen und Formen. Es gibt rechteckige Linsen mit abgerundeten Ecken und kreisförmige Linsen. Einige Fabrikate sind weich und gut biegsam, andere etwas härter. Alle Fabrikate haben, um den Verkleinerungseffekt zu erzielen, konzentrische Kreise an der Oberfläche einer Seite. Die Fresnel-Linsen können auch zum Schutz vor Sha verwendet werden.

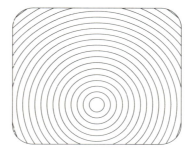

Eine Fresnel-Linse

Struktur durch waagerecht gelegte Fresnel-Linsen

Waagerecht gelegte Fresnel-Linsen mit der geriffelten Seite nach oben bauen eine Struktur oberhalb und unterhalb der Fresnel-Linsen auf. Die Länge der Struktur nach oben beträgt bei einem Standardmodell von 203 mm x 254 mm ca. 125 cm, nach unten reicht sie bis zum Erdboden. Die Struktur ist auch seitlich der Linse bis zu einem Radius von ca. 155 cm auf der kurzen Seite der Linse und ca. 175 cm auf der langen Seite der Linse zu finden, jeweils vom Rand der Linse aus gemessen. Kleinere oder größere Fresnel-Linsen haben etwas andere Strukturmaße.

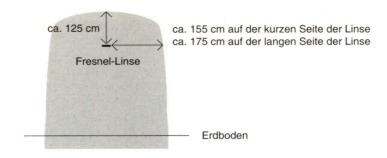

Unsichtbare Struktur durch eine waagerecht liegende Fresnel-Linse. Die Maße der Struktur sind für eine Standardlinse von 203 x 254 mm angegeben. Bei anderen Linsengrößen gibt es ähnliche Strukturmaße

Waagerechte Anwendung der Fresnel-Linsen

Fresnel-Linsen werden insbesondere zur Vermeidung der Belastung durch Trans-Sha eingesetzt. Sie werden dabei waagerecht entweder über oder unter Metalle gelegt, die sich in den Seitenwänden des 10-m- oder 250-m-Systems befinden. Auch eine Anwendung in gleicher Weise bei Metallen in den Seitenwänden des 170-m und Hartmann-Systems sowie bei Metallen über unterirdischen Wasserführungen ist möglich. Die Fresnel-Linsen können hier sehr platzsparend angewendet werden.

Ein Spiegelschrank im Schlafzimmer

Ein Landwirtsehepaar hatte einen teuren Spiegelschrank im Schlafzimmer stehen. Durch die Spiegelfläche verlief eine Seitenwand des 10-m-Systems. Da es nicht möglich war, den Spiegelschrank im Schlafzimmer zu verstellen und das Ehepaar den Schrank bzw. die Spiegelflächen nicht entfernen wollte, wurden auf den Schrank drei Fresnel-Linsen gelegt. Dies war die optisch unauffälligste Lösung, da eine Abdeckung z. B. mit EPS-Platten auf dem Schrank nicht gut ausgesehen hätte. Die Fresnel-Linsen müssen jedoch alle zwei Jahre ausgetauscht werden.

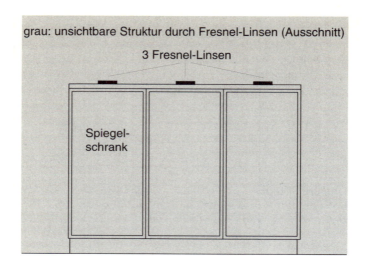

Drei Fresnel-Linsen werden auf einen Spiegelschrank gelegt

Anwendung der Fresnel-Linse am Schlafplatz
Eine direkte Anwendung über oder unter dem Schlafplatz zur Reduzierung der Belastung durch Geo-Sha oder Trans-Sha in den Seitenwänden des 170-m- und Hartmann-Systems oder über unterirdischen Wasserführungen ist nicht ratsam, da unter anderem die unsichtbare Struktur nur eine geringe Ausdehnung über der Fresnel-Linse hat. Hier ist der Einsatz von EPS-Platten, Zellglasplatten oder Korkplatten geeigneter Qualität zu empfehlen.

Dauer der Wirkung
Fresnel-Linsen haben auch bei vertikaler Anwendung eine Haltbarkeit von zwei Jahren, einige Fabrikate von bis zu drei Jahren, in bezug auf Trans-Sha, das durch Metalle aktiviert wird.

Eine Professorin arbeitet zwölf Stunden am Tag am Computer
Eine Professorin beauftragte einen Feng-Shui-Berater, ihre Wohnung zu untersuchen. Sie war der Meinung, daß es in ihrem Schlafzimmer ein Feng-Shui-Problem gäbe. Sie klagte über diverse Beschwerden im Brustbereich und Schmerzen in der linken Hand. Bei der Untersuchung des Schlafzimmers konnte der Feng-Shui-Berater

weder eine Belastung des Schlafplatzes durch Geo-Sha noch durch Trans-Sha finden.

Die Professorin saß während eines wissenschaftlichen Projektes bis zu zwölf Stunden am Tag am Computer ihres Büros. Bildschirm und Computer standen in einer Seitenwand des 10-m-Systems und brachten Trans-Sha erheblicher Stärke in Richtung auf die arbeitende Professorin. Da der Schreibtisch nicht umzustellen war, mußte eine andere Lösung gefunden werden. Es bot sich an, unter den Bildschirm eine Fresnel-Linse zu legen, so daß sowohl Bildschirm als auch Computer in der Struktur der Linse standen. Die Beschwerden der Professorin verschwanden völlig nach Sanierung des Arbeitsplatzes bei gleichzeitiger Therapie mit dem WS-Frequenzgerät.

Eine Fresnel-Linse wird unter einen Computerbildschirm gelegt

Die Belastung der Professorin durch Trans-Sha am Arbeitsplatz als Auslöser der Gesundheitsstörung ohne gleichzeitige Belastung am Schlafplatz ist glücklicherweise eher die Ausnahme. Da die meisten Menschen eher weniger lange an der gleichen Stelle arbeiten, reicht es im allgemeinen aus, daß sie einen ungestörten Schlafplatz haben, um Belastungen am Arbeitsplatz abzubauen. Es empfiehlt sich trotzdem, so weit dies möglich ist, auch einen weitgehend unbelasteten Arbeitsplatz zu haben. Belastungen am Arbeitsplatz führen allerdings häufiger zu Beschwerden in betroffenen Körperregionen, die zu Hause wieder abklingen.

Eine Linse an der Decke

Bei der Feng-Shui-Beratung in einem Büro fiel auf, daß der Computer und weitere Büromaschinen in einer Seitenwand des 10-m-Systems standen. Eine Umgruppierung der Geräte war u. a. wegen des begrenzten Raumes nicht möglich. Zusätzlich war auch der Metallkasten der Leuchtstoffröhre direkt in der Seitenwand des 10-m-Systems. Abhilfe konnte geschaffen werden, indem eine Fresnel-Linse zwischen Metallkasten der Leuchtstoffröhre und Zimmerdecke gelegt wurde. Da die Beratung kurz nach Eröffnung des Büros durchgeführt wurde, war es über die Belastung mit Trans-Sha am Arbeitsplatz noch zu keinen Beschwerden gekommen.

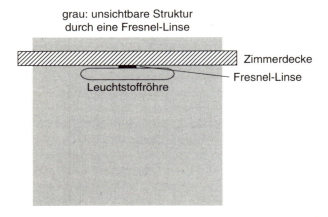

Eine Fresnel-Linse wurde zwischen Leuchtstoffröhre und Zimmerdecke gelegt

Fresnel-Linsen können auch vom einzelnen Arbeitnehmer am Arbeitsplatz individuell eingesetzt werden, ohne daß es großer Diskussionen mit dem Arbeitgeber oder Vorgesetzten bedarf.

Struktur durch senkrecht angebrachte Fresnel-Linsen

Senkrecht angebrachte Fresnel-Linsen bauen bei dem oben beschriebenen Standardmodell eine Struktur auf, die eine Länge von ca. 150 cm auf der geriffelten und 110 cm auf der glatten Seite hat. Die Ausdehnung der Struktur über den Rand der Linse hinaus beträgt nach allen Seiten ca. 30 cm, vom Rand der Linse aus gemessen.

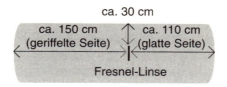

Unsichtbare Struktur durch eine senkrecht angebrachte Fresnel-Linse. Die Maße der Struktur sind für eine Standardlinse von 203 x 254 mm angegeben. Bei anderen Linsengrößen gibt es ähnliche Strukturmaße

Wirkung der Struktur durch senkrecht angebrachte Fresnel-Linsen

Senkrecht angebrachte Fresnel-Linsen verhindern, daß durch Metalle in den Seitenwänden des 10-m-, 250-m-, aber auch des 170-m- und Hartmann-Systems Trans-Sha aktiviert wird.

Dauer der Wirkung

Fresnel-Linsen haben auch bei senkrechter Anwendung eine Haltbarkeit von zwei bis drei Jahren in bezug auf Trans-Sha, das durch Metalle aktiviert wird.

Senkrechte Anwendung der Fresnel-Linsen

Fresnel-Linsen können auch seitlich von Metallen senkrecht zur Vermeidung der Belastung durch Trans-Sha eingesetzt werden. Die Ausrichtung der Riffelung (zum Metall hin oder vom Metall weg) macht dabei nur einen geringen Wirkungsunterschied.

Fresnel-Linse am Spiegel

Eine Heilpraktikerin hatte in ihrem Wohnzimmer einen großen Zierspiegel direkt in der Seitenwand des 10-m-Systems hängen, der Trans-Sha auf ihren Sitzplatz auf der Couch brachte. Das Problem konnte dadurch beseitigt werden, daß zwei Fresnel-Linsen von hinten am Spiegel angebracht wurden (mit der geriffelten Seite zur Wand).

Styropor ist **kein** Abschirmmaterial

Styropor ist kein Abschirmmaterial, kann jedoch im Einzelfall die Wirkung der oben beschriebenen Abschirmmaterialien beeinträchtigen oder in seltenen Fällen auch verstärken.

Styropor sollte im Hausbau nicht waagerecht verwendet werden, es ist jedoch als Wärmedämmaterial in Häuserwänden (senkrecht) geeignet.

Abschirmmaterialien im Vergleich

Sie haben jetzt die Abschirmmaterialien kennengelernt. Wir möchten Ihnen nun einen Überblick über die Vor- und Nachteile der einzelnen Materialien und damit zusammenhängenden Maßnahmen geben, so daß Sie im Einzelfall die richtige Entscheidung treffen können.

Wenn Sie nur das Bett unterlegen möchten
Oft stellt sich einfach nur die Frage, wie der Schlafplatz gegen Geo-Sha und Trans-Sha ausreichend geschützt werden kann. Hier sind im Prinzip zwei Materialien gut geeignet: EPS-Platten und Korkplatten geeigneter Qualität.

EPS-Platten
Der Vorteil der EPS-Platten liegt in ihrer besonders guten Wirksamkeit. Bei Unterlegung des Bettes werden fast immer die individuellen Grenzwerte für die einzelnen Belastungen unterschritten. Von Vorteil ist außerdem, daß EPS-Platten in den Baustoffhandlungen überall in gleichbleibender Qualität und zu einem günstigen Preis zu erhalten sind. Die Platten haben ab 3 cm einen Stufenfalz und sind so lückenlos zu verlegen. Außerdem sind sie mit einem einfachen Teppichmesser gut zu bearbeiten und auf die geignete Größe zuzuschneiden.

Der Nachteil besteht in der begrenzten Lebensdauer des Materials für diesen Zweck von ca. neun Jahren (ab Herstellungsdatum). D. h. Sie dürfen nicht vergessen, vor Ablauf dieser Frist die Platten gegen neue auszutauschen. Dafür ist es ratsam, bereits beim Kauf mittels Aufkleber das Kaufdatum auf der Platte zu notieren, da Sie sich nach einigen Jahren möglicherweise nicht mehr daran erinnern können, wann Sie die Platten gekauft haben. Auf einigen Fabrikaten ist bereits vom Hersteller das genaue Herstellungsdatum aufgedruckt. Ansonsten sollten Sie berücksichtigen, daß die Platten wahrscheinlich bereits einige Monate beim Baustoffhandel gelagert haben. Wegen des recht großen Umsatzes der Baustoffhandlungen sind allzu lange Lagerfristen jedoch in der Regel nicht zu befürchten. Jedenfalls konnten wir bei den Fabrikaten, die bereits vom Hersteller das genaue Herstellungsdatum aufgedruckt haben, keine Lagerzeiten über einige Monate hinaus feststellen. Selbstverständlich sind die Platten nach Ablauf von neun Jahren als Wärmedämmaterial weiterhin uneingeschränkt einsetzbar.

Korkplatten geeigneter Qualität

Viele Menschen legen sich gern geeignete Korkplatten unter das Bett. Einer der Vorteile liegt in der relativ langen Haltbarkeit für diesen Zweck von ca. 40 Jahren. Außerdem sind die Korkplatten sehr strapazierfähig und überstehen auch mehrere Ortswechsel in der Regel problemlos. Ein entscheidender Nachteil besteht darin, daß die handelsüblichen Qualitäten in den Baumärkten für den Einsatz als Abschirmmaterial oft nicht ausreichend sind. Es kann nicht genug betont werden, daß günstige Angebote in den Baumärkten in der Regel für diesen Zweck völlig ungeeignet sind. Speziell ausgewählte Qualitäten sind oft etwas teurer, haben dann aber über viele Jahre die erwünschte Wirkung. Wir sind gern bereit, Sie über aktuelle Bezugsmöglichkeiten zu informieren. (Genaueres dazu im Anhang unter „Rat und Hilfe"). Korkplatten werden in 10 mm und 15 mm Stärke für diesen Zweck angeboten. Wenn stärkere Belastungen vorliegen, ist die 15 mm starke Platte vorzuziehen, da Sie in der Regel hiermit unter Ihren individuellen Grenzwert gelangen. Da die Struktur oberhalb der Korkplatte nicht ganz bis zum Rand der Platte reicht, ist auf möglichst vollständige Unterlegung des Bettes, insbesondere am Kopfende, zu achten. Korkplatten sind dampfundurchlässig und neigen bei chronischer Feuchtigkeit (z. B. ausgelöst durch nächtliches Schwitzen) zur Schimmelbildung. Beim Einsatz im geschlossenen Bettkasten ist deshalb darauf zu achten, daß die Platten regelmäßig gelüftet werden.

Fresnel-Linsen sind als praktikable Lösung für Urlaubsreisen geeignet, sollten jedoch im Regelfall nicht zur dauerhaften Unterlegung des Schlafplatzes benutzt werden.

Zellglasplatten geigneter Qualität haben keine glatte Oberfläche. Beim Saubermachen, z. B. beim Staubsaugen kann ein gewisser Abrieb entstehen. Die Platten sind recht dick und sind allein deshalb nicht so geeignet für die Bettunterlegung. Problematisch ist außerdem das Zuschneiden.

Was mache ich mit Metallen?
Wie bereits erwähnt, ist es zumindest eine sichere Lösung, das Schlafzimmer von größeren Metallgegenständen weitgehend freizuhalten. Nicht immer ist dies möglich. Wenn Metalle in den Seitenwänden von geomagnetischen Kubensystemen und über Wasserführungen (wie beschrieben) zu einer Belastung mit Trans-Sha führen, so führt dies gleichzeitig zu einem Verlust von Vital-Qi* im Raum. Insbesondere im Schlafzimmer ist deshalb bei der Auswahl des geeigneten Abschirmmaterials auch die Wirkung auf Vital-Qi zu berücksichtigen.

Reichen bei Metallen Kork und Fresnel-Linsen aus?
Kork und Fresnel-Linsen schützen uns ausreichend vor Seitenenergie durch Metalle. Diese Materialien sind allerdings nicht geeignet, uns ausreichend vor dem Verlust von Vital-Qi zu schützen. Die Wirkung auf Vital-Qi läßt sich nur dann ausreichend mindern, wenn EPS-Platten *über* Metalle gelegt werden.

Großflächige Sanierungen
Es gibt mehrere Möglichkeiten, das Haus komplett abzudecken: EPS-Platten, Zellglasplatten und Korkplatten.

Komplettabdeckung von oben mit EPS-Platten
Die sicherste Lösung besteht darin, die Gesamtfläche des Hauses von oben mit EPS-Platten abzudecken. Dies gibt auch ausreichenden Schutz vor Verlust von Vital-Qi durch Metalle. Allerdings ist es erforderlich, die Platten nach jeweils acht Jahren auszutauschen, da sie acht Jahre nach Herstellung bereits ihre Wirkung auf Trans-Sha durch Metalle verlieren.

Abdeckung von oben mit Kork
Eine praktikable und relativ häufig verwendete Methode ist es, Korkparkett in einer der oberen Etagen zu verlegen. Damit ist das Haus gegen Geo-Sha und Trans-Sha relativ gut geschützt. Da Kork nur eine Struktur aufbaut, die knapp bis zum Rand der ausgelegten Fläche reicht, besteht die Möglichkeit, daß es zu Problemen mit Trans-Sha durch Metalle in den Wänden kommt. Außerdem besteht im ganzen Haus kein Schutz vor Verlust von Vital-Qi durch Metalle. Von Vorteil ist die relativ lange Haltbarkeit des Korks für

---
* Weitere Einzelheiten zum Thema Vital-Qi geben wir in Kapitel 7 im Abschnitt „Vital-Qi".

diesen Zweck (etwa 40 Jahre). Zu achten ist wiederum darauf, daß nur Korkparkett geeigneter Qualität verlegt wird. Die handelsübliche Ware in den Baumärkten ist in der Regel völlig ungeeignet.

Fresnel-Linsen in Industrie und Gewerbe

Viele Industrie- und Gewerbebauten sind heutzutage Metallkonstruktionen oder enthalten viel Metall in Form von Maschinen u. a. Inventar. Da eine großflächige Abdeckung von oben oder unten mit EPS-Platten, Kork oder Zellglas nachträglich oft recht schwierig ist, besteht eine gute Möglichkeit darin, mit Fresnel-Linsen von oben Geo-Sha und Trans-Sha unter den individuellen Grenzwert zu bringen. Die Linsen können z. B. waagerecht über dem Dach angebracht werden, müssen aber jeweils nach zwei Jahren ausgetauscht werden. Bei Flachdächern aus Metall, deren Neigungswinkel 7 Grad nicht übersteigt, ist dies nicht notwendig, da unterhalb eines solchen Daches die Linsen in den Kubenwänden des 10-m- und 250-m-Systems kaum Geo- und Trans-Sha erzeugen. Dies gilt auch für Metalldächer aus Wellblech, solange der Neigungswinkel des Gesamtdaches 7 Grad nicht übersteigt. Unter Metalldächern kommt es jedoch zu einem kompletten Verlust von Vital-Qi!

Abdeckung von unten mit Zellglas geeigneter Qualität

Zellglasplatten geeigneter Qualität werden gern unter die Bodenplatte von Häusern verlegt. Sie geben einerseits Schutz vor Geo-Sha und Trans-Sha im Hause, andererseits sind sie ein zugelassenes Wärmedämmaterial. Von Vorteil ist ihre lange Haltbarkeit von ca. 60 Jahren in bezug auf Geo-Sha und Trans-Sha. Ein Nachteil ist, daß es keinen Schutz vor Verlust von Vital-Qi durch Metalle gibt. Auch bei Zellglasplatten ist auf geeignete Qualität zu achten (Bezugsadressen im Anhang unter „Rat und Hilfe").

Abdeckung von unten mit Kork geeigneter Qualität

Es ist auch möglich, Kork z. B. in Form von Korkparkett in eine der unteren Etagen zu legen. Dabei ist allerdings bei nichtquadratischen Korkplatten die Verjüngung der Kork-Struktur nach oben zu beachten. Auch diese Art der Verlegung von Kork gibt keinen Schutz vor Verlust von Vital-Qi durch Metalle. Korkplatten können auch gut unter Kellerdecken geklebt werden Von Vorteil ist wieder bei Kork die lange Haltbarkeit für diesen Zweck (etwa 40 Jahre).

Übersicht: Abschirmmaterialien im Vergleich

	EPS-Platten	Zellglas *geeigneter Qualität*	Kork *geeigneter Qualität*	Fresnel-Linsen
Höhe der Struktur nach oben	4fache Diagonale	3,3fache Diagonale	nichtquadratische Platten: Doppelstruktur, 0,9fache und 2fache Diagonale, <u>quadratische Platten (Korkparkett)</u>: 1,9fache Diagonale	125 cm
Mindestfläche für den Aufbau der Struktur nach oben	0,75 qm	0,25 qm	0,25 qm	handelsübliche Linse
Mindestfläche für den Aufbau der Struktur bis zum Erdboden	1 qm	0,25 qm	0,25 qm	handelsübliche Linse
Wirkungsgrad	98%	96%	95%	98%
Haltbarkeit	mindestens 8 Jahre	60 Jahre	40 Jahre	2 Jahre
Besonderheiten	• strikte horizontale Verlegung erforderlich • die Struktur reicht geringfügig zur Seite über den Rand der Platte hinaus • die Struktur durch EPS-Platten wird durch andere Baumaterialien in der Regel wenig gestört	• die Struktur reicht geringfügig zur Seite über den Rand der Platte hinaus • Zellglas verträgt sich nicht gut mit anderen Abschirmmaterialien • nur ausgewählte Qualitäten sind ausreichend wirksam	• die Struktur deckt nicht die ganze Fläche der Korkplatte ab • nur ausgewählte Qualitäten sind ausreichend wirksam	• die Struktur reicht 175 bzw. 155 cm zur Seite (von der Linse aus gemessen) • die Struktur durch Fresnel-Linsen ist recht störanfällig durch andere Baumaterialien

Kombination von Abschirmmaterialien untereinander und mit anderen Stoffen

Wenn unterschiedliche Abschirmmaterialien **nebeneinander** in der Horizontalen verwendet werden, ist dies im allgemeinen ohne Probleme möglich. Es lassen sich jedoch nicht alle Abschirmmaterialien beliebig miteinander kombinieren, wenn diese **übereinander** gelegt werden. Dabei ist es wichtig, neben den vorgestellten Abschirmmaterialien weitere Materialien, wie sie insbesondere im Hausbau verwendet werden, in diese Überlegungen mit einzubeziehen. Es gilt dies insbesondere für Styropor.

Da EPS-Platten das wirkungsvollste Abschirmmaterial sind, lassen Sie uns zunächst die Wechselwirkung dieses Materials mit den anderen oben genannten darstellen.

EPS-Platten über EPS-Platten und anderen Materialien

Wir beschreiben hier zunächst die Wirkung, wenn EPS-Platten über EPS-Platten oder einem anderen Material liegen. Wenn Sie die Wirkung von EPS-Platten unter einem anderen Material wissen wollen, sehen Sie bitte bei diesem Material nach.

EPS-Platten über EPS-Platten

Legt man EPS-Platten direkt auf EPS-Platten, so ist die Wirkung ähnlich, als würde man *eine* EPS-Platte der entsprechenden Dikke nehmen. Die Kombination ist unproblematisch. Befindet sich zwischen den EPS-Platten eine Luftschicht von mindestens 20 mm, so verstärkt sich die Wirkung der Platten, wenn man sie unter Metalle legt. Genaueres lesen Sie unter Sonderfälle am Ende dieses Abschnitts.

EPS-Platten über Korkplatten

EPS-Platten sollten niemals direkt auf Korkplatten gelegt werden, da dies eine für den Menschen schädliche Energie aktiviert. Befindet sich zwischen den Platten eine Luftschicht von mindestens 10 mm, so baut sich über der EPS-Platte die EPS-Struktur auf, unter der Korkplatte die Korkstruktur, zwischen den Platten wird der Raum zur Hälfte von der EPS-Struktur gefüllt, zur anderen Hälfte von der Korkstruktur.

EPS-Platten über einer Fresnel-Linse
Es ist nicht nötig, Fresnel-Linsen unter EPS-Platten zu plazieren. Es bildet sich unterhalb der Fresnel-Linse die Fresnel-Struktur aus, die weniger wirksam ist als die EPS-Struktur.

EPS-Platten über Zellglasplatten
Man sollte EPS-Platten nicht direkt auf Zellglasplatten legen. Befindet sich Luft zwischen den Platten, ist der Effekt weiterhin ungünstig.

EPS-Platten über Styroporplatten
Man sollte niemals EPS-Platten direkt auf Styroporplatten legen. Befindet sich mindestens 50 mm Luft dazwischen, bildet sich die EPS-Struktur nur über der EPS-Platte aus.

Korkplatten über Korkplatten und anderen Materialien

Korkplatten über EPS-Platten
Diese Kombination ist ungünstig. Es bildet sich die EPS-Struktur nur nach unten aus, die Korkstruktur ist unwirksam.

Korkplatten über Korkplatten
Es ist möglich, Korkplatten direkt auf Korkplatten zu legen. Besser ist es jedoch, zwischen den Platten mindesten 6 mm Luft zu lassen.

Korkplatten über einer Fresnel-Linse
Diese Kombination ist unnötig, da die Fresnel-Linse die Korkstruktur unterhalb der Fresnel-Linse ersetzt und dies keine Vorteile bietet.

Korkplatten über Zellglasplatten
Von dieser Kombination würden wir eher abraten.

Korkplatten über Styroporplatten
Diese Kombination ist mit und ohne Luft dazwischen möglich, aber auch nicht nötig. Deshalb raten wir eher davon ab.

Eine Fresnel-Linse über Fresnel-Linse und anderen Materialien

Eine Fresnel-Linse über EPS-Platten
Von dieser Kombination würden wir eher abraten.

Eine Fresnel-Linse über Korkplatten
Von dieser Kombination würden wir eher abraten.

Eine Fresnel-Linse über einer Fresnel-Linse
Liegen die Fresnel-Linsen direkt aufeinander, ist die Wirkung neutral, befindet sich Luft dazwischen, ergibt sich ein ungünstiger Effekt, insbesondere unter den Linsen.

Eine Fresnel-Linse über Zellglasplatten
Von dieser Kombination würden wir eher abraten.

Eine Fresnel-Linse über Styroporplatten
Es ergibt einen ungünstigen Effekt.

Zellglasplatten über Zellglasplatten und anderen Materialien

Zellglasplatten über EPS-Platten
Von dieser Kombination würden wir eher abraten.

Zellglasplatten über Korkplatten
Von dieser Kombination würden wir eher abraten.

Zellglasplatten über einer Fresnel-Linse
Von dieser Kombination würden wir eher abraten.

Zellglasplatten über Zellglasplatten
Diese Kombination ist unnötig, wenn man Zellglasplatten geeigneter Qualität ab 50 mm Dicke verwendet.

Zellglasplatten über Styroporplatten
Von dieser Kombination würden wir eher abraten.

Styroporplatten über Styroporplatten und anderen Materialien

Styroporplatten über EPS-Platten
Die EPS-Struktur baut sich nur nach unten auf, deshalb raten wir von dieser Kombination ab.

Styroporplatten über Korkplatten
Diese Kombination ist eher ungünstig.

Styroporplatten über einer Fresnel-Linse
Diese Struktur ist möglich, wir raten jedoch davon ab, da die Breite der Fresnel-Linsen-Struktur abnimmt.

Styroporplatten über Zellglasplatten
Diese Kombination ist ungünstig

Styroporplatten über Styroporplatten
Legt man Styroporplatten direkt aufeinander, so ist die Wirkung in der Regel neutral. Befindet sich Luft dazwischen (ab 20 mm), so ergibt sich ein ungünstiger Effekt unterhalb der untersten Styroporplatte. Wird beispielsweise zur Trittschalldämpfung in mehreren Etagen eines Hauses Styropor verlegt, so nimmt die ungünstige Wirkung in den Etagen nach unten hin zu.

Sonderfälle
Für spezielle Zwecke ist es günstig, Materialien in Kombination mit Styropor dreilagig direkt aufeinander zu legen.

EPS/Styropor/EPS: günstiger Effekt, Wirkung noch günstiger als bei EPS/Luft(20 mm oder mehr)/EPS. Diese Kombination ermöglicht es, den ungünstigen Effekt von Metall in den Seitenwänden des 10-m-, 250-m-, Hartmann-, 170-m-Systemen und über Wasserführungen auf Vital-Qi* zu reduzieren. Diese Kombination ist in bezug auf Vital-Qi ähnlich wirksam, als wenn Metall von oben mit EPS-Platten abgedeckt wird, was nicht immer möglich ist. Die Mindeststärke der oberen EPS-Platte und der Styropor-Platte sollte jeweils 2 cm betragen. Für die untere EPS-Platte sind 2 cm ausreichend. Für diesen Zweck am besten geeignet ist die EPS-Platte mit dem Markennamen „Jackodur".

---

* Den ungünstigen Einfluß, den Metall auf Vital-Qi haben kann, besprechen wir in Kapitel 7 im Abschnitt „Vital-Qi".

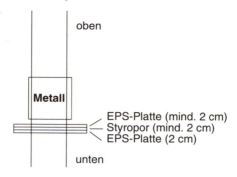

Mit der Kombination EPS/Styropor/EPS-Platte können Metalle auch **unter**legt werden. Dies bewirkt einen ausreichenden Schutz vor Vital-Qi-Verlust

Kombination von Materialien *mit* Luftschicht dazwischen

	EPS-Platten (oben)	Korkplatten (oben)	Fresnel-Linse (oben)	Zellglasplatten (oben)	Styroporplatten (oben)
EPS-Platten (unten)	ab 20 mm: +	ab 10 mm: 0	ab 5 mm: (-)	(-)	ab 15 mm: -
Korkplatten (unten)	ab 10 mm: 0	ab 6 mm: +	(-)	(-)	ab 20 mm: 0
Fresnel-Linse (unten)	0/(-)	0/(-)	ab 5mm: --	(-)	(-)
Zellglasplatten (unten)	-	(-)	(-)	0	-
Styroporplatten (unten)	ab 50 mm: -	(-)	-	(-)	ab 20 mm: -/--

Kombination von Materialien *ohne* Luftschicht dazwischen

	EPS-Platten (oben)	Kork-platten (oben)	Fresnel-Linse (oben)	Zellglas-platten (oben)	Styropor-platten (oben)
EPS-Platten (unten)	0	-	(-)	(-)	--
Korkplatten (unten)	--	0	(-)	(-)	(-)
Fresnel-Linse (unten)	0/(-)	0/(-)	0	(-)	(-)
Zellglasplatten (unten)	-	(-)	(-)	0	-
Styroporplatten (unten)	--	(-)	-	(-)	0

Zeichenerklärung:
+: günstig
0: neutral
0/(-): stärkere Struktur wird z. T. durch schwächere ersetzt
(-): davon wird eher abgeraten
-: ungünstig
- -: sehr ungünstig

Kombination von Abschirmmaterialien und sonstigen Baustoffen

Auf die Bedeutung von Styropor sind wir bereits eingegangen. Zu beachten ist, daß es bei der Vielzahl von den heute im Bau eingesetzten Baustoffen, insbesondere auch Dämmstoffen, zu Wechselwirkungen mit Abschirmmaterialien kommen kann. Dies kann insbesondere die Wirkung der Abschirmmaterialien zum Schutz vor Geo-Sha und Trans-Sha beeinträchtigen. In der Regel wird die Wechselwirkung zu einer Verkleinerung der unsichtbaren Struktur führen, nicht jedoch die Wirkung prinzipiell aufheben. So kann es beispielsweise dazu führen, daß bei einer Abschirmung von oben die Struktur nicht bis zum Erdgeschoß reicht. Bei einer Abschirmung von unten wird möglicherweise nicht das angegebene Diagonalmaß für die Höhe der Struktur nach oben erreicht. Im Einzelfall prüfen Sie bitte mit Biotensor oder Pendel, ob eine Verträglichkeit der einzelnen Materialien untereinander gegeben ist.

Besonderheiten bei Hochhäusern

Bei Hochhäusern würde sich normalerweise eine **Abschirmung von oben** anbieten, da theoretisch die unsichtbare Struktur das Hochhaus bis zum Erdboden (ggf. unter Einbeziehung der Kellergeschosse) schützt. Durch die oft unübersehbare Zahl von Baustoffen im Hochhaus ist jedoch eine Beeinträchtigung der Ausbildung der unsichtbaren Struktur nach unten möglich. Es ist beispielsweise auch möglich, daß einzelne Mieter nachträglich als „Verschönerungsmaßnahme" Styropor an die Decke kleben. Deshalb kann es bei Hochhäusern erforderlich sein, auch in der Mitte eine oder mehrere Etagen mit Abschirmmaterialien zu versehen. Geeignet bei Häusern ab ca. 20 m Höhe ist beispielsweise Zellglas geeigneter Qualität. Zellglas wird für Flachdächer gern als Wärmedämmstoff genutzt und hat als Abschirmmaterial unter Feng-Shui-Gesichtspunkten eine lange Haltbarkeit (ca. 60 Jahre). Die unsichtbare Struktur durch EPS-Platten ist am geringsten störanfällig durch andere Materialien. EPS-Platten haben jedoch als Abschirmmaterial nur eine Haltbarkeit von ca. acht Jahren, wobei ein Austausch eventuell schwierig sein kann und beim Eigentümer oder Betreiber auch leicht in Vergessenheit geraten kann.

Bei der **Abdeckung von unten** ist darauf zu achten, daß die unsichtbare Struktur bis zum Dach hinaufreicht. Dabei ist das Diagonalmaß der abgedeckten Grundfläche und das gewählte Abschirmmaterial entscheidend, wobei zusätzlich die Wechselwirkung mit anderen Baumaterialien zu beachten ist. Eine alleinige Abdeckung von unten ist deshalb für Hochhäuser oft nicht ausreichend.

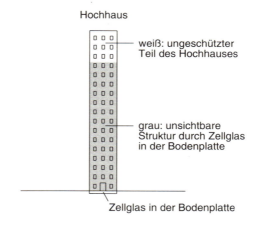

Die unsichtbare Struktur durch Zellglas ist bei diesem Hochhaus für die oberen Stockwerke unzureichend

Hochhaus — Zellglas unter dem Dach

Zellglas

grau: unsichtbare Struktur durch Zellglas unter dem Dach

Eine Zellglasabdeckung von oben und in der Mitte dieses Hochhauses bringt für das ganze Haus ausreichenden Schutz. Die zusätzliche Abdeckung in der Mitte erfolgt wegen beeinträchtigender anderer Baumaterialien

Faustregeln zur Schlafplatzsanierung

Dieser Abschnitt ist gedacht für alle diejenigen, denen es trotz großer Bemühungen nicht möglich ist, mit dem Biotensor oder Pendel umzugehen. Es gibt ein Minimalprogramm, das jeder durchführen sollte, damit er sich ausreichend vor den schädlichen Energien schützt.

1) Unterlegen Sie Ihr Bett mit EPS-Platten oder Korkplatten geeigneter Qualität

Wenn Sie nicht wissen, wo in Ihrem Schlafzimmer die genannten geomagnetischen Kubensysteme oder Wasserführungen zu finden sind, sollten Sie zur Sicherheit Ihren Schlafplatz komplett mit EPS-Platten oder Korkplatten geeigneter Qualität unterlegen. EPS-Platten erhalten Sie in jeder Baustoffhandlung, Korkplatten geeigneter Qualität nur über ausgewählte Bezugsadressen (siehe Anhang „Rat und Hilfe"). Vergessen Sie nicht, EPS-Platten nach acht Jahren auszutauschen.

2) Entfernen Sie Metalle aus dem Schlafzimmer oder unter-/überlegen Sie diese mit EPS-Platten oder Korkplatten geeigneter Qualität

Die sicherste Lösung ist, das Schlafzimmer so frei wie möglich von Metallen zu halten. Insbesondere Spiegel, Lampen, Elektrogeräte aller Art (wegen ihres Metallgehaltes) sind häufige Störfaktoren. Achten Sie auch auf abgestellte Metallgegenstände wie Bügelbretter, Staubsauger, Wäscheständer usw. Metallgegenstände, die Sie nicht entfernen können, sollten Sie zur Sicherheit mit EPS-Platten oder Korkplatten geeigneter Qualität unter- oder überlegen. Dies gilt insbesondere, wenn Sie nicht wissen, wo die Seitenwände des 10-m- und 250-m-Systems in Ihrem Schlafzimmer verlaufen. Ggfs. können Sie auch Fresnel-Linsen zum Einsatz bringen (s. Abschnitt „Abschirmmaterialien").

3) Lassen Sie von einem Fachmann einen Netzfreischalter für Ihr Schlafzimmer installieren

Sie können die Belastung Ihres Schlafplatzes durch Elektrosmog durch den Einbau eines Netzfreischalters verringern (s. weiter unten Kapitel 6 im Abschnitt „Feng Shui und Elektrosmog").

Kapitel 5

Per-Sha

Yang-Erkrankungen über Verwerfungszonen

Yin und Yang

Die Chinesen sagen, daß alles zwei Seiten hat: Yin und Yang. **Yang** steht dabei für: männlich, hell, stark, aktiv, vorwärts, außen, hoch, voll, spitz, heiß, trocken, neu, für den Tag, das Leben. **Yin** steht für: weiblich, dunkel, schwach, passiv, rückwärts, innen, tief, leer, rund, kalt, feucht, alt, für die Nacht, den Tod. Bei diesen Qualitäten handelt es sich nicht um eine Bewertung nach gut und schlecht. Die Chinesen streben vielmehr nach dem ausgeglichenen Zustand von Yin und Yang. Die Chinesen klassifizieren Erkrankungen u. a. danach, ob ein Überschuß oder ein Mangel an Yin oder Yang besteht.

Eine weitere Art von Sha: Per-Sha

Per-Sha ist der Sammelbegriff für ungünstige Energien, die sich in der 5. Dimension anders verhalten als Trans-Sha und Geo-Sha. Sie müssen mit dem Biotensor oder Pendel auch extra abgefragt werden. Wir wollen uns zunächst mit zwei Arten von Per-Sha befassen, die wir bei Verwerfungszonen finden. Das Besondere dieser beiden Energien über Verwerfungszonen ist, daß sie zu einem **Yang-Überschuß** führen.

> Was ist Per-Sha?
> *Per-Sha ist der Sammelbegriff für schädliche Energien bei Verwerfungszonen und Radioweckern mit roter Digitalanzeige.*

Verwerfungszonen

In der Erdkruste befinden sich vielfach Verwerfungen oder Faltungen. Durch Unterbrechung der regelmäßigen Schichtung entstehen Klüfte und Spalten, über denen sich eine unsichtbare Struktur bildet. In dieser Struktur werden ähnlich wie in einer geomagnetischen Kubenwand durch Linsen ungünstige Energien aus einer höheren Dimension in die 3. Dimension beschleunigt. Es handelt sich in diesem Fall um zwei unterschiedliche Energien, die aus der 5. Dimension kommen. Diese beiden Energien können an Hand ihrer Fließrichtung unterschieden werden, die sie in der 5. Dimension haben. Von unserer Dimension aus gesehen können wir diese Fließrichtung mit einem Winkel zur Horizontalen angeben.

Per-Sha 61 und Per-Sha 51

Die Fließrichtung der einen Energie hat in der 5. Dimension einen Winkel von 61 Grad zur Horizontalen (Per-Sha 61), die Fließrichtung der anderen 51 Grad zur Horizontalen (Per-Sha 51). Beide Energien bewegen sich in der 3. Dimension leicht fächerförmig von unten nach oben. Sie haben eine Yang-Wirkung auf den Menschen, so daß wir als Gesundheitsstörung bzw. Erkrankung speziell Störungen finden, die die Chinesen als Erkrankung mit Yang-Überschuß bezeichnen. Hierzu gehören u. a.:

Per-Sha 61
- Bluthochdruck
- Hyperaktivität
- Kopfschmerz (seitlich, aber auch an der Schädeldecke)
- laute Stimme

Per-Sha 51
- Schlafstörungen
- Neigung zu Ärger und Zorn

Suchen Sie Verwerfungszonen!

Verwerfungszonen in Ihrem Zimmer oder auf Ihrem Grundstück suchen Sie ähnlich wie bei Wasserführungen beschrieben. Fragen Sie dabei getrennt nach den beiden oben genannten Energien. Die Frage nach der erstgenannten Energie könnte lauten: *„Sind hier Träger mit Per-Sha 61 über Verwerfungszonen?"*.

Die Frage nach der letztgenannten Energie könnte lauten: *„Sind hier Träger mit Per-Sha 51 über Verwerfungszonen?"*.

Wenn Sie eine Verwerfungszone gefunden haben, nehmen Sie eine Bestimmung der Stärke des jeweiligen Per-Sha vor. Die maximale Stärke von Per-Sha 61 ist 30 wie bei Wasserführungen, von Per-Sha 51 ist die maximale Stärke 17, jeweils gemessen auf der 2. Ebene. Die individuelle Bestimmung der Stärke sollten Sie über dem Teil der Verwerfungszone ermitteln, der die stärkste Strahlung aufweist. Diesen Teil können Sie z. B. mit der Frage aufsuchen: *„Ist hier die größte Stärke des Per-Sha dieser Verwerfungszone?"*. Sie gehen dabei einmal quer über die Verwerfungszone. Wenn Sie kein JA bekommen, weil die Strahlung ungleichmäßig im Verlauf der Zone verteilt ist, mag es ausreichen zu fragen: *„Ist hier die größte Stärke des Per-Sha der Verwerfungszone, die ich bei dieser Überquerung finde?"*. Sie messen dann die Stärke.

Bluthochdruck auf einer Verwerfungszone
Ein 30jähriger Mann litt seit 1 1/2 Jahren an Bluthochdruck. Auffällig war ein rotes Gesicht. Er klagte insbesondere über morgendlichen Kopfdruck. Bei der Feng-Shui-Untersuchung fiel auf, daß sein Schlafplatz auf einer Verwerfungszone mit Per-Sha von großer Stärke lag. Da in der Wohnung keine praktikable Lösung zur Verlegung des Schlafplatzes bestand, wurde der Schlafplatz mit Korkplatten geeigneter Qualität unterlegt. Die Symptome besserten sich bei gleichzeitiger Therapie mit dem WS-Frequenzgerät nach einigen Wochen.

Per-Sha in der Seitenwand des Hartmann-Systems
Befindet sich eine Verwerfungszone in der Nähe von Seitenwänden des Hartmann-Systems, leiten diese Seitenwände Per-Sha von unten nach oben. Es handelt sich dabei um die gleichen Energien, die wir auch über Verwerfungszonen selbst haben.

Zur Abschirmung nur Kork oder Fresnel-Linsen verwenden
Liegt am Schlafplatz eine Belastung durch eine Verwerfungszone vor, so sind Korkplatten geeigneter Qualität (oder geeignetes Korkparkett) das Material der Wahl (z. B. über dem Bett angebracht oder unter das Bett gelegt). EPS-Platten und Zellglas zeigen keine ausreichende Wirkung. Bei Belastungen im Büro können Sie auch Fresnel-Linsen verwenden, die Sie aber (horizontal) oberhalb des Arbeitsplatzes anbringen müssen.

Wirkung von Radioweckern mit roter Digitalanzeige

Nicht nur Verwerfungszonen können für den Menschen ungünstige Energien (Per-Sha) in unsere Dimension beschleunigen. Auch Radiowecker mit roter Digitalanzeige sind hierzu in der Lage. Es handelt sich dabei in erster Linie um Billigprodukte aus Fernost. Radiowecker mit grüner, bläulicher oder schwarzer Anzeige (in grauem Feld) geben nicht die oben beschriebene Strahlung ab.

Per-Sha 36

Ein Großteil dieser Radiowecker mit roter Digitalanzeige beschleunigt eine weitere Art des Per-Sha aus der 5. Dimension in die 3. Dimension. Im Gegensatz zu den Energien über Verwerfungszonen handelt es sich hier um eine Energie, die in der 5. Dimension eine Fließrichtung im Winkel von 36 Grad zur Horizontalen hat. Wir nennen diese Energie deshalb Per-Sha 36. Diese Energie hat auf den Menschen eine Wirkung, die der Wirkung von Geo-Sha und Trans-Sha sehr ähnlich ist. Die Ausbreitung dieser Energie in unserer Dimension ist in etwa horizontal, bis zu ca. 10 m nach vorn; nach hinten und zur Seite weniger weit und in der Intensität geringer.

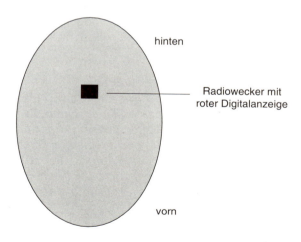

Wirkungsbereich des Per-Sha, das durch einen Radiowecker mit roter Digitalanzeige aktiviert werden kann (Aufsicht)

Wirkungsbereich des Per-Sha, das durch einen Radiowecker mit roter Digitalanzeige aktiviert werden kann (Querschnitt)

Neben den bereits für Geo-Sha typischen Erkrankungen waren insbesondere auffällig: chronische Bronchitiden, Kopfschmerzen, Schulterschmerzen, Epilepsie-ähnliche Anfälle, Gesichtsrose und Tinnitus (Ohrgeräusche).

Eine geeignete Fragestellung ist: *„Sind hier Träger mit Per-Sha 36 durch einen Radiowecker mit roter Digitalanzeige?"*. Die maximale Stärke von Per-Sha 36 beträgt auf der 2. Ebene 66, auf der 1. Ebene 41 (jeweils auf einer Skala von 0 bis 100). Es reicht aus, die Stärke von Per-Sha 36 auf der 2. Ebene zu bestimmen.

Am besten ist es, den Radiowecker mit roter Digitalanzeige am Schlafplatz zu entfernen, u. a. auch wegen der Belastung durch Elektrosmog. Die Belastung durch Per-Sha 36 kann ausreichend gemindert werden, wenn der Radiowecker von oben mit EPS-Platten, Zellglasplatten geeigneter Qualität oder Korkplatten geeigneter Qualität abgedeckt wird. Eine Abdeckung von unten ist nicht ausreichend. Auch eine Abdeckung von oben mit Fresnellinsen ist nicht empfehlenswert.

Nackenschmerzen durch Radiowecker

Ein 48jähriger kaufmännischer Angestellter hatte Nackenschmerzen, die schulmedizinisch nicht zu erklären waren. Er ließ in seiner Wohnung eine Feng-Shui-Untersuchung durchführen. Auf seinem Nachtisch stand ein Radiowecker mit roter Digitalanzeige. Der Feng-Shui-Berater riet ihm, den Radiowecker zu entfernen. Dieser war schnell in den Müll geworfen, die Nackenschmerzen klangen schon nach wenigen Tagen vollständig ab.

Diagnose und Therapie der Belastung durch Per-Sha am Menschen

Diagnose
Auch die Belastung durch Per-Sha kann mit Biotensor oder Pendel am Menschen bestimmt werden. Die Fragestellung ist ähnlich, wie Sie sie vom Geo-Sha oder Trans-Sha kennen. Der individuelle Grenzwert für die drei Arten des Per-Sha liegt wie beim Geo-Sha und Trans-Sha in der Regel bei 4 bis 5 (auf der Skala von 0 bis 100).

Am besten klären Sie zunächst, ob die betreffende Person einen Radiowecker mit roter Digitalanzeige auf dem Nachttisch oder im Schlafzimmer hat. Steht ein solcher Radiowecker im Schlafzimmer, können Sie eine mögliche Belastung mit Biotensor oder Pendel bestimmen. Die Frage lautet:

„Ist diese Person durch Per-Sha 36 belastet, das über ihrem individuellen Grenzwert liegt?"

Anschließend fragen Sie nach einer Belastung durch Per-Sha über einer Verwerfungszone. Fragen Sie am besten getrennt nach Per-Sha 61 und Per-Sha 51:

„Ist diese Person durch Per-Sha 61 belastet, das über ihrem individuellen Grenzwert liegt?"

„Ist diese Person durch Per-Sha 51 belastet, das über ihrem individuellen Grenzwert liegt?"

Therapie
Zur Therapie der Belastung durch Per-Sha sind das WS-Frequenzgerät und die Polyxane zu verwenden. Die Anwendung ist wie für Geo-Sha und Trans-Sha beschrieben. Wenn Sie nach dem geeigneten Polyxan fragen, werden Sie vorwiegend Polyxan blau comp. finden. Polyxan grün comp. werden Sie eher bei Mischbelastungen finden, Polyxan gelb comp. dagegen äußerst selten.

Kapitel 6

Belastungen durch Elektrosmog und Chemie

Feng Shui und Elektrosmog

Bislang keine verläßlichen Daten über Grenzwerte

Ende des 19. Jahrhunderts begann der Siegeszug der Elektrotechnik im privaten wie im geschäftlich-öffentlichen Bereich. Dies hat uns eine ganze Zahl von Annehmlichkeiten gebracht, jedoch rücken mögliche Probleme für unsere Gesundheit erst jetzt vermehrt in den Blickpunkt der Öffentlichkeit. Baubiologen und biologische Elektrotechniker versuchen an Hand von physikalischen Meßdaten Grenzwerte zu erarbeiten, die eine Verträglichkeit für den Menschen gewährleisten sollen. Dabei werden eine ganze Reihe von Daten erhoben, wie elektrische und magnetische Feldstärken usw. Es ist schwierig, erst recht bei komplexen Einflüssen, die Wirkung auf den Menschen zu erfassen. Verläßliche Daten über Grenzwerte, die Unbedenklichkeit garantieren, liegen noch nicht ausreichend vor.

Einfluß auf feinstoffliche Energien

Zu berücksichtigen ist, daß sowohl die Elektroinstallation im Haus als auch technische Einrichtungen der Stromversorger wie Überlandleitungen und Trafo-Stationen, Oberleitungen der Bahn sowie Funk- und Radarstationen Einfluß nehmen auf feinstoffliche Energien, die wir im Feng Shui betrachten. Grundsätzlich sind wir der Meinung, daß man das, was physikalisch meßbar ist, auch messen sollte. Darüber hinaus ist es jedoch erforderlich, die feinstofflichen Einflüsse mit dem Biotensor zu ermitteln.

Beschwerden und Erkrankungen durch Elektrosmog

Bei Belastung durch Elektrosmog werden eine Reihe von Beschwerden und Erkrankungen beobachtet. Hierzu gehören:
- Kopfschmerzen
- Leistungsverlust
- Müdigkeit
- Schwindelanfälle
- Schlaf nur bei großer Müdigkeit
- leichter, oberflächlicher Schlaf
- allgemeine Kraftlosigkeit
- Erschöpfungszustände
- funktionelle Störungen des Zentralnervensystems
- Konzentrationsschwäche
- Neigung zu Schwitzen
- Herz-Kreislaufstörungen

Es werden auch EEG-Veränderungen und Blutbildveränderungen beschrieben.

Vieles fällt sofort ins Auge
Bei der Feng-Shui-Untersuchung fallen viele der oben genannten elektrotechnischen Einrichtungen wie Hochspannungsleitungen, Trafo-Stationen, Oberleitungen der Bahn u. ä. sofort ins Auge, aber auch Stromzähler und Sicherungskästen in der Wohnung neben dem Schlafzimmer, die Elektroverkabelung insbesondere am Kopfende des Bettes, Elektrogeräte wie Fernseher u. a. im Schlafzimmer. Wir wollen diese Belastungen im folgenden unter dem Begriff **Elektrosmog** zusammenfassen. Wie bereits bei Geo-Sha und Trans-Sha beschrieben, ist auch beim Elektrosmog die Belastung während des Schlafes am problematischsten.

Orientierende Messung der Belastung durch Elektroinstallation

Wenn Sie unsicher im Umgang mit Elektrizität sind, dann nehmen Sie die Hilfe eines Elektrofachmanns in Anspruch. Bei der Untersuchung des Schlafplatzes hat es sich bewährt, zumindest orientierend die Belastung durch die Elektroinstallation im Haushalt abzuschätzen. Die Netzspannung zu Hause liegt bei ca. 230 Volt Wechselspannung. Es ist möglich, orientierend zu messen, wieviel Wechselspannung am Körper auf dem Schlafplatz liegt. Dieses Verfahren wird auch **kapazitive Ankopplung** genannt. Wir wollen das Verfahren kurz vorstellen:

Die orientierende Messung der Belastung durch die Elektroinstallation am Schlafplatz erfolgt mit einem sogenannten **Multimeter**. Ein Multimeter ist ein preisgünstiges, gängiges elektrotechnisches Meßgerät, mit dem Wechsel- und Gleichspannungen, Wechselströme u. a. gemessen werden können.

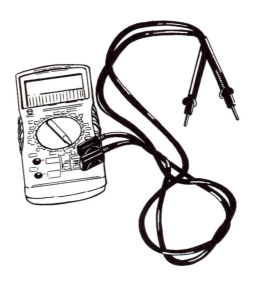

Multimeter

In diesem Fall wird jedoch nur die Funktion der Messung von Wechselspannungen benutzt. Dabei muß eine Messung auch im Millivoltbereich möglich sein, um ein ausreichend genaues Meßergebnis zu erhalten. Der technische Ablauf ist wie folgt:
1) Es wird eine Erdung gesucht. In der Regel ist es möglich, die Erdung der Steckdose zu benutzen (die beiden hervorstehen-

den Schutzkontakte). Mit dem Multimeter kann kontrolliert werden, ob die Steckdose geerdet ist. Mit den beiden Kabeln des Multimeters wird zunächst bestimmt, ob Wechselspannung auf der Steckdose liegt (in der Regel ca. 230 Volt). Dann wird die stromführende Buchse der Steckdose gegen die Erdung der Steckdose gemessen. Ist die Steckdose ordnungsgemäß geerdet, zeigt das Multimeter ebenfalls ca. 230 Volt Wechselspannung an.

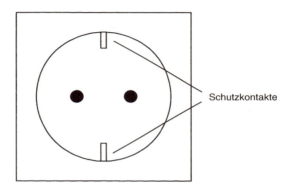

Erdung der Steckdose durch Schutzkontakte

2) Nun wird der Meßbereich heruntergeschaltet und zwischen Hand der Testperson, die auf dem Schlafplatz liegt, und Erdung der Steckdose gemessen. Der Meßbereich wird stufenweise heruntergeschaltet, bis eine ausreichende Empfindlichkeit vorliegt. Der Kontakt zwischen Testperson und Multimeter kann ggfs. dadurch verbessert werden, daß die Person eine Handelektrode anfaßt oder einfach auf eine Kupferplatine faßt, von der die Wechselspannung gemessen wird.

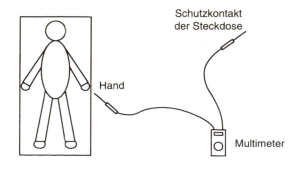

Messung der Wechselspannung am Körper

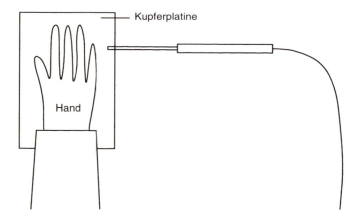

Messung der Wechselspannung am Körper (Hand auf Kupferplatine)

Günstig sind Werte unter 100 mV Wechselspannung. Bei hohen Werten (z. B. einigen Tausend Millivolt) kann durch Abschalten eines oder mehrerer Stromkreise am Sicherungskasten bestimmt werden, ob ein **Netzfreischalter** ausreichende Besserung bringt und welche Stromkreise damit versorgt werden müssen. Dabei geht man so vor, daß zunächst die Sicherung des Stromkreises, der das Schlafzimmer versorgt, ausgeschaltet wird. Wenn keine genügende Senkung des Meßwertes erfolgt, werden weitere Sicherungen (z. B. für das benachbarte Badezimmer) ausgeschaltet, bis die Sicherungen feststehen, die beim Ausschalten eine ausreichende Senkung des Meßwertes bringen. Diese können dann vom Fachmann mit einem Netzfreischalter versorgt werden. Ein Netzfreischalter läßt nur 3 bis 4 Volt Spannung auf die Leitungen des jeweiligen Stromkreises, solange kein Stromverbraucher angeschaltet ist. Wird ein Stromverbraucher angeschaltet (z. B. die Deckenbeleuchtung, die Nachttischlampe o. ä.), gibt der Netzfreischalter wieder die gewohnte Spannung von ca. 230 Volt ins Netz. Es gibt auch Netzfreischalter mit einstellbarem Schwellenwert, ab dem wieder 230 Volt Wechselstrom auf das Netz gehen. Damit kann verhindert werden, daß Stromverbraucher, die so geschaltet sind, daß sie beim Anschalten zunächst nur wenig Strom verbrauchen (wie z. B. Staubsauger), den Netzfreischalter nicht dazu bewegen, die volle Spannung in das Netz zu geben. So kann auf einfache Weise erreicht werden, daß über Nacht nur eine geringe Belastung für den Schlafenden da ist.

Der Netzfreischalter ist nur dann in Funktion (Funktion bedeutet, er schaltet die Spannung im dahinterliegenden Stromkreis auf 3 bis 4 Volt), wenn auch kein **„heimlicher Stromverbraucher"** eingeschaltet ist. Heimliche Stromverbraucher sind z. B. Kassettenrecorder, Radios u. a. Geräte, die einen Trafo im Inneren des Gerätes oder schon am Anfang des Kabels (zu erkennen am würfelförmigen Stecker, von dem oft nur ein dünnes Kabel zum Gerät führt) haben. Der Trafo verbraucht geringe Mengen Strom, auch wenn das zugehörige Gerät nicht läuft. Dies ist häufig schon daran zu erkennen, daß der Trafo immer ein bißchen warm ist. Verbraucht der Trafo Strom, bedeutet das natürlich, daß auf dem Stromkreis ca. 230 Volt Wechselspannung liegen. Der Netzfreischalter würde in diesem Fall für den Schlafenden keinen Schutz bringen.

35.000 Millivolt auf dem Schlafplatz eines Kindes

Ein 7jähriges Mädchen, das als Frühgeburt zur Welt gekommen war, hatte eine ganze Reihe gesundheitlicher Beschwerden, u. a. auch Asthma und Infektanfälligkeit. Bei der Feng-Shui-Untersuchung fiel auf, daß auf dem Schlafplatz des Mädchens 35.000 Millivolt (= 35 Volt) Wechselspannung lagen. Es wurde den Eltern empfohlen, die Elektroinstallation des Hauses vom Fachmann überprüfen zu lassen. Dabei stellte sich heraus, daß durch einen technischen Fehler diese hohe Belastung zustande kam. Der Feh-

ler wurde beseitigt, damit das Mädchen wieder störungsfrei schlafen konnte.

Hier noch einige Beispiele zum technischen Vorgehen in der Praxis:

Sie erreichen den Grenzwert bereits durch einen Netzfreischalter für das Schlafzimmer
Sie finden am Schlafplatz eine Belastung der Testperson mit 2.500 Millivolt. Nach Ausschalten der Sicherung für das Schlafzimmer sinkt der Wert auf 95 Millivolt. Es ist davon auszugehen, daß die Belastung am Schlafplatz deutlich reduziert wird, wenn der Stromkreis, der das Schlafzimmer versorgt, mit einem Netzfreischalter versehen wird. Dieser wird vom Fachmann installiert.

Was machen Sie, wenn Sie nicht auf den angestrebten Grenzwert kommen?
Die Belastung am Schlafplatz liegt bei 3.500 Millivolt. Das Ausschalten der Sicherung für das Schlafzimmer bringt nur eine Besserung auf 800 Millivolt. Das zusätzliche Ausschalten der Sicherung für das benachbarte Badezimmer reduziert den Wert auf 200 Millivolt. Eine weitere Reduktion ist durch Ausschalten anderer Stromkreise der Wohnung nicht zu erreichen. Nicht selten entstehen elektromagnetische Belastungen auch durch Nachbarn, die neben, aber auch unter oder über der untersuchten Wohnung leben. Da es manchmal nicht einfach ist, mit dem Nachbarn „wohnungsübergreifend" die Elektroinstallation mit Netzfreischaltern zu versehen und auch keine Kontrolle besteht, ob der Nachbar selbst bei Einbau eines Netzfreischalters nicht „heimliche Stromverbraucher" angeschlossen hat, kann zunächst mittels Biotensor oder Pendel der **individuelle Grenzwert** der kapazitiven Ankopplung bestimmt werden. Sie fragen also: *„Liegt der individuelle Grenzwert von ... (Name der Person) über 100 Millivolt?"*. Wenn Sie ein JA bekommen, fragen Sie weiter nach: *„... über 200 Millivolt?", „... über 300 Millivolt?"* usw., bis Sie ein NEIN bekommen. Bekommen Sie z. B. für: *„... über 300 Millivolt?"* ein JA, für: *„... über 400 Millivolt?"* ein NEIN, liegt der individuelle Grenzwert für die betreffende Person zwischen 300 und 400 Millivolt. Eine Belastung von 200 Millivolt, wie im Beispiel angegeben, wäre also tolerabel und auf weitere Maßnahmen könnte verzichtet werden. Es würde also im Beispiel für Schlafzimmer und Bad ein Netzfreischalter vom Fachmann eingebaut.

Wenn die Steckdose nicht geerdet ist

Sie stellen fest, daß die Steckdose nicht geerdet ist, weil Sie zwischen stromführender Buchse der Steckdose und Erdung der Steckdose mit dem Multimeter nicht die erwarteten ca. 230 Volt Wechselstrom messen. Sie können jetzt versuchen, z. B. die Zentralheizung als Erdung zu benutzen. Das Multimeter bestätigt Ihnen eine ausreichende Erdung für diesen Zweck, wenn zwischen stromführender Buchse der Steckdose und Zentralheizung ca. 230 Volt Wechselstrom angezeigt werden. Sie messen jetzt die kapazitive Ankopplung zwischen Testperson und Zentralheizung als Erdung. Alternativ können Sie auch versuchen, über ein Verlängerungskabel aus einem anderen Zimmer eine Erdung zum Messen zu bekommen. Ohne ausreichende Erdung gibt Ihnen das Multimeter für diesen Zweck keine Daten, die Sie mit den genannten angestrebten Werten von z. B. 100 Millivolt vergleichen können.

Messung der kapazitiven Ankopplung nur geeignet zur Abschätzung der Belastung durch Elektroinstallation im Haushalt

Es ist ausdrücklich zu betonen, daß die beschriebene Methode der Messung der kapazitiven Ankopplung nur eine orientierende Messung der Belastung durch die Elektroinstallation im Haushalt ist. Für die Abschätzung der Belastung durch z. B. Richtfunkantennen, Hochspannungsleitungen, Trafo-Stationen oder Oberleitungen der Bahn in Nähe des Hauses, ist diese Methode völlig ungeeignet. Wenn der begründete Verdacht besteht, daß diese Einrichtungen zu einer Belastung führen, ist der Fachmann (z. B. biologischer Elektrotechniker) hinzuzuziehen, der versuchen wird, mit seinen Meßmethoden die Belastung abzuschätzen. Sie werden möglicherweise nicht umhin können, mittels Biotensor *zusätzlich* den Einfluß auf feinstoffliche Energien zu ermitteln, insbesondere auf das noch zu besprechende Vital-Qi.

Fernseher und Computer sollten besser nicht im Schlafzimmer stehen. Auch hier gibt es Effekte, die sich nicht mit der Messung der kapazitiven Ankopplung abschätzen lassen. Ein Problem sind in diesem Zusammenhang Schlafzimmer, in denen eine Ecke als privates Büro mit Computer (z. B. noch mit Internet-Anschluß) eingerichtet ist.

Vorsicht bei technischen Abschirmmaßnahmen mit Metall

Für den Fall, daß der biologische Elektrotechniker Abschirmmaßnahmen wie beispielsweise Mu-Metall (Metallfolie, die nicht magnetisierbar ist und dadurch kein Magnetfeld passieren läßt) empfiehlt, ist zum einen darauf zu achten, daß das Metall kein Trans-Sha ins Schlafzimmer bringt, zum anderen, ob ggfs. ein Einfluß auf feinstoffliche Energien besteht, der der technischen Messung entgangen ist. Möglicherweise ist trotz ausreichender Abschirmung technischer Art der Einfluß auf feinstoffliche Energien immer noch so stark, daß zu einer Verlegung des Schlafplatzes geraten werden muß.

Einige Bemerkungen zu elektrischer Beleuchtung

Es ist gut, Räume genügend auszuleuchten. Von Halogenlampen ist, wenn sie, wie im allgemeinen üblich, mit Wechselstrom betrieben werden, abzuraten. Sie erzeugen wie die Leuchtstoffröhren ein für das Auge unsichtbares, uns aber dennoch stark irritierendes Flimmern, da sie 50mal in der Sekunde (in den USA 60mal) an- und ausgehen. Die üblichen trafobetriebenen Halogenlampen erzeugen darüber hinaus ein starkes elektromagnetisches Feld. Herkömmliche Glühfadenlampen flimmern auch bei Wechselstrombetrieb nicht, da der Glühfaden zu träge ist.

Chemische Belastungen

Es ist noch schwieriger, im Rahmen dieses Buches dieses Thema zu behandeln als das Thema Elektrosmog. Einerseits ist die Anzahl chemischer Verbindungen riesig, die eine Belastung zu Hause verursachen können, andererseits ist das Spektrum chemischer Verbindungen, die eine Belastung verursachen, einem ständigen Wechsel unterworfen. Einige Verbindungen werden verboten, andere, die zunächst als eher unbedenklich angesehen werden, treten an deren Stelle. Nach einigen Jahren stellt sich dann heraus, daß auch die neuen Verbindungen gesundheitliche Probleme machen, möglicherweise anderer Art mit anderen Nachweismöglichkeiten.

Bei Verdacht auf eine chemische Belastung den Fachmann hinzuziehen

Besteht der Verdacht, daß im Haus eine chemische Belastung vorliegt, ist der Fachmann zu Rate zu ziehen. Hier helfen z. B. die örtlichen Gesundheitsämter weiter. In einigen Bundesländern der Bundesrepublik Deutschland unterhalten die kassenärztlichen Vereinigungen sogenannte Umweltambulanzen, die vor Ort Proben entnehmen bzw. Messungen vornehmen können. Was teilweise noch wichtiger ist, ist die Erfahrung, die einige der Mitarbeiter mitbringen. Oft reicht schon die Nennung eines Baujahres eines bestimmten Fertighaustyps, um auf die richtige Fährte z. B. eines bestimmten Holzschutzmittels zu gelangen. Gerade auch weil ein Teil der Analysen, aber gerade auch Sanierungsmaßnahmen in diesem Bereich sehr kostspielig sind, ist fachliche Kompetenz und ausreichende Erfahrung gefragt.

Für langjährig belastete Personen sind Grenzwerte allein nicht aussagekräftig

Ein Problem ist, daß Personen, die jahrelang einer bestimmten Belastung ausgesetzt waren, mit einer Sensibilisierung reagieren, so daß, selbst wenn die Belastung im Haus unter die gängigen Grenzwerte gefallen ist, noch eine deutliche Reaktion der betroffenen Personen auf bestimmte chemische Belastungen erfolgt. Dies kann sogar bis zu einer allgemeinen Chemikalienüberempfindlichkeit führen. Zu beobachten ist ferner, daß in belasteten Häusern die Personen die meisten Symptome zeigen, die der Belastung tagsüber am längsten ausgesetzt sind. So ist häufig die nicht berufstätige Hausfrau am stärksten betroffen, gefolgt von kleinen Kindern, die viel im Hause sind, während der berufstätige Ehemann weniger Symptome zeigt, wenn er einen Großteil des Tages außer Hause ist.

Lösungsmittel

Zu den Substanzgruppen, die Probleme machen, gehört zum einen die Gruppe der Lösungsmittel. Lösungsmittel sind beispielsweise in Spanplatten (und damit auch in Möbeln) in Form von Formaldehyd zu finden, werden aber auch beim Verkleben von Teppichböden benutzt. Formaldehyd und andere Lösungsmittel werden in der Raumluft nachgewiesen. Vor der Probennahme ist darauf zu achten, daß eine definierte Zeit zuvor nicht gelüftet wird, da kurz nach gründlichem Lüften nur relativ geringe Mengen Lösungsmittel in der Raumluft nachweisbar sind.

Holzschutzmittel

In die Schlagzeilen gekommen sind die sogenannten Holzschutzmittel u. a. durch den Holzschutzmittelprozeß in Frankfurt. Viele Menschen hatten sich durch Anwendung von seinerzeit als unbedenklich deklarierten Holzschutzmitteln in Innenräumrn starke Gesundheitsstörungen zugezogen. Viele der früher verwendeten Holzschutzmittel wie Pentachlorphenol (PCP) sind in der Bundesrepublik mittlerweile verboten. Weit verbreitet sind mittlerweile die sogenannten Pyrethroide, die sich in fast allen Wollteppichen und Wollteppichböden finden. Nicht nur, wenn man auf dem Fußboden spielende Kleinkinder hat, ist zu überlegen, ob man auf diese Produkte nicht lieber verzichtet. Kunststoffteppichböden können, was die Belastung durch chemische Substanzen angeht, unbedenklicher sein als Wollteppichböden mit hohem Pyrethroidgehalt. Die Belastung durch Holzschutzmittel wird an Hand der Konzentration dieser Substanzen in Holzproben abgeschätzt, die Konzentration der Pyrethroide wird im Hausstaub bestimmt.

Schwermetalle

Das Problem der Schwermetalle ist deutlich zurückgegangen, seit keine Bleirohre mehr als Wasserleitungen verwendet werden. Bleirohre in alten Häusern sind meist von innen mit Kalk beschichtet, so daß kaum Blei freigesetzt wird. Gelegentlich kommt es zu Problemen mit Kupfer durch Kupferrohre.

Kapitel 7

Qi

Positive Energien

Die Chinesen bezeichnen die für den Menschen positiven Energien u. a. als **Qi** und **Shen**. Für Qi haben sie eine Vielzahl von Unterbezeichnungen eingeführt, die wir aber nicht übernehmen möchten, da sie für den westlichen Leser eher verwirrend als hilfreich sind. Die verschiedenen, für den Menschen positiven Energien unterliegen unterschiedlichen Gesetzmäßigkeiten. Die Analytische Schule unterscheidet diese Energien nach ihrem Verhalten in der 5. Dimension. **Perm-Qi**, **Vital-Qi** und **Shen** können so gut mit dem Biotensor oder Pendel gefunden werden. Auf Shen werden wir im Kapitel 9 im Abschnitt „Trigrammsektoren können Ihre Gesundheit beeinflussen" eingehen.

> Was ist Perm-Qi?
> *Perm-Qi ist eine für den Menschen positive Energie. Es ist eine bestimmte Art des Qi und für das reibungslose Funktionieren unseres Körpers wichtig.*

Perm-Qi

Perm-Qi ist für das reibungslose Funktionieren unseres Körpers wichtig. Es wird über unsere Aura, unsere Atmung und unsere Nahrung aufgenommen. Perm-Qi erhält uns körperlich und geistig leistungsfähig. Wir nehmen sowohl Yang-Perm-Qi als auch Yin-Perm-Qi auf. Abhängig davon, ob eher ein Yang-Perm-Qi- oder Yin-Perm-Qi-Mangel vorliegt, können u. a. folgende Symptome auftreten:

a) Yang-Perm-Qi-Mangel
- Leistungsabfall
- Brennen und Stechen in den Gliedern
- Jucken der Augenlider mit Trockenheitsgefühl des Auges
- unwillkürlicher Harndrang
- häufiges, reichliches Wasserlassen
- Tagesschläfrigkeit

b) Yin-Perm-Qi-Mangel
- Brennen und Stechen in den Gelenken
- Jucken der Augenlider ohne Trockenheitsgefühl des Auges
- Feuerfunken vor den Augen
- Tagesschläfrigkeit
- Nachtschweiße und vermindertes Gehör können durch einen Mangel an Yin-Perm-Qi mitbedingt sein

Perm-Qi in der Natur: Luft-Perm-Qi

Perm-Qi ist in der **freien Natur** in ausreichender Menge vorhanden. Es bewegt sich zusammen mit der Luft als sogenanntes **Luft-Perm-Qi**. Besonders viel Luft-Perm-Qi finden wir in der Nähe von bewegtem Wasser, z. B. an Flüssen oder am Meer. Damit möglichst viel Luft-Perm-Qi ins Haus kommen kann, sollte man immer **gut lüften**. Dies ist besonders deshalb wichtig, da nur gut die Hälfte des Luft-Perm-Qi ins Haus kommt. Für ältere und kranke Menschen ist die Versorgung mit Luft-Perm-Qi häufig nicht ausreichend.

Zusätzliches Perm-Qi kommt durch die Haustür

Glücklicherweise haben wir die Möglichkeit, uns **zusätzliches Perm-Qi** aus einer höheren Dimension ins Haus zu holen. Die meisten Häuser sind bereits so konstruiert, daß diese Möglichkeit zumindest zum Teil gegeben ist. Das zusätzliche Perm-Qi kommt nämlich direkt durch die Haustür.

Das zusätzliche Perm-Qi ist kein Luft-Perm-Qi. Es bewegt sich auf einem Träger durchs Haus. Es kann bei seiner Bewegung durch das Haus auf die Luft wechseln und wird dann zu **zusätzlichem Luft-Perm-Qi**. Es kann sich nun zusammen mit dem bereits vorhandenen Luft-Perm-Qi im ganzen Haus zusammen mit der Luft verteilen. Im günstigen Fall ist damit eine Erhöhung des im Haus befindlichen Luft-Perm-Qi um ca. die Hälfte möglich, so daß wir dann auf ca. 75 % des Luft-Perm-Qi in der freien Natur kommen. Damit ist die Versorgung mit Luft-Perm-Qi auch für ältere Menschen und Kranke in jedem Fall ausreichend.

Geeignete Haustüren

Damit zusätzliches Perm-Qi ins Haus kommen kann, muß die Haustür tatsächlich ins Freie führen und sollte am Tage mindestens sieben Minuten geöffnet sein. Die Türschwelle darf nicht höher als **14 cm** sein, d. h., der Abstand zwischen Türunterkante und Fußboden darf maximal 14 cm betragen. Auch Treppenstufen, die z. B. von der Haustür nach unten führen, dürfen nur eine Höhe von höchstens 14 cm pro Stufe aufweisen. Auch Terrassentüren und Balkontüren ermöglichen es dem zusätzlichen Perm-Qi, ins Haus zu kommen.

Günstige Türmaße

Die Höhe der Tür entscheidet darüber, in welchem Ausmaß zusätzliches Perm-Qi ins Haus kommt. Es gibt günstige und ungünstige **Höhenmaße**. Die **Mindesthöhe** der Tür für diesen Vorgang beträgt 42 cm.

Günstige Höhenmaße (lichtes Maß) sind:

42,9 cm	bis	48,3 cm
59,0 cm	bis	69,7 cm
80,4 cm	bis	91,2 cm
101,9 cm	bis	112,6 cm
123,3 cm	bis	134,1 cm
144,8 cm	bis	155,5 cm
166,2 cm	bis	177,0 cm
187,7 cm	bis	198,4 cm
209,1 cm	bis	219,9 cm
230,6 cm	bis	241,3 cm
252,0 cm	bis	262,8 cm

Günstige **Breitenmaße** erlauben einen schnelleren Transport von zusätzlichem Perm-Qi auf seinem Träger durch die Türöffnung. Die **Mindestbreite** beträgt 13 cm.

Günstige Breitenmaße (lichtes Maß) sind:

13 cm	bis	16,1 cm
26,8 cm	bis	37,5 cm
48,3 cm	bis	59,0 cm
69,7 cm	bis	80,4 cm
91,2 cm	bis	101,9 cm
112,6 cm	bis	123,3 cm

134,1 cm bis 144,8 cm
155,5 cm bis 166,2 cm
177,0 cm bis 187,7 cm
198,4 cm bis 209,1 cm
219,9 cm bis 230,6 cm
241,3 cm bis 252,0 cm
262,8 cm bis 273,5 cm

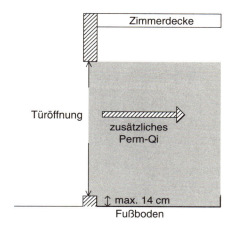

Durch geöffnete Türen, die ins Freie führen, kommt zusätzliches Perm-Qi ins Haus

Glastüren

Das zusätzliche Perm-Qi ist auch in der Lage, durch geschlossene Glastüren zu kommen, wenn sie aus durchsichtigem Glas oder Acrylglas sind. Dabei kommt es jedoch zu einem Verlust von bis zu 30 % (je nach Stärke der Verglasung). Handelt es sich um eine Tür mit Glasscheibe, ist darauf zu achten, daß der Abstand vom Fußboden bis zum unteren Rand des Glases nicht mehr als 14 cm beträgt. Für die Glasfläche der Glastüren gelten die gleichen günstigen Höhen- und Breitenmaße wie oben beschrieben. Auch bis zum Fußboden reichende Fenster haben die gleiche Wirkung wie geschlossene Glastüren. Häufig finden sich Glastüren mit Holzstreben als Unterteilung. Sind die senkrechten Holzstreben nicht breiter als 25 mm, wirken die Streben auf das zusätzliche Perm-Qi nicht als Unterteilung, die Glasfläche wirkt weiterhin als Einheit. Waagerechte Holzstreben hingegen begrenzen die Glasfläche nach oben, so daß das zusätzliche Perm-Qi nur zwischen Rahmen und erster Querstrebe hereinkommt. Beachten Sie den Mindestabstand von 42 cm.

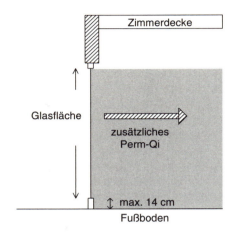

Zusätzliches Perm-Qi kommt auch durch geschlossene Glastüren, die ins Freie führen, ins Haus

Besonderheiten bei mehrgeschossigen Häusern
Da zusätzliches Perm-Qi keine Treppen überwindet, sollte jede Etage einen eigenen Einlaß für zusätzliches Perm-Qi haben. Das bedeutet, daß auf jeder Etage zumindest ein Fenster von ausreichender Größe sein sollte. Dabei ist wiederum darauf zu achten, daß der Abstand von der Glasfläche zum Etagenfußboden nicht größer als 14 cm sein sollte. Wenn das Fenster mit einem Schutzgitter versehen wird, entnehmen Sie die Einzelheiten dem folgenden Abschnitt über Besonderheiten beim Balkon.

Neues Fenster bringt mehr Perm-Qi ins Haus
Ein 48jähriger Reihenhausbesitzer entschloß sich, die zwanzig Jahre alten Fenster seines Hauses zu ersetzen. Vorher ließ er eine Feng-Shui-Untersuchung durchführen. Dabei stellte sich heraus, daß er im Schlafzimmer im 1. Stock nicht ausreichend mit Perm-

Qi versorgt war. Der Feng-Shui-Berater erklärte ihm, daß das Schlafzimmerfenster einen zu breiten Rahmen hätte, um zusätzliches Perm-Qi ins Schlafzimmer und damit in den 1. Stock zu lassen. Die Öffnung im Mauerwerk reichte zwar bis zum Fußboden, der Abstand bis zur Glasscheibe betrug jedoch 20 cm, war also größer als 14 cm. Bei einer Nachuntersuchung nach Einbau geeigneter Fenster war die Versorgung mit Perm-Qi ausreichend.

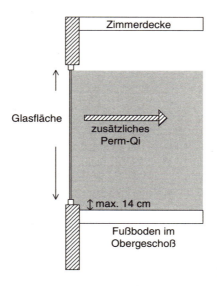

Geeignete Fenster für zusätzliches Perm-Qi im Obergeschoß

Kommt zusätzliches Perm-Qi auch über den Balkon?

Leider können wir auf diese Frage weder mit einem klaren Ja noch mit einem klaren Nein antworten. Wäre ein Balkon gänzlich ohne Brüstung, gäbe es ein klares Ja. Wenn die Brüstung vollständig aus Glas wäre, gäbe es ebenfalls ein Ja, wenn auch mit der oben beschriebenen Minderung von bis zu 30 %. Beachten Sie dabei bitte, daß eine weitere Minderung durch das Glas der Balkontür auftritt, wenn sie nicht geöffnet ist.

Wahrscheinlicher ist es aber, daß Ihr Balkon eher eine vollständige Brüstung aus Beton oder anderen lichtundurchlässigen Materialien hat, bzw. zumindest teilweise. Viele Balkone haben nach vorn als Sichtschutz eine lichtundurchlässige Brüstung, sind zur Seite hin jedoch mit einem lichtdurchlässigen Material oder Metallgitter versehen. Dann besteht die Möglichkeit, daß Sie das zusätzliche Perm-Qi über die Seitenteile der Brüstung bekommen. Getönte oder milchige lichtdurchlässige Materialien lassen je nach Grad der Lichtdurchlässigkeit zwischen 40 und 60 % des möglichen zusätzlichen Perm-Qi auf den Balkon. Es ist am besten, wenn sich der lichtdurchlässige Teil der Brüstung direkt gegenüber der Balkontür befindet. Befindet sich der lichtdurchlässige Teil an der Seite, so ist es besser, ihn – von der Balkontür aus gesehen – auf der linken Seite zu haben als auf der rechten. Wenn Sie einen Balkon mit zwei lichtdurchlässigen Seiten haben, bekommen Sie ca. 90 % an Wirkung im Vergleich zur Lage direkt gegenüber der Balkontür.

Maße für Balkonbrüstungen
Sind senkrechte Streben bei Balkonbrüstungen nicht breiter als 25 mm, wirken sie nicht als Unterteilung. Breitere Streben müssen einen Mindestabstand von 17,5 cm haben. Waagerechte Streben dagegen unterteilen die als Einheit geltende Fläche der Balkonbrüstung auch dann, wenn sie nicht breiter als 25 mm sind. Beachten Sie dabei, daß die unterste waagerechte Strebe nicht höher als 14 cm über dem Boden des Balkons abschließen darf. Von dieser untersten Strebe aus gesehen, muß der Abstand zur nächsten Querstrebe mindestens 42 cm betragen. Ausgenommen sind Stahlseile bis 6 mm Durchmesser bei waagerechter Verspannung. Balkongitter mit Verstrebungen, die schräg oder unregelmäßig sind – auch in Form eines Ornaments –, sind nicht geeignet. Bei schräger Verspannung sind lediglich Stahlseile bis 4 mm Durchmesser geeignet. Beachten Sie bitte auf jeden Fall, daß Balkonbrüstungen aus Metall Trans-Sha in Ihre Wohnung bringen können.

Was zusätzliches Perm-Qi daran hindern kann, ins Haus zu kommen
Ein Spiegel, der in sehr kurzem Abstand direkt gegenüber der Haustür angebracht ist, läßt kein zusätzliches Perm-Qi ins Haus. Dies gilt auch für eine Wandecke, die sich gegenüber einer Haustür befindet.

Spiegel direkt gegenüber der Haustür

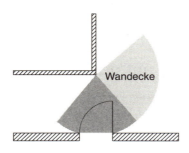

Wandecke gegenüber einer Haustür

Wie bewegt sich das zusätzliche Perm-Qi im Haus?

Das Perm-Qi, das zusätzlich über geöffnete Türen ins Haus kommt, bewegt sich auf seinem Träger im Haus geradeaus und hat die Tendenz, sich bei Hindernissen eher **nach rechts** zu bewegen. Das bedeutet: Trifft es auf ein Hindernis mit der Möglichkeit, sich nach links und nach rechts zu bewegen, so geht es auf seinem Träger zu etwa einem Drittel nach links und zu zwei Drittel nach rechts.

Auf seinem Weg durch das Haus steigt das zusätzliche Perm-Qi teilweise von seinem bisherigen Träger auf die **Luft** um und wird somit zum Luft-Perm-Qi. Es befindet sich auf dem Träger so viel zusätzliches Perm-Qi, daß der Wechsel auf die Luft über viele Stunden erfolgen kann. Je länger der Weg durch das Haus ist, um so mehr Luft-Perm-Qi kann auf diese Weise zusätzlich entstehen, das sich dann im ganzen Haus verteilt. Dieses Richtungsverhalten kann man gezielt nutzen, indem man durch geeignete **Plazierung der Möbel** den Weg des Perm-Qi im Haus oder in der Wohnung bestimmt.

Neben Möbeln allgemein wirken insbesondere auch **Paravents** lenkend auf zusätzliches Perm-Qi. Paravents sollten möglichst so aufgestellt werden, daß die Kanten nicht direkt in den Fluß des zusätzlichen Perm-Qi zeigen. **Tageslicht** und **künstliche Beleuchtung** wirken anziehend auf zusätzliches Perm-Qi. Räume, in die zusätzliches Perm-Qi auf seinem Träger fließen soll, sollten gut ausgeleuchtet werden.

Wir möchten in diesem Zusammenhang ausdrücklich betonen, daß **Fächer nicht zur Lenkung des zusätzlichen Perm-Qi geeignet sind.** Vielmehr vermindern die Fächer mit fächerförmigen Verstrebungen aus Holz das Perm-Qi im Raum. Sie sind damit auch insbesondere für Schlafzimmer nicht geeignet.

Besonderheiten auf der 1. und 2. Ebene!

Der Träger des zusätzlichen Perm-Qi auf der 1. und 2. Ebene kann im Inneren des Hauses nur Türen passieren, die mindestens so breit sind wie die Haustür. Sind die Türen schmaler, bleibt der Träger mit dem zusätzlichen Perm-Qi vor der Tür stehen.

Zusätzliches Perm-Qi überwindet keine Treppen

Das zusätzliche Perm-Qi auf seinem Träger überwindet keine Treppen, weder nach oben noch nach unten. Treppen können sich sogar ungünstig auf den Fluß des zusätzlichen Perm-Qi im Haus auswirken. Befindet sich eine **aufwärts** führende Treppe direkt hinter der Haustür, „hakt" sich das zusätzliche Perm-Qi auf seinem Träger an der Treppe fest. Dadurch kann es sich nicht in ausreichendem Maße durch die übrigen Räume bewegen. Eine **abwärts** führende Treppe führt dazu, daß sich das zusätzliche Perm-Qi nur bis zur obersten Treppenstufe bewegt und Probleme hat, in die übrigen Räume zu gelangen. **Versetzte Ebenen** im Haus sind für die Bewegung des zusätzlichen Perm-Qi ebenfalls problematisch, da es auf seinem Träger keine Höhenunterschiede über 14 cm nach oben oder unten überwindet.

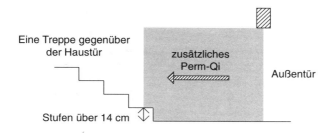

Wenn die Treppenstufen eine Höhe von über 14 cm haben, bleibt das zusätzliche Perm-Qi bereits auf der ersten Stufe stehen und „hakt sich fest". Das zusätzliche Perm-Qi „staut sich" und ist für uns unbrauchbar.

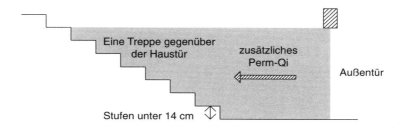

Wenn die Treppenstufen eine Höhe von unter 14 cm haben, fließt das zusätzliche Perm-Qi bis zur Höhe der Außentür auf die Treppe. Das zusätzliche Perm-Qi fließt also nicht auf die nächsthöhere Etage.

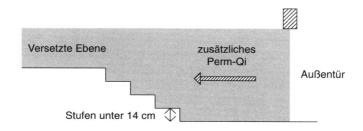

Wenn versetzte Ebenen durch Treppenstufen unter 14 cm Höhe verbunden sind, fließt das zusätzliche Perm-Qi auf die versetzte Ebene, allerdings nur bis zur Höhe der Außentür.

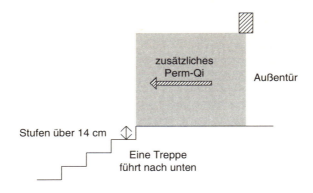

Treppen, die nach unten führen, sind nicht geeignet, zusätzliches Perm-Qi nach unten (beispielsweise in den Keller) zu befördern. Beträgt die Stufenhöhe mehr als 14 cm, bewegt sich das zusätzliche Perm-Qi nicht über den Rand der Treppe hinaus.

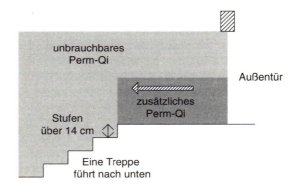

Ist die Stufenhöhe kleiner als 14 cm, bewegt sich ein Teil des zusätzlichen Perm-Qi nach unten, ist jedoch für den Menschen unbrauchbar. Auch das zusätzliche Perm-Qi hinter der Außentür wird im oberen Anteil unbrauchbar.

Perm-Qi-Verlust durch lange, gerade Durchgänge im Haus

Das zusätzliche Perm-Qi auf seinem Träger bewegt sich normalerweise eher langsam (etwa 1/2 Meter in der Sekunde) durch die Etage. Befindet es sich auf langen, geraden Durchgängen, erhöht sich seine Geschwindigkeit. Wird dabei eine kritische Geschwindigkeit überschritten, verschwindet es in einer höheren Dimension. Es empfiehlt sich deshalb, den Weg des zusätzlichen Perm-Qi in solchen Durchgängen durch geeignete Maßnahmen zu verlangsamen. Hierfür gibt es mehrere Möglichkeiten, die sich zusätzlich günstig auf die Bewegung des Luft-Perm-Qi auswirken.

Plazierung von Möbelstücken oder Pflanzen in geraden Durchgängen
Eine Plazierung von Möbelstücken oder Pflanzen auf der **rechten Seite** (in Fließrichtung des zusätzlichen Perm-Qi gesehen) führt zu einer relativen Verlangsamung der Geschwindigkeit.

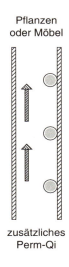

Plazierung von Pflanzen oder Möbeln in geraden Durchgängen auf der rechten Seite (in Fließrichtung des zusätzlichen Perm-Qi)

Beleuchtung in geraden Durchgängen
Plazierung von Beleuchtung auf der rechten Seite führt dazu, daß der Fluß des zusätzlichen Perm-Qi verlangsamt wird. Er wird außerdem von Lichtquelle zu Lichtquelle nach oben angezogen. Dies führt ebenfalls dazu, daß sich insgesamt der Fluß verlangsamt. Die Beleuchtung sollte dabei in der oberen Hälfte der Wand oder rechts an der Decke angebracht werden.

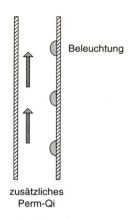

Beleuchtung in geraden Durchgängen auf der rechten Seite (in Fließrichtung des zusätzlichen Perm-Qi)

Zusätzliches Perm-Qi entweicht durchs Fenster

Das zusätzliche Perm-Qi auf seinem Träger hat die Tendenz, sich zum Licht zu bewegen. Es bewegt sich deshalb in der Regel nach einer gewissen Strecke im Haus zu einem Fenster und verschwindet dort, ohne daran durch Glasscheiben gehindert zu werden, in eine höhere Dimension, es „verläßt" also das Haus. Dies ist in besonderem Maße dann der Fall, wenn das Fenster der Haustür direkt gegenüber liegt.

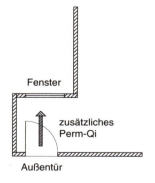

Zusätzliches Perm-Qi entweicht durchs Fenster. Dies gilt insbesondere für ein Fenster gegenüber einer Außentür

Klangspiele verhindern das Entweichen des zusätzlichen Perm-Qi durch das Fenster

Klangspiele für diesen Zweck bestehen aus Metall- oder Glasröhren unterschiedlicher Länge. Wenn Klangspiele vor das Fenster gehängt werden, bilden sie quasi einen energetischen Vorhang, der das Entweichen des zusätzlichen Perm-Qi in eine höhere Dimension verhindert. Sie müssen für diesen Zweck nicht angeschlagen werden, müssen jedoch klingen können. Die Klangspiele werden im Zimmer vor das Fenster möglichst in ca. 40 cm Abstand gehängt. Dabei sollten sie im oberen Drittel des Fensters und etwa in der Mitte der Fensterbreite plaziert werden.

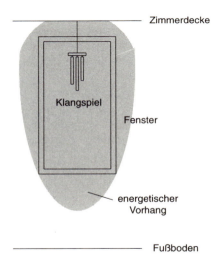

Ein Klangspiel vor dem Fenster kann das Entweichen von zusätzlichem Perm-Qi verhindern. Es wirkt wie ein energetischer Vorhang.

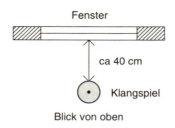

Ein Klangspiel sollte am besten ca. 40 cm vom Fenster entfernt aufgehängt werden.

Klangspiele sollten niemals schwarze Klangröhren haben. Gelbe Klangspiele sind zumindest vor dem Fenster zu meiden. Goldene oder messingfarbene Klangspiele dagegen zählen nicht als gelb und sind günstig.

Beim **Lüften** sollte darauf geachtet werden, das Klangspiel vor dem Fenster für den Zeitraum der Lüftung zu deaktivieren. Dies geschieht dadurch, daß man das Klangspiel nicht klingen läßt. Die Röhren dürfen keine Tonschwingungen erzeugen. Man kann z. B. die Röhren mit der Hand umfassen, um dies zu erreichen. Dies bezieht sich nicht auf Perm-Qi, ist aber aus anderen Gründen anzuraten. Weitere Einzelheiten hierzu werden wir in einem Folgeband beschreiben.

Klangspiele sollten nicht vor oder hinter die Balkontür oder Haustür gehängt werden, da das zusätzliche Perm-Qi dadurch am Betreten des Hauses gehindert wird.

Ein Klangspiel läßt kein Perm-Qi ins Haus

Eine Lehrerin, die sich auch für Esoterik interessierte, hatte sich ein Klangspiel gekauft und es vor die Haustür gehängt. Der Nachbar, vom ständigen Gebimmel des Klangspiels genervt, hängte dieses heimlich ab und legte es bei sich in den Schuppen. Die Lehrerin war zunächst verärgert, hängte jedoch auch kein neues Klangspiel auf. Nach einiger Zeit merkte sie, daß sie sich ohne Klangspiel eigentlich wohler fühlte. Als sie mit ihrer Freundin sprach, die Feng-Shui-Beraterin war, wurde sie aufgeklärt, daß der Zustrom von zusätzlichem Perm-Qi ins Haus durch ein Klangspiel vor der Tür blockiert würde, Klangspiele sollten vor das Fenster gehängt werden.

Eine unbedachte Feng-Shui-Maßnahme

Eine Krankenschwester hatte in einem Buch gelesen, daß Klangspiele vor dem Fenster günstig seien. Sie hängte deshalb vor das bis zum Fußboden reichende Schlafzimmerfenster ein Klangspiel auf. Kurz darauf ließ sie ihre Wohnung von einem Feng-Shui-Berater untersuchen. Bei der Untersuchung des Schlafzimmers fiel dem Feng-Shui-Berater sofort das Klangspiel auf. Es behinderte den Zufluß von zusätzlichem Perm-Qi durch das an sich günstige Fenster, das bis zum Fußboden reichte. Die Untersuchung ergab, daß sie nicht ausreichend mit Perm-Qi versorgt war. Das Klangspiel wurde entfernt und das aufnehmbare Perm-Qi im Raum erhöhte sich ausreichend.

Zusätzliches Perm-Qi verschwindet auch durch die Toilette

Zusätzliches Perm-Qi verschwindet durch das **Abflußrohr** der Toilette in eine höhere Dimension. In wesentlich geringerem Umfang gilt dies auch für andere Abflußrohre. Eine Toilette sollte deshalb möglichst nicht gegenüber oder rechts neben der Haustür liegen. Toilettendeckel und Toilettentür sollten geschlossen gehalten werden. Dies führt zu einer Minderung des Verlustes an zusätzlichem Perm-Qi. Wenn die Toilettentür ungünstig zur Haustür plaziert ist, besteht die Möglichkeit, einen **Paravent** vor der Toilettentür aufzustellen.

Erhöhung des Perm-Qi durch Licht

Tageslicht und Perm-Qi

Das Tageslicht in Innenräumen spielt eine bedeutende Rolle. Es kann sogar dazu beitragen, daß es zu einer Vermehrung des Luft-Perm-Qi kommt. Zu grelles Licht sollte jedoch vermieden werden.

Künstliche Beleuchtung und Perm-Qi

Die Funktion des Tageslichtes kann in diesem Zusammenhang zum großen Teil auch künstliche Beleuchtung übernehmen. Geeignet sind in diesem Sinne alle gebräuchlichen künstlichen Lichtquellen. Beachten Sie bitte aber unsere Bemerkungen zur elektrischen Beleuchtung in Kapitel 6 im Abschnitt „Feng Shui und Elektrosmog".

Erhöhung des Perm-Qi durch Klangspiele

Angeschlagene Klangspiele erhöhen für viele Stunden das aufnehmbare Perm-Qi im Raum. Das durch den Klang erzeugte Perm-Qi ist neben dem zusätzlichen Perm-Qi und dem Perm-Qi durch Licht eine weitere Möglichkeit, mehr Perm-Qi in den Raum zu bekommen. Auch dieses Perm-Qi wird zu Luft-Perm-Qi, das jedoch in diesem Fall an den Raum gebunden ist, in dem das Klangspiel hängt. Das Klangspiel sollte je nach Bauart und Größe einmal oder mehrmals täglich angeschlagen werden. Es ist insbesondere empfehlenswert, das Klangspiel vor dem Schlafengehen einmal ordentlich anzuschlagen. Beachten Sie auch hier, daß Klangspiele niemals schwarze Klangröhren haben sollten.

Erhöhung des Perm-Qi durch Korkplatten

Auch Korkplatten geeigneter Qualität sind in der Lage, aufnehmbares Perm-Qi in einem begrenzten Bereich über und neben der Korkmatte zu erzeugen.

Korkplatte geeigneter Qualität	Perm-Qi-Erhöhung über der Platte	Perm-Qi-Erhöhung kreisförmig
60 x 90 cm bei 1 cm Dicke	Höhe von ca. 90 cm	runde Form mit einem Durchmesser von ca. 200 cm
180 x 90 cm bei 1 cm Dicke (= 3 Platten á 60 x 90 cm), für ein Einzelbett geeignet	Höhe von ca. 90 cm	ovale Form von ca. 200 x 310 cm
60 x 90 cm bei 1,5 cm Dicke	Höhe von ca. 110 cm	runde Form mit einem Durchmesser von ca. 230 cm
180 x 90 cm bei 1,5 cm Dicke (= 3 Platten á 60 x 90 cm), für ein Einzelbett geeignet	Höhe von ca. 110 cm	ovale Form von ca. 230 x 330 cm

Der Effekt der Perm-Qi-Erhöhung tritt nicht auf, wenn die Korkplatten in die Seitenwand des 10-m- oder 250-m-Systems gelegt werden.

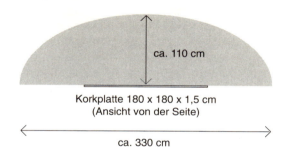

Korkplatte 180 x 180 x 1,5 cm
(Ansicht von der Seite)

ca. 330 cm

Bereich der Perm-Qi-Erhöhung über einer Korkplatte geeigneter Qualität

Erhöhung des Perm-Qi durch EPS-Platten

Auch EPS-Platten sind in der Lage, in einem begrenzten Bereich über und neben der Platte aufnehmbares Perm-Qi zu erzeugen.

EPS-Platte (Fina X, Styrodur, Roofmate, Jackodur)	Perm-Qi-Erhöhung über der Platte	Perm-Qi-Erhöhung kreisförmig
125 x 60 cm bei 2 cm Dicke	Höhe von ca. 100 cm	runde Form mit einem Durchmesser von ca. 140 cm
125 x 60 cm bei 3 cm Dicke	Höhe von ca. 100 cm	runde Form mit einem Durchmesser von ca. 170 cm

Der Effekt der Perm-Qi-Erhöhung tritt nicht auf, wenn die EPS-Platten in die Seitenwand des 10-m- oder 250-m-Systems gelegt werden.

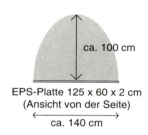

EPS-Platte 125 x 60 x 2 cm
(Ansicht von der Seite)

ca. 140 cm

Bereich der Perm-Qi-Erhöhung über einer EPS-Platte

Haben Sie genügend Perm-Qi?

Sie haben jetzt einiges über den Fluß des Perm-Qi im Haus gehört und über die Möglichkeiten, das aufnehmbare Perm-Qi zu erhöhen. Nun wird es Sie sicher interessieren, wie Sie mit Biotensor oder Pendel kontrollieren können, ob Ihr individueller Bedarf an aufnehmbarem Perm-Qi gedeckt ist oder ob Sie ggfs. Maßnahmen zur Erhöhung des aufnehmbaren Perm-Qi ergreifen müssen.

Grundlage für die Messung von aufnehmbarem Perm-Qi ist der individuelle Bedarf

Anders als beim Geo-Sha oder Trans-Sha bestimmen wir beim aufnehmbaren Perm-Qi nicht absolute Werte, sondern fragen, ob der individuelle Bedarf insbesondere über Nacht im Schlafzimmer gedeckt ist oder nicht. Ist der individuelle Bedarf nicht gedeckt, fragen wir, welche Maßnahmen wir ergreifen sollten, um den individuellen Bedarf an aufnehmbarem Perm-Qi zu decken. Sie können dies natürlich auch für das Arbeitszimmer tagsüber fragen.

Ermittlung des individuellen Bedarfs an aufnehmbarem Perm-Qi auf der 2. und 9. Ebene

Es hat sich bewährt, bei der Bedarfsbestimmung die unterschiedlichen Ebenen des aufnehmbaren Perm-Qi zu berücksichtigen. In der Regel ist es ausreichend, die Bedarfsbestimmung auf der 2. Ebene und auf der 9. Ebene vorzunehmen.

1) Ermittlung des individuellen Bedarfs
Sinnvollerweise führen Sie die Messung im Schlafzimmer durch. Sie fragen: *„Ist ... (Name der Person) über Nacht in diesem Zimmer ausreichend mit aufnehmbarem Perm-Qi auf der 2. und 9. Ebene versorgt?"* Wenn Sie auf diese Frage ein JA bekommen, haben Sie kein Perm-Qi-Defizit. Sie müssen keine Maßnahme zur Perm-Qi-Erhöhung ergreifen. Erhalten Sie jedoch ein NEIN, fahren Sie mit Abschnitt 2) fort.

2) Perm-Qi-Erhöhung durch Kork- oder EPS-Platte
Entscheiden Sie sich, ob Sie zum Ausgleich des Perm-Qi-Defizits Korkplatten geeigneter Qualität oder EPS-Platten unter das Bett legen möchten. Wenn Sie sich für Kork entschieden haben, fragen sie als nächstes: „*Sind* Korkplatten geeigneter Qualität *unter dem Bett ausreichend, um das Perm-Qi-Defizit von ... (Name der Person) auszugleichen?*"

Haben Sie sich für EPS-Platten entschieden, fragen Sie: „*Sind* EPS-Platten *unter dem Bett ausreichend, um das Perm-Qi-Defizit von ... (Name der Person) auszugleichen?*"

Haben Sie auf Ihre entsprechende Frage ein Ja bekommen, legen Sie die Platten unter das Bett. Das Perm-Qi-Defizit bei Nacht am Schlafplatz ist jetzt ausgeglichen.

Haben Sie ein Nein bekommen, legen Sie Kork- oder EPS-Platten möglichst unter die ganze Bettfläche. Sie müssen jedoch eine weitere Maßnahme ergreifen, um das Perm-Qi-Defizit auszugleichen. Machen Sie weiter mit Abschnitt 3a).

3a) Perm-Qi-Erhöhung durch ein Klangspiel
Eine weitere Maßnahme zum Ausgleich des Perm-Qi-Defizits ist das Aufhängen eines Klangspiels im Raum, das zur Perm-Qi-Erhöhung angeschlagen werden muß. Fragen Sie: „*Gleicht ein geeignetes angeschlagenes Klangspiel im Raum den Rest des Perm-Qi-Defizits von ... (Name der Person) aus?*"

Erhalten Sie ein Ja, bestimmen Sie das geeignete Klangspiel.

3b) Bestimmung eines geeigneten Klangspiels
Ein Klangspiel ist in der Regel geeignet, wenn seine Wirkungsdauer (nach dem Anschlagen) mindestens sieben Stunden beträgt. Nehmen Sie ein Klangspiel, und schlagen Sie es an. Fragen Sie dann: „*Dauert die Perm-Qi-Erhöhung durch dieses angeschlagene Klangspiel sieben Stunden oder länger?*" Wenn Sie ein Ja bekommen, ist dieses Klangspiel geeignet. Machen Sie weiter mit Punkt 3c). Beachten Sie bitte, daß die Wirkung aufhört, sobald Sie die Klangröhren anfassen. Wenn Sie ein Nein bekommen, nehmen Sie ein anderes Klangspiel.

3c) Bestimmen Sie den besten Platz für das Klangspiel
Fragen sie nach einem geeigneten Platz: „*Ist die beste Plazierung vor dem Fenster?*" Erhalten Sie ein Ja, hängen Sie in der weiter oben beschriebenen Weise das Klangspiel vor dem Fenster auf.

Erhalten Sie ein NEIN, überlegen Sie sich, wo Sie das Klangspiel gern hinhängen möchten und fragen Sie dann weiter: *„Ist die beste Plazierung in diesem Abschnitt des Raumes?"*

Wichtig: Wenn Sie ein Klangspiel mit Metallröhren aufhängen, achten Sie darauf, daß es wegen möglicher Probleme mit Trans-Sha nicht in den Wänden des 10-m- oder 250-m-Systems aufgehängt werden sollte. Hängen Sie das Klangspiel aber auch nicht direkt über das Bett und in mindestens 40 cm Abstand zur Wand.

Ein Klangspiel verhilft einem Ehepaar zu gutem Schlaf

Ein Ehepaar rief einen Feng-Shui-Berater wegen diverser Gesundheitsprobleme. Der Feng-Shui-Berater ließ das Bett wegen Geo-Sha verstellen und empfahl wegen eines Perm-Qi-Defizits u. a. den Kauf eines geeigneten Klangspiels. Nach einiger Zeit meldete sich das Paar erneut bei dem Berater und berichtete über Verbesserungen der Gesundheit, klagte aber weiterhin, sich morgens unausgeschlafen und müde zu fühlen. Der Feng-Shui-Berater fragte, ob schon alle empfohlenen Maßnahmen durchgeführt seien. Dabei stellte sich heraus, daß das Klangspiel noch nicht besorgt worden war. Dies wurde daraufhin nachgeholt. Als der Feng-Shui-Berater sich in der Nähe des Hauses befand, schaute er 14 Tage später nochmal vorbei. Das Ehepaar berichtete erfreut, daß die morgendliche Müdigkeit wie weggeblasen war. Der individuelle Bedarf an Perm-Qi war für beide Ehepartner gedeckt.

Perm-Qi-Erhöhung durch Licht im Büro

Wenn nötig, können Perm-Qi-Defizite am Arbeitsplatz durch geeignete Beleuchtung ausgeglichen werden. Das Perm-Qi-Defizit bestimmen Sie mit der bekannten Fragestellung: *„Ist ... (Name der Person) bei der Arbeit in diesem Büro ausreichend mit aufnehmbarem Perm-Qi auf der 2. und 9. Ebene versorgt?"*

Wenn Sie ein NEIN bekommen, fragen Sie weiter: *„Kann eine geeignete Beleuchtung das Perm-Qi-Defizit von ... (Name der Person) ausgleichen?"* Erhalten Sie ein JA, bestimmen Sie die geeignete Maßnahme.

Sowohl vermehrtes Tageslicht im Raum als auch künstliche Beleuchtung können Perm-Qi-Defizite ausgleichen. Die Frage könnte beispielsweise lauten: *„Reicht das Aufziehen der Vorhänge aus, das Perm-Qi-Defizit von ... (Name der Person) auszugleichen?"* Bekommen Sie ein NEIN, fragen Sie z. B. nach künstlichen Lichtquellen.

Vital-Qi

Vital-Qi verhält sich in unserer Dimension anders als Perm-Qi. Die Analytische Schule verwendet deshalb für Perm-Qi und Vital-Qi unterschiedliche Begriffe. Die beiden Qi-Arten können mit Biotensor oder Pendel nur getrennt abgefragt werden. Es bedarf auch unterschiedlicher Feng-Shui-Maßnahmen, um Vital-Qi ins Haus zu leiten bzw. die Konzentration im Haus zu erhöhen.

> **Was ist Vital-Qi?**
> *Vital-Qi ist eine für den Menschen positive Energie. Es ist eine Art des Qi und wichtig für die Vitalfunktionen und die Abwehrfunktion des Immunsystems.*

Die Chinesen nennen Vital-Qi im menschlichen Körper **Wei-Qi**. Vital-Qi ist wichtig für die Vitalfunktionen und die Abwehrfunktionen des Immunsystems. Wir nehmen Vital-Qi über unsere Aura, unsere Atmung und unsere Nahrung auf. Wir nehmen sowohl Yang-Vital-Qi als auch Yin-Vital-Qi auf. Abhängig davon, ob eher ein Yang-Vital-Qi- oder Yin-Vital-Qi-Mangel vorliegt, können u. a. folgende Symptome und Beschwerden auftreten:

a) Yang-Vital-Qi-Mangel:
- Mattigkeit wie von schwüler Luft
- alte Wunden brechen auf und bluten wieder
- Zerstreutheit, Verdrießlichkeit
- bei Wetterwechsel Schmerzen in früher verletzten Körperteilen
- reißender Schmerz an kleinen, wechselnden Stellen
- Brustbeklemmung
- Herzrhythmusstörungen
- Heißhunger, aber schnell satt
- Stiche, krampfartiges Zusammenziehen, Kollern im ganzen Bauchraum
- Sterilität
- zu frühe Menstruation
- zu lange und zu starke Menstruation
- Fersenschmerz

- Schmerz in Hühneraugen
- Schmerz an Zehennägeln, wie eingewachsen
- Gefühl, als seien die Sehnen der Kniekehle zu kurz
- entzündliche und Ernährungs-Störungen an der Hand und an den Gelenken
- epitheliale Wachstumsanomalien (Schuppenflechte)
- Kältegefühl über den ganzen Körper, auch im warmen Zimmer
- Frostigkeit
- Durchschlafstörungen mit schwerem Schlaf gegen Morgen
- allgemeine Abwehrschwäche mit rezidivierenden Erkältungen und Hautjucken können auch durch Yang-Vital-Qi-Mangel mitbedingt sein.

b) Yin-Vital-Qi-Mangel:
- Tagesschläfrigkeit
- alte Wunden brechen auf und bluten wieder
- Krebs
- Gesichtsschweiß ohne Hitze
- Hitzegefühl über den ganzen Körper bei kalten Händen und/oder Füßen
- Gefühl, als ob ein Luftzug über den Körper bzw. einzelne Körperteile streiche
- Schlaf unruhig mit Reden, Singen und Schnarchen
- Schlaf auf dem Rücken, eine Hand unter dem Kopf

Warum es manchmal zu wenig Vital-Qi im Haus gibt

In der Natur ist im allgemeinen genügend Vital-Qi vorhanden. In **geschlossene Räume** gelangt Vital-Qi zusammen mit der Luft. Befinden sich im Haus keine Metalle in den Seitenwänden des 10-m- und 250-m-Systems, so ist in der Regel eine ausreichende Versorgung mit Vital-Qi im Inneren des Hauses gegeben.

Wenn sich Metalle in den Seitenwänden des **10-m-** bzw. **250-m-Systems** befinden und damit Trans-Sha auf uns einwirkt, hat dieses auch den fast vollständigen Verlust von Vital-Qi im Raum zur Folge. Das Vital-Qi, das bisher an die Luft gebunden war, wechselt dann auf den Träger des Trans-Sha und verschwindet nach kurzer Zeit in eine höhere Dimension. Metalle in den Seitenwänden des Hartmann- und 170-m-Systems haben einen ähnlichen, aber geringeren Effekt. Laufende **Fußbodenheizungen** aus Kupfer- oder Stahlröhren führen ebenfalls dazu, daß Vital-Qi verschwindet (bis zu 50 %)

Auch Vital-Qi kommt durch die Haustür

Zusätzliches Vital-Qi
Vital-Qi kann, ähnlich wie das zusätzliche Perm-Qi, aus einer höheren Dimension zusätzlich über geeignete Haustüren sowie Terrassentüren in geschlossene Räume gelangen. Dies ist in diesem Fall nur über Türöffnungen möglich, deren unterer Rand nicht mehr als 25 cm Differenz zum Fußboden der Innenräume haben darf. Die Tür muß jedoch, anders als beim zusätzlichen Perm-Qi beschrieben, tatsächlich geöffnet sein. **Fensterglas** läßt **kein** Vital-Qi in den geschlossenen Raum. **Acrylglas** läßt dagegen Vital-Qi auch bei geschlossener „Glastür" fast vollständig eintreten. Bis zum Fußboden reichende Fenster mit Acrylglas (unter 25 cm Abstand zum Boden) haben die gleiche Funktion.

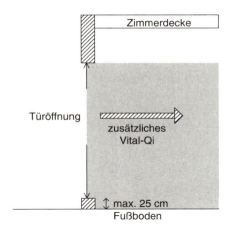

Durch geöffnete Türen, die ins Freie führen, kommt zusätzliches Vital-Qi ins Haus. Dabei darf jedoch der Abstand von der Türschwelle der Eingangstür oder sonstigen Außentür zum dahinterliegenden Fußboden des Hauses nicht größer als 25 cm sein.

Für Balkontüren gilt im Prinzip, was bereits für zusätzliches Perm-Qi beschrieben wurde. Zu beachten ist, daß statt Glas nur Acrylglas verwendet werden darf. Der Abstand von der Öffnung zum Boden darf allerdings wieder 25 cm statt 14 cm betragen.

Die Türmaße, die für die Versorgung mit zusätzlichem Vital-Qi im Haus günstig sind, sind die gleichen Maße, wie bereits beim zusätzlichen Perm-Qi beschrieben. Auch die Mindesthöhe und Mindestbreite sind gleich.

Wie sich zusätzliches Vital-Qi durch das Haus bewegt

Der Verlauf des zusätzlichen Vital-Qi im Haus ist ähnlich wie beim zusätzlichen Perm-Qi. Es ist zunächst nicht an die Luft gebunden. Wenn es sich – wieder durch geschickte Möbelplazierung unterstützt – durch das Haus bewegt, bindet es sich zum großen Teil an die zirkulierende Luft. Damit ist eine Erhöhung des im Haus befindlichen Vital-Qi möglich. So hat sich die Versorgung mit Vital-Qi auch für ältere Menschen und Kranke in jedem Fall erheblich verbessert.

Zusätzliches Vital-Qi verschwindet durchs Fenster
Auch das zusätzliche Vital-Qi strebt wie das zusätzliche Perm-Qi zum Licht und damit zum Fenster. In der Fensteröffnung verschwindet das zusätzliche Vital-Qi ebenfalls in eine höhere Dimension. Klangspiele verhindern diesen Vorgang nicht. Sie haben weder einen positiven noch einen negativen Einfluß auf Vital-Qi. **Gardinen**, **Vorhänge** oder **Pflanzen** vor dem Fenster können jedoch dafür sorgen, daß das Vital-Qi im Raum bleibt. Glücklicherweise kann zusätzliches Vital-Qi, anders als beim zusätzlichen Perm-Qi beschrieben, nicht durch die Toilette verschwinden.

Auch zusätzliches Vital-Qi verschwindet, wie oben beschrieben, durch **Metalle** in den Seitenwänden des 10-m- und 250-m-Systems in eine höhere Dimension.

Mehr Vital-Qi durch die Fresnel-Linse

Fresnel-Linsen können zur Erhöhung von Vital-Qi im Raum eingesetzt werden. Fresnel-Linsen können – im richtigen Winkel zur Horizontalen eingesetzt – Vital-Qi der 5. Dimension in Vital-Qi unserer Dimension beschleunigen. Der exakte Winkel zur Horizontalen beträgt 59,5 Grad. Dieser Winkel muß strikt beachtet werden. Ab einer Winkelabweichung von 1-2 Grad gelingt es nicht mehr, Vital-Qi über die Fresnel-Linse in den Raum zu holen. Bei einer Winkelabweichung von 7 Grad nach oben kommen sogar schädliche Energien aus der 5. Dimension in den Raum! Es ist nicht erforderlich, die Fresnel-Linse zu einer bestimmten Himmelsrichtung hin auszurichten.

Fresnel-Linse im Winkel
von 59,5 Grad

Vital-Qi-Erhöhung durch eine Fresnel-Linse

Vital-Qi, das über die Fresnel-Linse in den Raum kommt, verschwindet nicht mit dem Träger von Trans-Sha, das durch Metall aktiviert wurde, in einer höheren Dimension. Wie bereits beim Geo-Sha beschrieben, ist die Fresnel-Linse auch für diesen Zweck nur für ca. zwei Jahre nach Herstellungszeitpunkt wirksam und muß dann erneuert werden.

Vital-Qi aus der 5. Dimension durch die Fresnel-Linse
Ein 65jähriger Bauunternehmer war wegen Herzbeklemmungen in schulmedizinischer Behandlung. Trotzdem traten immer wieder insbesondere nächtliche Herzbeschwerden auf. Es stellte sich heraus, daß er seinen Schlafplatz in der nach Ost/West verlaufenden Seitenwand des 10-m-Systems hatte. Die Herzbeschwerden verschwanden erst dann vollständig, als er sich nach Verlegung des Schlafplatzes eine Fresnel-Linse im Winkel von 59,5 Grad in sein Schlafzimmer stellte.

EPS-Platten von oben „neutralisieren" Metalle
Stehen Metalle in der Seitenwand des 10-m- oder 250-m-Systems, ist es am besten, sie von oben mit EPS-Platten abzudecken, falls das Entfernen nicht möglich ist. Dies gilt im Prinzip auch für Metalle in den Seitenwänden des Hartmann- und 170-m-Systems und über Wasserführungen. Wenn Metalle nicht mit EPS-Platten von oben abgedeckt werden können, besteht auch die Möglichkeit, sie mit der Kombination EPS/Styropor/EPS-Platten von unten zu unterlegen (s. Kapitel 4 im Abschnitt „Kombination von Abschirmmaterialien" unter Sonderfälle).

Vital-Qi-Verlust durch Metalle im Nebenzimmer
Zu beachten ist, daß in Einzelfällen auch Metalle in einem Nebenzimmer Vital-Qi z. B. im Schlafzimmer reduzieren können, selbst wenn kein Trans-Sha durch die Zimmerwand dringt. In diesen Fällen kommt der Träger des Trans-Sha ohne die Energie selbst durch die Zimmerwand. Mit Biotensor oder Pendel erkennen Sie dies, wenn Sie nach dem Träger von Trans-Sha ohne die Energie selbst fragen: *„Kommen aus dem Nebenzimmer Träger ohne Trans-Sha, die Vital-Qi in relevantem Maße reduzieren?"*

Vital-Qi-Verlust durch Hochspannung
In Kapitel 6 im Abschnitt „Feng Shui und Elektrosmog" haben wir bereits darauf hingewiesen, daß elektromagnetische Felder auch Einfluß auf feinstoffliche Energien haben. Wesentlich ist dabei der Einfluß auf Vital-Qi. In der Nähe von Hochspannungsleitungen und Bahnstromanlagen finden wir in einem Radius bis zu 40 m eine deutliche Minderung von Vital-Qi.

Sorgen Sie für genügend Vital-Qi!

Sie haben jetzt einiges über den Fluß von Vital-Qi im Haus gelesen und über die Möglichkeiten, aufnehmbares Vital-Qi zu erhöhen. Nun wird es Sie sicher interessieren, wie Sie mit Biotensor oder Pendel kontrollieren können, ob Ihr individueller Bedarf an aufnehmbarem Vital-Qi gedeckt ist oder ob Sie ggfs. Maßnahmen zur Erhöhung des aufnehmbaren Vital-Qi ergreifen müssen.

Grundlage für die Messung von aufnehmbarem Vital-Qi ist der individuelle Bedarf

Wie beim aufnehmbaren Perm-Qi fragen wir, ob der individuelle Bedarf insbesondere über Nacht im Schlafzimmer gedeckt ist oder nicht. Ist der individuelle Bedarf nicht gedeckt, fragen wir, welche Maßnahmen wir ergreifen sollten, um den individuellen Bedarf an aufnehmbarem Vital-Qi zu decken. Sie können dies natürlich auch für das Arbeitszimmer tagsüber fragen.

Ermittlung des individuellen Bedarfs an aufnehmbarem Vital-Qi auf der 2. und 10. Ebene

Es hat sich bewährt, bei der Bedarfsbestimmung die unterschiedlichen Ebenen des aufnehmbaren Vital-Qi zu berücksichtigen. In der Regel ist es ausreichend, die Bedarfsbestimmung auf der 2. Ebene und auf der 10. Ebene vorzunehmen.

1) Ermittlung des individuellen Bedarfs
Sinnvollerweise führen Sie die Messung im Schlafzimmer durch. Sie fragen: *„Ist ... (Name der Person) über Nacht in diesem Zimmer ausreichend mit aufnehmbarem Vital-Qi auf der 2. und 10. Ebene versorgt?"* Wenn Sie auf diese Frage ein JA bekommen, haben Sie kein Vital-Qi-Defizit. Sie müssen keine Maßnahme zur Vital-Qi-Erhöhung ergreifen. Erhalten Sie jedoch ein NEIN, fahren Sie mit Abschnitt 2) fort.

2) Vital-Qi-Erhöhung durch die Fresnel-Linse im 59,5-Grad-Winkel

Fragen sie als nächstes: *„Ist eine* **Fresnel-Linse** *in diesem Zimmer ausreichend, um das Vital-Qi-Defizit von ... (Name der Person) auszugleichen?"*

Haben Sie auf Ihre Frage ein JA bekommen, stellen Sie eine Fresnel-Linse im Winkel von 59,5 Grad im Schlafzimmer auf. Das Vital-Qi-Defizit bei Nacht am Schlafplatz ist jetzt ausgeglichen.

Haben Sie ein NEIN bekommen, ist es erforderlich, EPS-Platten über alle problematischen Metalle zu legen.

Kapitel 8

Die „Fünf Elemente" und die Aura des Hauses

Wu Xing:
Die Fünf Wandlungsgesetze

Als die Europäer Ende des 19. Jahrhunderts begannen, sich intensiver mit der chinesischen Kultur auseinanderzusetzen, versuchten sie, chinesisches Gedankengut mit westlichem zu vergleichen oder zu verknüpfen. Im Westen bekannt waren die vier Elemente Luft, Feuer, Wasser und Erde. Bei oberflächlicher Betrachtung erschien einigen westlichen Forschern eine Verbindung oder Entsprechung dieser vier Elemente mit den chinesischen Fünf Wandlungsgesetzen gegeben zu sein. Wu Xing wurde deshalb im Westen oft als „Fünf Elemente" übersetzt. Obwohl mittlerweile bekannt ist, daß die vier Elemente der griechischen Philosophie nicht direkt mit den Wu Xing vergleichbar sind, hat sich bis heute die Übersetzung Fünf Elemente (oder auch Fünf Qualitäten) gehalten. Wir wollen im folgenden jedoch bei dem chinesischen Begriff Wu Xing oder der deutschen Übersetzung „5 Wandlungsgesetze" bleiben, um Mißverständnissen vorzubeugen.

Die Fünf Wandlungsgesetze Wu Xing sind fünf verwandte Mechanismen aus der 5. Dimension, die sich auf unterschiedliche Energien, Träger und Strukturen der 3. Dimension auswirken. Es sind gewissermaßen Naturgesetze* der 5. Dimension. Die einzelnen Wandlungsgesetze stehen in ganz bestimmter Wechselwirkung zueinander. Sie beeinflussen unsere Gesundheit, unsere geistigen Funktionen, unsere Stimmungen und astrologische Gegebenheiten.

Die Chinesen haben den Fünf Wandlungsgesetzen Namen von Materialien gegeben, die das jeweilige Wandlungsgesetz (Wandlungsmechanismus) aktivieren.

Diese Materialien heißen im Chinesischen:
- **Mu** (Holz)
- **Huo** (Feuer)
- **Tu** (Erde)
- **Jin** (Metall, eigentlich Gold)
- **Shui** (Wasser)

---

* Die fünf Wandlungsgesetze wirken sich genauso real auf unsere 3. Dimension aus, wie die aus der Physik bekannten Naturgesetze, z. B. Schwerkraft und Elektromagnetismus.

Die Bedeutung der Fünf Wandlungsgesetze für unsere Gesundheit

Die traditionelle chinesische Medizin basiert in ihrer Diagnostik und Therapie sowohl auf dem Wechselspiel von Yin und Yang als auch auf den Fünf Wandlungsgesetzen. Über die Fünf Wandlungsgesetze besteht die Möglichkeit, auf alle körperlichen und auch geistigen Funktionen Einfluß zu nehmen. Dabei sind neben einer ausgewogenen Ernährung und entsprechender körperlich-geistiger Aktivität die Qualitäten der Energien im Raum von großer Bedeutung.

Materialien aktivieren die Fünf Wandlungsgesetze

Feng Shui analysiert die Qualitäten der verschiedenen Energien in einem Raum in bezug auf die Fünf Wandlungsgesetze und zeigt eine Reihe von Möglichkeiten auf, Einfluß auf diese Energiequalitäten zu nehmen. Dies ist u. a. über bestimmte **Materialien** möglich. Der richtige Einsatz dieser Materialien bringt unsere Körperfunktionen wieder ins Gleichgewicht. Auch unsere geistigen Funktionen werden hierdurch positiv beeinflußt und unterstützt.

Die Energien in einem Raum sind normalerweise in allen fünf Wu-Xing-Qualitäten vorhanden. Dabei können die einzelnen Qualitäten jedoch in sehr unterschiedlichem Ausmaß vorliegen. Einzelne Personen und bestimmte Tätigkeiten benötigen jedoch häufig ein anderes Mischungsverhältnis der Wu-Xing-Qualitäten. Darauf kann Einfluß genommen werden: wenn eine bestimmte Energiequalität in einem Raum gestärkt werden soll, bringt man das hierfür geeignete Material ins Zimmer. Wir möchten Ihnen zunächst einen Überblick über geeignete Materialien und deren Wirkungsweise geben.

Wie das Material Holz das Wandlungsgesetz Holz aktiviert

Wenn man einen Gegenstand aus Holz zusätzlich in einen Raum bringt, beginnt das **Wandlungsgesetz Holz** aktiv zu werden. Die **Energiequalität Holz** wird verstärkt. Hellsichtige Personen sehen diese Energiequalität in grüner Farbe. Diese Personen bemerken um den zugefügten Gegenstand herum einen grünen Nebel. Die Chinesen ordneten daher der Energiequalität Holz die **Farbe Grün** zu.

Wie Feuer das Wandlungsgesetz Feuer aktiviert

Entzündet man ein Feuer in einem Raum (z. B. als Kerzenflamme oder Kaminfeuer), so beginnt das **Wandlungsgesetz Feuer** aktiv zu werden. In diesem Fall wird die **Energiequalität Feuer** verstärkt. Hellsichtige Personen sehen diese Energiequalität in roter Farbe. Die Chinesen haben logischerweise der Energiequalität Feuer auch die **Farbe Rot** zugeordnet.

Wie das Material Erde das Wandlungsgesetz Erde aktiviert
Wenn man Erde zusätzlich in einen Raum bringt, beginnt das **Wandlungsgesetz Erde** aktiv zu werden. Die **Energiequalität Erde** nimmt zu. Hellsichtige Personen sehen diese Energiequalität in gelblicher bis hellbrauner Farbe. Die Chinesen haben also der Energiequalität Holz die **Farbe Gelb** zugeordnet.

Wie das Material Metall das Wandlungsgesetz Metall aktiviert
Bringt man zusätzlich einen Gegenstand aus Metall in einen Raum, so beginnt das **Wandlungsgesetz Metall** aktiv zu werden. In diesem Fall hat die **Energiequalität Metall** zugenommen. Hellsichtige Personen sehen diese Energiequalität in weißlicher Farbe. Der Energiequalität Metall ordneten die Chinesen deshalb die **Farbe Weiß** zu.

Wie Wasser das Wandlungsgesetz Wasser aktiviert
Wird Wasser zusätzlich in einen Raum gebracht, beginnt das **Wandlungsgesetz Wasser** aktiv zu werden. Die **Energiequalität Wasser** tritt jetzt vermehrt auf. Hellsichtige Personen sehen diese Energiequalität in blauer Farbe. Die Chinesen haben der Energiequalität Wasser die **Farbe Blau** zugeordnet.

Auch andere Materialien aktivieren die Wandlungsgesetze

Im folgenden wollen wir näher auf die Materialien eingehen, die den jeweiligen Wandlungsgesetzen ihren Namen gegeben haben. Neben diesen gibt es weitere Materialien, die die Wandlungsgesetze ebenfalls aktivieren. Wir wollen ab sofort beide Arten von Materialien **Wandlungsmaterialien** nennen. Die Wandlungsmaterialien können bereits beim Hausbau gezielt eingesetzt werden, um bestimmte Qualitäten verstärkt zur Geltung kommen zu lassen. Im fertigen Haus können Einrichtungsgegenstände oder auch Zierat bewußt plaziert werden und dabei auch jederzeit den aktuellen Gegebenheiten angepaßt werden. Beim Einsatz von Wandlungsmaterialien ist darauf zu achten, daß fast alle von Menschen geschaffenen oder bearbeiteten Wandlungsmaterialien eine begrenzte „Lebensdauer" haben. Dies heißt, daß sie nur eine begrenzte Zeit das jeweilige Wandlungsgesetz aktivieren können.

Wandlungsmaterial Holz

Bereits beim Hausbau wurde insbesondere in früherer Zeit viel Holz verwendet. Auch heute noch sind außer dem Dachstuhl häufig Fensterrahmen, Türzargen, Fußböden, Decken- und Wandverkleidungen aus Massivholz. Einrichtungsgegenstände wie Stühle, Tische und Schränke sind gänzlich oder teilweise aus Holz. Weiterhin sind aus Holz z. B. Statuen, andere Schnitzereien, Schalen, Kästchen, aber auch Weidenkörbe. Auch Kork aktiviert das Wandlungsgesetz Holz. Spanplatten sind zumindest teilweise aus Holz.

Lebende Pflanzen, Gardinen oder Fußbodenbeläge aus Baumwolle oder anderen Pflanzenfasern aktivieren ebenfalls das Wandlungsgesetz Holz. Getrocknete Pflanzen und Zierkürbisse, Bücher und Zeitschriften, Früchte oder Gebäck können zumindest zeitlich begrenzt das Wandlungsgesetz Holz aktivieren.

Lebensdauer der Holz-Wandlungsmaterialien
- Holz: 40 Jahre
- Holzparkett: 40 Jahre
- Korkparkett: 40 Jahre
- Weidenkörbe: 5 bis 7 Jahre
- Gardinen oder Fußbodenbeläge aus Baumwolle oder anderen Pflanzenfasern: ca. 2 Jahre
- Spanplatten: ca. 2 Jahre
- getrocknete Pflanzen und Zierkürbisse: ca. 1 Jahr
- Bücher und Zeitschriften: 1 Jahr (ein Aufbewahrungsort für aktuelle Zeitschriften, die regelmäßig ersetzt werden, wäre somit im Prinzip auch längerfristig geeignet, da dadurch die zeitliche Begrenzung aufgehoben wird)

Wandlungsmaterial Feuer

Offenes Feuer ist heutzutage in Innenräumen selten anzutreffen.

Das Wandlungsgesetz Feuer wird jedoch heute auch durch Flachglas (nicht geblasenes Glas) aktiviert. Flachglas wird z. B. für Scheiben in Fenstern, Türen, Schränken und verglasten Bildern verwendet. Flachglas wird auch eingesetzt für Regalböden, Tischplatten und zur Abdeckung von Tischen und Schränkchen.

Flachglas in Spiegeln ist eine Kombination mit Metall und sollte immer auch in Hinblick auf die Wirkung durch zusätzliches Metall betrachtet werden. Außerdem sind bei Spiegeln die Spiegelmaße wie auch mögliche Probleme durch Trans-Sha durch den Metallanteil zu berücksichtigen. Für Spiegelmaße gelten die gleichen

Maße wie für Haustüren (siehe Kapitel 7 im Abschnitt „Perm-Qi"). Weitere Einzelheiten können Sie unter dem Stichwort „Spiegelmaße" im Glossar im Anhang finden.
Auch Kieselsteine aktivieren das Wandlungsgesetz Feuer.

Lebensdauer der Feuer-Wandlungsmaterialien
- Kieselsteine: praktisch unbegrenzt
- Flachglas: 20 bis 45 Jahre
- Flachglas: bei Spiegeln ca. 20 Jahre
- Kerzenflamme und Kaminfeuer: solange sie brennen

Wandlungsmaterial Erde

Als Wandlungsmaterial Erde zählt auch Blumenerde, wobei Pflanzenrückstände zusätzlich das Wandlungsmaterial Holz darstellen können.

Andere Materialien, die das Wandlungsgesetz Erde aktivieren, sind Natursteine, Ziegelsteine und Beton. Beachten Sie jedoch bitte den Metallanteil bei Monier-Beton (Stahl-Beton). Auch Kristalle (Edelsteine), Porzellan, Keramik, Wolle, Leder bzw. Felle und Kunststoffe gehören dazu.

Kunststoffe finden in unserer heutigen Inneneinrichtung vielfache Verwendung. Achten Sie z. B. auch auf Kunstoffbeschichtung von Möbeln.

Lebensdauer der Erde-Wandlungsmaterialien
- Kristalle (Edelsteine): unbegrenzt
- Natursteine: praktisch unbegrenzt
- Porzellan: 80 bis 110 Jahre
- Ziegelsteine: 80 Jahre
- Leder und Felle: 50 bis 60 Jahre
- Keramik: 50 Jahre
- Monier-Beton (Stahl-Beton): 30 Jahre
- Wollteppiche und andere Wolltextilien: 30 Jahre
- Kunststoffe: 20 bis 25 Jahre*
- Naturseide: 10 bis 20 Jahre
- Stearinkerzen: 2 Jahre
- Bienenwachs: 1 Jahr

---

* Kunststoffbeschichtete Möbel auf Spanplattenbasis sind ab einem Alter von ca. 2 Jahren lediglich Wandlungsmaterial Erde

Wandlungsmaterial Metall

Zum Wandlungsmaterial Metall gehören Metalle aller Art. Die stärkste Wirkung hat Gold. Für den chinesischen Begriff Jin ist neben „Metall" auch die Übersetzung „Gold" möglich. Sowohl beim Hausbau als auch bei der Inneneinrichtung wird seit einigen Jahrzehnten viel Metall verwendet.

Seien Sie bitte mit der Plazierung von Metallen insbesondere im Schlafbereich äußerst vorsichtig, da häufig schwerwiegende Gesundheitsstörungen durch Trans-Sha auftreten. Dies gilt auch für die Plazierung von Spiegeln, die die Wandlungsmaterialien Metall und Feuer (durch Flachglas) darstellen. Normalerweise ist von der Plazierung von Spiegeln im Schlafbereich generell abzuraten.

Lebensdauer der Metall-Wandlungsmaterialien
- Goldbarren: ca. 120 Jahre
- Goldringe: ca. 80 bis 90 Jahre
- Stahl: 25 bis 50 Jahre
- Eisen: 40 Jahre
- Messing: 35 Jahre
- Blei: 25 Jahre
- Aluminium: 14 Jahre
- Quecksilber (z. B. in Thermometern): 12 Jahre
- Kupfer: 11 Jahre
- Zinn: 11 Jahre
- Bronze: 10 Jahre
- Spiegelbeschichtung: ca. 9 Jahre.
- Silber: 6 bis 10 Jahre

Wandlungsmaterial Wasser

Das ideale Wandlungsmaterial Wasser ist Wasser selbst und zwar in verwirbelnder Form, z. B. als Springbrunnen. Aber auch unbewegtes Wasser kann das Wandlungsgesetz Wasser aktivieren, am besten, wenn es offen steht.

Zusätzlich wird das Wandlungsgesetz Wasser durch geblasenes Glas (Trinkgläser, Glasschalen, Glasvasen, Glasfiguren u. ä.) aktiviert.

Lebensdauer der Wasser-Wandlungsmaterialien
- geblasenes Glas: ca. 20 Jahre

Die Aura des Hauses und ihre Strukturen

Äußere Aura-Strukturen

Wie der Mensch besitzt auch das Haus eine Aura; diese unterteilt sich in zwei äußere Hüllen. Die Hüllen haben eine Schutzfunktion für Haus und Bewohner. Der komplette Aufbau der Aura des Hauses erfolgt erst ab einer bestimmten Hausgröße. Das Mindestvolumen des Hauses hierfür muß ca. 180 Kubikmeter sein, die Mindesthöhe und Mindestbreite ca. 4 m.

Die Dicke dieser Hüllen und ihr Abstand vom Haus ist unabhängig von der Grundfläche und Höhe des Hauses, d. h. die Maße sind konstant. Wir finden (von innen betrachtet) die erste Hülle in einem Abstand zum Haus von 130 cm bis 170 cm, also mit einer Dicke von 40 cm. Die zweite Hülle finden wir von 310 cm bis 440 cm, sie ist also ca. 130 cm dick. Bei Betonhäusern können sich die Hüllen jeweils zwischen 30 und 40 cm nach außen verschieben.

Diese Hüllen sind nicht nur um die Seitenwände des Hauses zu finden, sondern auch unter dem Haus mit Einschluß des Kellers. Die Abstände vom Boden des Kellers sind nach unten für die erste Hülle auch 130 bis 170 cm, für die zweite Hülle 310 bis 440 cm unter Berücksichtigung der oben beschriebenen Besonderheiten bei Beton.

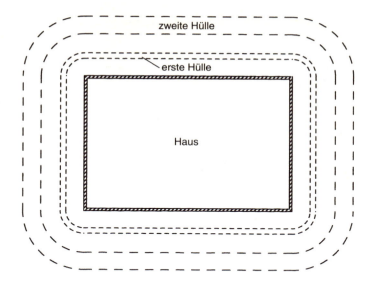

Äußere Aura-Strukturen des Hauses

Innere Aura-Strukturen

Die Aura des Hauses besitzt in ihrem Inneren bestimmte Strukturen, die sowohl für die Verteilung als auch für die Aufnehmbarkeit von Energien und Informationen wichtig sind. Die Aura des Menschen ist mit dieser inneren Aura-Struktur verbunden. Die **Geistanteile** des Menschen können sich nicht nur in der Aura des Menschen bewegen, sondern auch in den Strukturen der inneren Aura des Hauses.

Wir finden u. a. eine **sektorförmige Struktur**, deren Sektoren sich sternförmig bis zur ersten Hülle der Aura ausdehnen.

Sektorförmige Aura-Struktur

Im Inneren des Hauses bildet sich eine räumliche, sektorförmige Struktur mit 48 Sektoren (gewissermaßen Tortenstücken), die einen gleichgroßen Winkel besitzen. Diese Sektoren breiten sich von der Mitte sternförmig bis zur inneren Hülle des Hauses aus. Der Bewegungsbereich der Geistanteile des Menschen umfaßt die gesamte sektorförmige innere Aura-Struktur.

Die Sektoren sind für die Verteilung und Aufnehmbarkeit von Energien und Informationen im Haus wichtig. Dabei werden nach unterschiedlichen Kriterien teilweise mehrere benachbarte Sektoren gleichartig benutzt. Die Art der Verteilung und Aufnehmbarkeit der Energien und Informationen hat Einfluß auf unsere Gesundheit, das Familienleben wie auch auf wirtschaftlichen Erfolg und spirituelles Wachstum. Wir wollen uns in diesem Buch mit den Sektoren befassen, die für unsere Gesundheit von Bedeutung sind. In nachfolgenden Bänden werden weitere Aspekte der Aura-Struktur des Hauses behandelt.

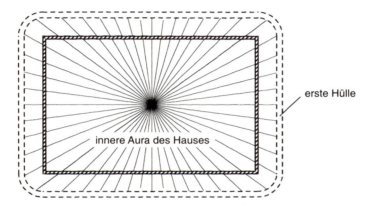

Die sektorförmige Aura-Struktur besteht aus 48 Sektoren.

Die Projektion der Sektoren auf den Grundriß des Hauses

Wenn der Grundriß des Hauses kein Rechteck ist, wird er zu einem gedachten Rechteck ergänzt. Vom Mittelpunkt dieses Rechteckes projizieren sich die Sektoren auf die Grundfläche des Hauses.

Betrachtet man ein Haus räumlich, so wird bei Häusern, die nicht quaderförmig sind, die Form des Hauses so zum gedachten Quader ergänzt, daß sich alle Teile des Hauses im Quader befinden.

Der Mittelpunkt, von dem sich die Sektoren auf die Grundfläche der einzelnen Etagen projizieren, liegt dann in der Mitte des Quaders, in dem sich das Gesamthaus befindet.

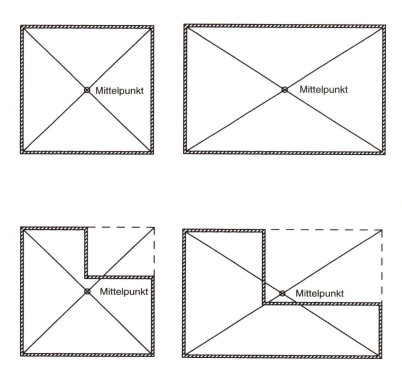

Der Mittelpunkt der sektorförmigen Aura-Struktur im Haus ist der Mittelpunkt des quadratischen oder rechteckigen Grundrisses. Bei Aussparungen wird der Grundriß zum Quadrat oder Rechteck ergänzt.

Kapitel 9

Die acht Trigrammsektoren

Die acht Trigramme und ihre Sektoren

Für die Gesundheit des Menschen sind die acht **Trigrammsektoren** von besonderer Bedeutung. Jeweils sechs Sektoren der inneren Aura-Struktur des Hauses sind hier als eine Einheit zusammengefaßt. Die acht Trigrammsektoren umfassen jeweils einen Winkel von 45 Grad. Ihre Mitte ist in Mitteleuropa jeweils auf ca. 2,6 Grad westlich der geographischen Haupt- bzw. Zwischenhimmelsrichtungen ausgerichtet. Die geographische Nordrichtung finden Sie im allgemeinen auf Lageplänen, Stadtplänen und Landkarten angegeben. Jedem Trigramm wird ein Trigrammsektor zugeordnet.

Die acht Trigramme leiten sich vom Prinzip des **Yin** und **Yang** ab. Die Chinesen verwenden traditionell horizontale Linien, um Yin und Yang abzubilden. Eine durchgehende horizontale Linie symbolisiert Yang, eine unterbrochene Linie Yin. (Eine kurze Beschreibung der Qualitäten von Yin und Yang haben wir in Kapitel 5 im Abschnitt „Yang-Erkrankungen über Verwerfungszonen" gegeben.) Die acht Trigramme bestehen aus einer Kombinationen von jeweils drei dieser horizontalen Linien. Die Verteilung der acht Trigramme auf die oben erwähnten Sektoren der inneren Aura-Struktur des Hauses wird auch **Bagua** genannt.

Die acht Trigramme und ihre Sektoren (Übersicht)

Trigramm	*Sektor* im Haus*	*Himmelsrichtung*
Kan	337,5–22,5 Grad	Norden
Gen	22,5–67,5 Grad	Nordosten
Zhen	67,5–112,5 Grad	Osten
Sun	112,5–157,5 Grad	Südosten
Li	157,5–202,5 Grad	Süden
Kun	202,5–247,5 Grad	Südwesten
Dui	247,5–292,5 Grad	Westen
Qian	292,5–337,5 Grad	Nordwesten

---

* Die angegebene Gradzahl bezieht sich in Mitteleuropa auf eine Ausrichtung von ca. 2,6 Grad westlich des geographischen Nordpols.

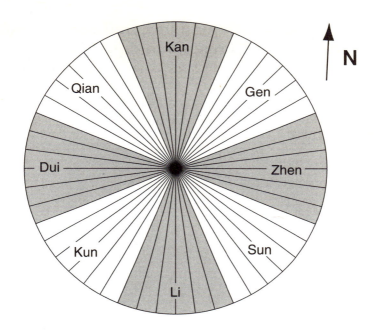

*Die acht Trigramme und ihre Sektoren
(Kopiervorlage im Anhang auf S. 273)*

Neben der Zuordnung von Himmelsrichtungen bzw. Sektoren zu den acht Trigrammen ist jedem Trigramm auch eines der fünf Wandlungsgesetze (Wu Xing) zugeordnet. Darüber hinaus kennt die traditionelle chinesische Medizin die Beziehungen zwischen den Akupunkturmeridianen, den Wu Xing und den acht Trigrammen. Aus diesen Beziehungen kann sich in einem Trigrammsektor für einen bestimmten Personenkreis eine Neigung zu bestimmten Erkrankungen ergeben.

Die acht Trigramme und ihre Beziehungen zu den Himmelsrichtungen und dem Wu Xing

Kan
Das Trigramm Kan besteht (immer von oben nach unten gesehen) aus einer unterbrochenen, einer durchgehenden und einer unterbrochenen Linie.

Wu Xing: Wasser
Meridian: Niere, Blase

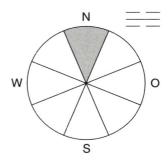

Sektor des Hauses: Norden

Gen
Das Trigramm Gen besteht aus einer durchgehenden und zwei unterbrochenen Linie(n).

Wu Xing: Erde (weich)
Meridian: Magen, Milz-Pankreas

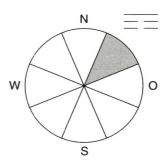

Sektor des Hauses: Nordosten

Zhen

Das Trigramm Zhen besteht aus zwei unterbrochenen und einer durchgehenden Linie(n).

Wu Xing: Holz (hart)
Meridian: Kreislauf, Dreifacherwärmer

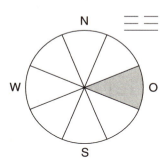

Sektor des Hauses: Osten

Sun

Das Trigramm Sun besteht aus zwei durchgehenden und einer unterbrochenen Linie(n).

Wu Xing: Holz (weich)
Meridian: Leber, Gallenblase

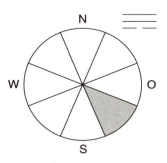

Sektor des Hauses: Südosten

Li

Das Trigramm Li besteht aus einer durchgehenden, einer unterbrochenen und einer durchgehenden Linie.

Wu Xing: Feuer
Meridian: Herz, Dünndarm

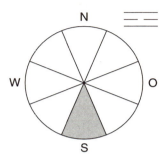

Sektor des Hauses: Süden

Kun

Das Trigramm Kun besteht aus drei unterbrochenen Linien.

Wu Xing: Erde (hart)
Meridian: Lenker- und Konzeptionsgefäß

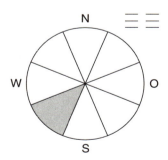

Sektor des Hauses: Südwesten

Dui

Das Trigramm Dui besteht aus einer unterbrochenen und zwei durchgehenden Linie(n).

Wu Xing: Metall (weich)
Meridian: Dickdarm, Lunge

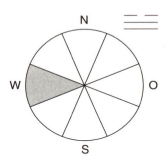

Sektor des Hauses: Westen

Qian

Das Trigramm Qian besteht aus drei durchgehenden Linien.

Wu Xing: Metall (hart)
Meridian: Lenker- und Konzeptionsgefäß

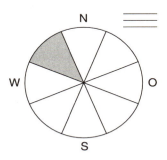

Sektor des Hauses: Nordwesten

Trigrammsektoren können Ihre Gesundheit beeinflussen

In der westlichen Literatur wird viel über psychologische Aspekte der chinesischen Tierzeichen geschrieben. Uns interessieren hier aber konkrete gesundheitliche Aspekte, die darüber entscheiden, ob es günstig oder ungünstig ist, in einem bestimmten Trigrammsektor zu schlafen.

Die chinesischen Tierzeichen des Jahres

Die chinesische Astrologie kann uns helfen festzustellen, welcher Trigrammsektor für unsere Gesundheit problematisch sein kann. In der chinesischen Astrologie kommt der Bewegung des Planeten Jupiter eine besondere Bedeutung zu. Der Jupiter bewegt sich in zwölf Jahren einmal um die Sonne. Dabei legt er in einem Jahr ca. ein Zwölftel seines Weges zurück. Jedem Zwölftel seines Umlaufs um die Sonne und damit jedem Jahr ordnen die Chinesen ein Tierzeichen zu. Diese Tierzeichen sind nicht zu verwechseln mit den westlichen Tierkreiszeichen. Die Chinesen benennen die Jahre nach folgenden Tieren:

- *Tiger*
- *Hase (oder Kaninchen)*
- *Drache*
- *Schlange*
- *Pferd*
- *Ziege (oder Schaf)*
- *Affe*
- *Hahn*
- *Hund*
- *Wildschwein (oder Schwein)*
- *Ratte*
- *Büffel (oder Ochse)*

Kapitel 10 beschäftigt sich mit den Tierzeichen des Jahres.

Die chinesischen Tierzeichen des Monats

Die Chinesen ordnen nicht nur den Jahren, sondern auch den Monaten die gleichen Tierzeichen zu. Dabei kennen die Chinesen zwei Monatszählungen. Zum einen gibt es die Zählung von zwölf Monaten (Abschnitten) in einem Sonnenjahr. Hier sind die Monate gleich lang und beginnen immer zum gleichen Sonnenstand. Zum anderen benutzen sie auch den Mondkalender. Dabei wird das Jahr in zwölf Mondmonate eingeteilt, wobei alle zwei bis drei Jahre ein Schaltmonat nach einem bestimmten System zugefügt wird. Dies ist erforderlich, da die Zeitspanne von Neumond zu Neumond nur etwas mehr als 29,5 Tage beträgt. Der Schaltmonat wird dem gleichen Tierzeichen wie der vorangehende Mondmonat zugerechnet.

Wie finde ich mein chinesisches Tierzeichen des Monats?

Wenn Sie Ihr chinesisches Tierzeichen des Mondmonats suchen, schlagen Sie zunächst in der im Anhang beigefügten Tabelle das Jahr auf, in dem Sie geboren sind. Dabei ist zu beachten, daß das chinesische Mondjahr nicht am 1. Januar beginnt wie unser westliches Sonnenjahr, sondern mit dem 2. Neumond nach der Wintersonnenwende. Mit diesem 2. Neumond nach der Wintersonnenwende beginnt auch der 1. chinesische Mondmonat des Jahres. Die jeweiligen Anfangsdaten für die Mondmonate des betreffenden Jahres entnehmen Sie ebenfalls der Tabelle. Sie können also Ihr Geburtsdatum eindeutig einem chinesischen Mondmonat zuordnen. Liegt Ihr Geburtstag am ersten Tag eines chinesischen Mondmonats, sollten Sie auch Ihre Geburtszeit beachten und vergleichen, um wieviel Uhr der betreffende Mondmonat wirklich begann.

Sie haben nun über den Mondmonat Ihrer Geburt Ihr Tierzeichen des Monats gefunden. Nun gilt es, dieses Tierzeichen in Beziehung zu einem der acht Trigramme zu setzen. Dies ist an Hand der folgenden Tabelle einfach möglich:

Chinesisches Tierzeichen des Mondmonats	Persönliches Trigramm des Mondmonats	Beginn des Mondmonats im*
01. Tiger	Zhen	Januar oder Februar
02. Hase (oder Kaninchen)	Sun	Februar oder März
03. Drache	Kun	März oder April
04. Schlange	Li	April oder Mai
05. Pferd	Li	Mai oder Juni
06. Ziege (oder Schaf)	Frauen: Gen, Männer: Kun	Juni oder Juli
07. Affe	Qian	Juli oder August
08. Hahn	Dui	August oder September
09. Hund	Kun	September oder Oktober
10. Wildschwein (oder Schwein)	Kan	Oktober oder November
11. Ratte	Kan	November oder Dezember
12. Büffel (oder Ochse)	Gen	Dezember oder Januar

---

* Die genauen Anfangs- und Enddaten der einzelnen Mondmonate entnehmen Sie bitte der Tabelle im Anhang auf Seite 258 ff.

Sind Sie beispielsweise im Monat **Drache** geboren, ist Ihr Trigramm **Kun**. Sind Sie im Monat **Hahn** geboren, ist Ihr Trigramm **Dui**. Sind Sie weiblich und im Monat **Ziege** geboren, ist Ihr Trigramm **Gen**, sind Sie männlich und im Monat **Ziege** geboren, ist Ihr Trigramm **Kun**.

Sie haben nun über das Tierzeichen des Geburtsmonats Ihr Trigramm gefunden. Nun möchten Sie sicher wissen, was dieses Trigramm mit der Wahl Ihres Schlafplatzes zu tun haben soll.

Neigung zu bestimmten Erkrankungen

Ca. 12 % der Menschen haben, zumindest in bestimmten Altersabschnitten, eine Neigung zu bestimmten Erkrankungen, wenn sie in einem für sie ungünstigen Trigrammsektor schlafen. Dies bedeutet, daß diese Personen sorgfältig darauf achten sollten, in welchen Sektor des Hauses sie ihr Schlafzimmer legen. Die ungünstigen Sektoren lassen sich aus dem persönlichen Trigramm des Mondmonats herleiten. Bevor wir darauf eingehen, welche Trigrammsektoren für eine Person mit einem bestimmten persönlichen Trigramm des Mondmonats ungünstig sind, sollten wir mit Biotensor oder Pendel erst klären, ob die betreffende Person überhaupt in einem solchen Trigrammsektor erkranken kann (disponiert ist).

Wenn Sie sich bei der Arbeit mit Biotensor oder Pendel sicher sind, fragen Sie konkret: *„Bin ich generell auf Grund meines Geburtsmonats für Trigramm-bezogene Erkrankungen disponiert, wenn ich in einem der entsprechenden Sektoren schlafe?"*

Bekommen Sie ein NEIN, können Sie gegebenenfalls Ihr Ergebnis von einer zweiten Person überprüfen zu lassen, die ebenfalls gut und sicher mit dem Biotensor oder Pendel arbeiten kann. Die Frage würde dann lauten: *„Ist ... (Name) generell auf Grund seines/ihres Geburtsmonats für Trigramm-bezogene Erkrankungen disponiert, wenn er/sie in einem der entsprechenden Sektoren schläft?"*

Hat auch diese Person ein NEIN bekommen, gehören Sie nicht zu der Gruppe der disponierten Personen. Sie können also unter diesem Gesichtspunkt Ihr Schlafzimmer in jedem der Trigrammsektoren haben. Sie gehören also zu den 88 % der Personen, die keine Probleme mit diesem Trigrammaspekt haben.

Wenn Sie ein JA bekommen, machen Sie weiter mit dem nächsten Abschnitt.

Prüfen Sie, welcher Trigrammsektor für Sie ungünstig ist
Es können für Sie ein oder mehrere Sektoren in Betracht kommen. In der folgenden Liste sind für jedes persönliche Trigramm alle möglichen problematischen Sektoren mit der entsprechenden Krankheitswahrscheinlichkeit angegeben. Zu jedem Sektor ist außerdem angegeben, ob eher Frauen oder eher Männer betroffen sind. Auch die Altersgruppe, die am ehesten von den entsprechenden Krankheiten betroffen ist, ist aus der Liste zu ersehen. Lassen Sie uns zunächst erläutern, welche Bedeutung die einzelnen Angaben haben.

Krankheitswahrscheinlichkeit: Die Krankheitswahrscheinlichkeiten haben wir mit den Buchstaben A bis E angegeben. Sie können an Hand der Buchstaben folgende Abschätzung vornehmen: Von 100 Personen, die in diesem Zusammenhang erkranken, erkranken:

50% im Sektor mit der Wahrscheinlichkeit A,
20% im Sektor mit der Wahrscheinlichkeit B,
13% im Sektor mit der Wahrscheinlichkeit C,
10% im Sektor mit der Wahrscheinlichkeit D und
7% im Sektor mit der Wahrscheinlichkeit E.

Geschlecht: Hier finden Sie angegeben, ob häufiger Frauen oder Männer betroffen sind. Finden Sie die Angabe Frauen, sind zu zwei Dritteln Frauen und zu einem Drittel Männer betroffen. Finden Sie die Angabe Männer, ist die Verteilung umgekehrt, d. h. zu zwei Dritteln Männer und zu einem Drittel Frauen.

Alter: In diesem Zusammenhang werden verschiedene Altersabschnitte unterschieden:
0) Ungeborene
1) 0 bis 16 Jahre
2) 16 bis 32 Jahre
3) 32 bis 48 Jahre
4) 48 bis 65 Jahre
5) ab 65 Jahre

Die Angabe eines bestimmten Altersabschnittes bedeutet, daß von 100 erkrankten Personen 70 % in diesem Altersabschnitt erkranken, 20 % im Abschnitt darunter, 10 % im Abschnitt darüber.

Erkrankungen: Da wir an dieser Stelle nicht die Grundprinzipien der traditionellen chinesischen Medizin erklären können, haben wir uns bemüht, die typischen Krankheitssymptome und Befindlichkeitsstörungen in Worte zu fassen. Die im einzelnen auftretenden

Symptome sind häufig funktioneller Natur und haben nicht immer ein klar zugeordnetes Krankheitsbild im westlichen Sinne.

In der folgenden Liste suchen Sie zunächst Ihr Trigramm auf. Sie finden dann alle Sektoren aufgeführt, die möglicherweise problematisch sind. Fragen Sie alle Sektoren einzeln ab, die auf Grund der Altersangabe für Sie zutreffen könnten. Beachten Sie dabei, daß zusätzlich zur angegebenen Altersgruppe auch die Altersgruppe darunter oder darüber noch betroffen sein kann.

Die Frage lautet: *„Bin ich auf Grund meines Geburtsmonats für Trigramm-bezogene Erkrankungen disponiert, wenn ich im Sektor ... (Name des Trigrammsektors) schlafe?"*

Fragen Sie die Sektoren einzeln ab und notieren Sie sich Ihre Ergebnisse.

Auch hier können Sie gegebenenfalls Ihre Ergebnisse von einer zweiten Person überprüfen lassen, die gut und sicher mit Biotensor oder Pendel arbeiten kann. Die Frage würde dann lauten: *„Ist ... (Name) auf Grund seines/ihres Geburtsmonats für Trigramm-bezogene Erkrankungen disponiert, wenn er/sie im Sektor ... (Name des Trigrammsektors) schläft?"*

Bekommen Sie für einen oder mehrere Sektoren ein JA, so sollten Sie den oder die betreffenden Sektoren Ihres Hauses zum Schlafen meiden.

Sind Sie sich bei der Abfrage mit dem Biotensor oder Pendel unsicher, berücksichtigen Sie sicherheitshalber Ihre Trigrammzuordnung bei der Wahl Ihres Schlafplatzes so, als gehörten Sie zu den disponierten Personen.

Abhängig von dem Trigramm, das Sie über Ihren Geburtsmonat bestimmt haben, können Sie auf den nächsten Seiten die möglichen Problemsektoren ablesen.

Trigramm Kan (Geburtsmonate Wildschwein oder Ratte)

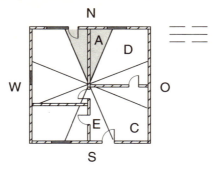

Sektor Kan
Krankheitswahrscheinlichkeit: A
Geschlecht: männlich
Alter: 16 bis 32 Jahre
Erkrankungen: Nierenbeckenentzündungen, Reizblase, Erkrankungen der Ohrmuschel, Ohrenklingen (kein Tinnitus), Nagelerkrankungen

Sektor Sun
Krankheitswahrscheinlichkeit: C
Geschlecht: männlich
Alter: 32 bis 48 Jahre
Erkrankungen: verstärktes Kältezittern, Trockenheit im Mund, auch allgemein auf Schleimhäuten und Haut

Sektor Gen
Krankheitswahrscheinlichkeit: D
Geschlecht: männlich
Alter: 16 bis 32 Jahre
Erkrankungen: Reizzustände der Knochenhaut

Sektor Li
Krankheitswahrscheinlichkeit: E
Geschlecht: weiblich
Alter: 0 bis 16 Jahre
Erkrankungen: schwere Mittelohrentzündungen mit Taubheit

Trigramm Gen (Geburtsmonate Büffel bei Männern und Frauen sowie Ziege bei Frauen)

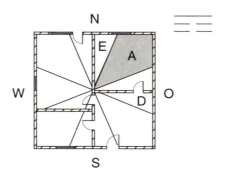

Sektor Gen
Krankheitswahrscheinlichkeit: A
Geschlecht: männlich
Alter: 0 bis 16 Jahre
Erkrankungen: Magenerkrankungen (z. B. Dyspepsien beim Säugling)

Sektor Zhen
Krankheitswahrscheinlichkeit: D
Geschlecht: männlich
Alter: 0 bis 16 Jahre
Erkrankungen: Erkrankungen der Thymusdrüse, der männlichen Keimdrüsen (z. B. zu spätes Wandern der Hoden in das Skrotum)

Sektor Kan
Krankheitswahrscheinlichkeit: E
Geschlecht: weiblich
Alter: bezieht sich auf Ungeborene, die in einem Gen-Monat ihren Geburtszeitpunkt hätten
Erkrankungen: Fehlbildungen der Arme, Beine und Muskeln

Trigramm Zhen (Geburtsmonat Tiger)

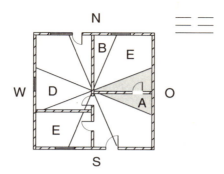

Sektor Zhen
Krankheitswahrscheinlichkeit: A
Geschlecht: männlich
Alter: 32 bis 48 Jahre
Erkrankungen: chronische Reizzustände der Hals-Lymphknoten

Sektor Kan
Krankheitswahrscheinlichkeit: B
Geschlecht: männlich
Alter: 32 bis 48 Jahre
Erkrankungen: Knochenmarkserkrankungen, Nagelerkrankungen

Sektor Dui
Krankheitswahrscheinlichkeit: D
Geschlecht: männlich
Alter: 32 bis 48 Jahre
Erkrankungen: Gallenwegserkrankungen, Fettunverträglichkeit

Sektor Kun
Krankheitswahrscheinlichkeit: E
Geschlecht: männlich
Alter: 16 bis 32 Jahre
Erkrankungen: Parodontose, Gelenks- und Sehnenerkrankungen (z. B. Tendinitis), Shen-Störungen (u. a. Gedächtnisstörungen)

Sektor Gen
Krankheitswahrscheinlichkeit: E
Geschlecht: männlich
Alter: 16 bis 32 Jahre
Erkrankungen: Gelenkerkrankungen, besonders der Hände (in der indischen Naturheilkunde des Ayurveda unter dem Aspekt der Vata-Störung betrachtet)

Trigramm Sun (Geburtsmonat Hase)

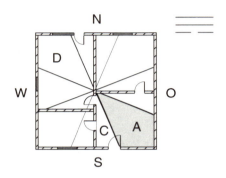

Sektor Sun
Krankheitswahrscheinlichkeit: A
Geschlecht: weiblich
Alter: 32 bis 48 Jahre
Erkrankungen: Lebererkrankungen (Neigung zu Hepatitis A, Störung der Entgiftungsfunktion, Erhöhung der Blutfette Cholesterin und Triglyceride)

Sektor Li
Krankheitswahrscheinlichkeit: C
Geschlecht: weiblich
Alter: 48 bis 65 Jahre
Erkrankungen: Sehstörungen, Netzhauterkrankungen

Sektor Qian
Krankheitswahrscheinlichkeit: D
Geschlecht: weiblich
Alter: 32 bis 48 Jahre
Erkrankungen: chronische Eierstocksentzündungen und Vorstadien

Trigramm Li (Geburtsmonate Schlange oder Pferd)

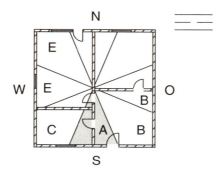

Sektor Li
Krankheitswahrscheinlichkeit: A
Geschlecht: weiblich
Alter: 16 bis 32 Jahre
Erkrankungen: Kreislauferkrankungen (funktionelle Kreislaufstörungen wie hoher und niedriger Blutdruck, aber auch Schlaganfall), Shen-Störungen: Sprachstörungen* (zu schnelles oder zu langsames Sprechen, häufiges Räuspern)

Sektor Zhen
Krankheitswahrscheinlichkeit: B
Geschlecht: weiblich
Alter: 16 bis 32 Jahre
Erkrankungen: niedriger Blutdruck, Shen-Störungen (u. a. schlechte Orientierung, Probleme beim Planen, Neigung zu Muskelkrämpfen)

Sektor Sun
Krankheitswahrscheinlichkeit: B
Geschlecht: weiblich
Alter: 16 bis 32 Jahre
Erkrankungen: Neigung zu Grippeerkrankungen, Gefäßerkrankungen (u. a. Oberschenkelthrombosen)

---

* Sprachstörungen schließen in diesem Fall nicht das Stottern ein.

Sektor Kun
Krankheitswahrscheinlichkeit: C
Geschlecht: weiblich
Alter: 32 bis 48 Jahre
Erkrankungen: vermehrte Regelblutungen, Regelblutungsbeschwerden zu Beginn des Klimakteriums, vermehrtes Zahnfleischbluten, Störungen des Shen: u. a. Geschmacksstörungen, Störungen der Farbwahrnehmung und Sprachstörungen* (z. B. zu schnelles und zu langsames Sprechen, häufiges Räuspern).

Sektor Qian
Krankheitswahrscheinlichkeit: E
Geschlecht: männlich
Alter: 0 bis 16 Jahre
Erkrankungen: Fieber (überschießende Fieberreaktion)

Sektor Dui
Krankheitswahrscheinlichkeit: E
Geschlecht: weiblich
Alter: 0 bis 16 Jahre
Erkrankungen: Zwerchfellreizung (Schluckauf)

---

* Sprachstörungen schließen in diesem Fall nicht das Stottern ein.

Trigramm Kun (Geburtsmonate Drache oder Hund bei Männern und Frauen sowie Ziege bei Männern)

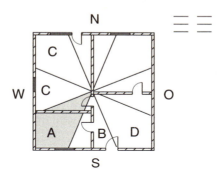

Sektor Kun
Krankheitswahrscheinlichkeit: A
Geschlecht: weiblich
Alter: 48 bis 65 Jahre
Erkrankungen: Magen-Darm-Erkrankungen, insbesondere: Obstipation (Verstopfung), Völlegefühl, vermehrte Gasbildung im Bauch, Aufstoßen mit schlechtem Geschmack im Mund, Kapha-Erkrankungen des Magens laut der indischer Naturheilkunde des Ayurveda; Schweregefühl in der Muskulatur, Erkrankungen der Brustdrüse (Mastopathie)

Sektor Li
Krankheitswahrscheinlichkeit: B
Geschlecht: weiblich
Alter: 48 bis 65 Jahre
Erkrankungen: Schweregefühl in der Muskulatur

Sektor Qian
Krankheitswahrscheinlichkeit: C
Geschlecht: weiblich
Alter: ab 65 Jahre
Erkrankungen: Knochenerkrankungen (z. B. Osteoporose, einschließlich damit verbundener Neigung zu Knochenbrüchen)

Sektor Dui
Krankheitswahrscheinlichkeit: C
Geschlecht: weiblich
Alter: ab 65 Jahre
Erkrankungen: Altersdiabetes

Sektor Sun
Krankheitswahrscheinlichkeit: D
Geschlecht: weiblich
Alter: 48 bis 65 Jahre
Erkrankungen: Shen-Störungen (Antriebsarmut, Mattigkeit), Abwehrschwäche, Milzschwellungen

Trigramm Dui (Geburtsmonat Hahn)

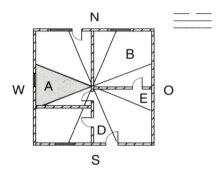

Sektor Dui
Krankheitswahrscheinlichkeit: A
Geschlecht: weiblich
Alter: 0 bis 16 Jahre
Erkrankungen: Hefepilzinfektion der Mundhöhle (Mundsoor), Zähne (Kieferfehlstellungen), Zahnkrämpfe

Sektor Gen
Krankheitswahrscheinlichkeit: B
Geschlecht: weiblich
Alter: 0 bis 16 Jahre
Erkrankungen: chronische Nasenschleimhautschwellungen, Störungen des Geruchssinnes

Sektor Li
Krankheitswahrscheinlichkeit: D
Geschlecht: weiblich
Alter: 0 bis 16 Jahre
Erkrankungen: Akne, Hautunreinheiten

Sektor Zhen
Krankheitswahrscheinlichkeit: E
Geschlecht: weiblich
Alter: bezieht sich auf Ungeborene, die in einem Dui-Monat ihren Geburtszeitpunkt hätten
Erkrankungen: *Frühgeburten weiblich*

Trigramm Qian (Geburtsmonat Affe)

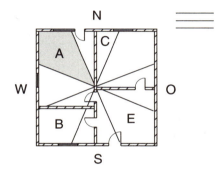

Sektor Qian
Krankheitswahrscheinlichkeit: A
Geschlecht: männlich
Alter: 48 bis 65 Jahre
Erkrankungen: Erkrankungen im Kopfbereich* (Stirnhöhlen, Siebbeinzellen, Kieferhöhlen), Kopfschmerzen, Hirnarteriensklerose**, Atemwegserkrankungen (Bronchitis, chronische Bronchitis), Herzerkrankungen*** (Koronararteriensklerose)

---

* Bei den Erkrankungen im Kopfbereich handelt es sich beispielsweise um chronische Schleimhautschwellungen der genannten Nasennebenhöhlen und deren Vorstadien, eher nicht um akute Entzündungen. (Fortsetzung auf S. 214)

Sektor Kun
Krankheitswahrscheinlichkeit: B
Geschlecht: männlich
Alter: 48 bis 65 Jahre
Erkrankungen: degenerative Nervenerkrankungen des Gehirns, Rückenmarks und der peripheren Nerven (z. B. Polyneuropathien), Unfruchtbarkeit (Fertilitätsstörung) über eine Störung des Jing

Sektor Kan
Krankheitswahrscheinlichkeit: C
Geschlecht: männlich
Alter: ab 65 Jahre
Erkrankungen: Knochenmarkserkrankungen, Nagelerkrankungen

Sektor Sun
Krankheitswahrscheinlichkeit: E
Geschlecht: männlich
Alter: 32 bis 48 Jahre
Erkrankungen: Hautrötungen, Hautunreinheiten

Beispiel für eine Person, die über ihren Geburtsmonat (Affe) das Trigramm Qian hat
Sie sehen in die Liste für das Trigramm Qian. Sie finden hier vier möglicherweise problematische Sektoren. Sie müssen also die folgenden vier Fragen stellen:
„*Bin ich auf Grund meines Geburtsmonats für Trigrammbezogene Erkrankungen disponiert, wenn ich im Sektor Qian schlafe?*"
„*Bin ich auf Grund meines Geburtsmonats für Trigrammbezogene Erkrankungen disponiert, wenn ich im Sektor Kun schlafe?*"

(Fortsetzung von S. 213)
** Unter Hirnarteriensklerose ist der allgemein degenerative Prozeß der Hirnarterien bzw. deren Vorstadien zu verstehen, nicht das Phänomen des akuten Schlaganfalls.
*** Mit Herzerkrankungen ist der allgemein degenerative Prozeß der Koronarsklerose bzw. deren Vorstadien gemeint, nicht der akute Herzinfarkt

„Bin ich auf Grund meines Geburtsmonats für Trigramm-bezogene Erkrankungen disponiert, wenn ich im Sektor Kan schlafe?"

„Bin ich auf Grund meines Geburtsmonats für Trigramm-bezogene Erkrankungen disponiert, wenn ich im Sektor Sun schlafe?"

Die Sektoren **Zhen**, **Dui**, **Gen** und **Li** sind unproblematisch.

Ein Säugling trinkt wieder richtig
*Der kleine Oliver brachte seine Mutter fast zur Verzweiflung. Regelmäßig nach dem Stillen erbrach er seine Nahrung. Es stellte sich heraus, daß Oliver mit dem persönlichen **Trigramm Gen** im **Sektor Gen** des Hauses schlief. Daraufhin wurde das Kinderzimmer verlegt. Zwei Wochen später hörte das Erbrechen auf.*

Zuviel Cholesterin im Sektor Sun
*Die 38jährige Cornelia K. war nicht übergewichtig und hatte trotzdem erhöhte Cholesterin- und Neutralfettwerte im Blut. Sie klagte über Druck im rechten Oberbauch nach fetthaltigen Speisen, ohne daß schulmedizinisch eine Ursache gefunden werden konnte. Frau K. hatte das persönliche **Trigramm Sun** und schlief im **Sektor Sun** des Hauses. Schlaf- und Arbeitszimmer wurden gegeneinander ausgetauscht. Nach etwa acht Wochen besserten sich die Oberbauchbeschwerden, auch die Blutfettwerte normalisierten sich.*

Wechseljahresbeschwerden bessern sich
*Eine 45jährige Kauffrau klagte bereits über klimakterische Beschwerden mit Hitzewallungen und unregelmäßigen Regelblutungen mit Unterbauchbeschwerden. Sie hatte das persönliche **Trigramm Li** und schlief im **Sektor Kun**. Der Schlafplatz wurde verlegt. Die Beschwerden besserten sich nach acht Wochen.*

Problematische Trigrammsektoren (Übersicht)

Die folgende Tabelle gibt Ihnen in Kurzform einen Überblick über die möglichen Problemsektoren mit Krankheitswahrscheinlichkeit für das persönliche Trigramm Ihres Geburtsmonats:

	persönl. Trigramm Kan	persönl. Trigramm Gen	persönl. Trigramm Zhen	persönl. Trigramm Sun	persönl. Trigramm Li	persönl. Trigramm Kun	persönl. Trigramm Dui	persönl. Trigramm Qian
Sektor Kan	A	E	B					C
Sektor Gen	D	A	E				B	
Sektor Zhen		D	A		B		E	
Sektor Sun	C			A	B	D		E
Sektor Li	E			C	A	B	D	
Sektor Kun			E		C	A		B
Sektor Dui			D		E	C	A	
Sektor Qian					D	E	C	A

Abhilfen

Wenn Sie feststellen, daß ein bestimmter Sektor eines Hauses als Schlafplatz für Sie problematisch ist, ist es das beste, ihn zu meiden. Häufig ist es schwierig, das Schlafzimmer zu verlegen. Auch dann gibt es allerdings Möglichkeiten, den störenden Einfluß mit Hilfe der im Kapitel 8 angesprochenen **Wandlungsmaterialien** zumindest zu verringern.

Welches Wandlungsmaterial in welchen Sektor?

Wenn Sie ein Problem in einem Sektor des Hauses haben, können Sie in der nun folgenden Tabelle ablesen, welches Wandlungsmaterial Sie nehmen müssen:

Sektor	Wandlungsmaterial (Die Zahl in Klammern gibt die Lebensdauer der Wandlungsmaterialien in Jahren an)*
Kan	Holz: Holz (40), lebende Pflanzen (solange sie leben), Holzparkett (40), Korkparkett (40), Weidenkörbe (5–7), Gardinen oder Fußbodenbeläge aus Baumwolle oder anderen Pflanzenfasern (2), Spanplatten (2), getrocknete Pflanzen und Zierkürbisse (1), Bücher und Zeitschriften (1), (ein Aufbewahrungsort für aktuelle Zeitschriften, die regelmäßig ersetzt werden, wäre somit im Prinzip auch längerfristig geeignet)
Gen	Metall: Goldbarren (120), Goldringe (80–90), Stahl (25–50), Eisen (40), Messing (35), Blei (25), Aluminium (14), Quecksilber (z. B. in Thermometern) (12), Kupfer (11), Zinn (11), Bronze (10), Spiegelbeschichtung (9), Silber (6–10)
Zhen	Feuer: Kieselsteine (praktisch unbegrenzt), Flachglas (20–45), Flachglas bei Spiegeln (20), Kerzenflamme und Kaminfeuer (solange sie brennen)
Sun	Feuer: wie oben
Li	Erde: Kristalle u. Edelsteine (unbegrenzt), Natursteine (praktisch unbegrenzt), Porzellan (80–110), Ziegelsteine (80), Leder und Felle (50–60), Keramik (50), Beton (30), Wollteppiche und andere Wolltextilien (30), Kunststoffe (20–25)**, Naturseide (10–20), Stearinkerzen (2), Bienenwachs (1)
Kun	Metall: wie oben
Dui	Wasser: geblasenes Glas (20), Wasser
Qian	Wasser: wie oben

Goldschmuck auf dem Nachttisch im Sektor Kun

Eine 55jährige Frau klagte trotz aller Diäten über Völlegefühl und vermehrte Gasbildung im Bauch. Sie hatte das Monats-Trigramm Kun und schlief im Sektor Kun ihres Hauses. Bislang hatte sie den Goldschmuck aus Sicherheitsgründen nachts im Safe eingeschlossen. Der Feng-Shui-Berater riet ihr, ihren Goldschmuck über Nacht auf den Nachttisch neben das Bett zu legen. acht Wochen später hatten sich ihre Bauchbeschwerden so gebessert, daß sie keine spezielle Diät mehr einhalten mußte.

Eine Glaskaraffe mit Wasser im Sektor Dui

Ein kleines Mädchen war wegen ständig wiederkehrender Hefepilzinfektionen der Mundhöhle (Soor) in ärztlicher Behandlung. Außerdem hatte sie bereits dreimal Zahnkrämpfe gehabt. Sie hatte das Monats-Trigramm Dui. Die Mutter stellte auf Anraten einer

---

* D. h., daß z. B. Holz (40) nach ca. 40 Jahren für den angegebenen Zweck nicht mehr einsetzbar ist, Messing (35), daß ein Messinggegenstand ca. 35 Jahre nach der Fertigstellung (Metallguß) ebenfalls für diesen Zweck nicht mehr einsetzbar ist.
** Kunststoffbeschichtete Möbel auf Spanplattenbasis sind ab einem Alter von ca. zwei Jahren lediglich Wandlungsmaterial Erde

Feng-Shui-Beraterin eine Glaskaraffe mit frischem Wasser neben das Bettchen. Die Hefepilzinfektion der Mundhöhle verschwand nach zwei Wochen. Die Mutter konnte auch berichten, daß es nicht wieder zu Zahnkrämpfen gekommen war.

Porzellan im Schlafzimmer im Sektor Li
Eine junge Frau von 25 Jahren klagte seit Jahren über Kreislaufbeschwerden mit niedrigem Blutdruck. Obwohl sie regelmäßig Kreislaufmittel einnahm, fühlte sie sich nicht wohl. Es stellte sich heraus, daß die junge Frau mit dem Monats-Trigramm Li im Sektor Li des Hauses schlief. Daraufhin wurde ihr geraten, die Sammlung mit Meißener Porzellan, die im Eßzimmer stand, in das Schlafzimmer stellen. Da sie genügend Platz im Schlafzimmer hatte, stellte sie das Porzellan auf einen Beistelltisch ca. einem Meter neben das Bett. Vier Wochen später hatten sich ihre Kreislaufbeschwerden so gebessert, daß sie nur noch selten Kreislaufmittel nahm.

Ein Kiefernschlafzimmer im Sektor Kan
Ein 43jähriger Handwerker hatte eine therapieresistente Nagelmykose. Er hatte das Monats-Trigramm Zhen und schlief im Sektor Kan des Hauses. Die Möblierung des Schlafzimmers bestand zu diesem Zeitpunkt aus kunststoffbeschichteten Spanplatten. Er hatte geplant, die Schlafzimmermöbel in den nächsten zwei Jahren zu erneuern. Es wurde ihm geraten, den Kauf vorzuziehen und Massivholzmöbel zu wählen. Er kaufte sich ein komplettes neues Schlafzimmer aus massivem Kiefernholz. Nach 13 Wochen waren seine Beschwerden mit der Nagelmykose verschwunden

Kieselsteine im Sektor Zhen
Eine Mutter rief einen Feng-Shui-Berater, weil ihr achtjähriger Sohn seit zwei Jahren ständig erkältet war. Der Junge hatte das Monats-Trigramm Gen. Bei der Beratung stellte sich neben anderen Feng-Shui-Problemen heraus, daß der Junge im Sektor Zhen des Einfamilienhauses schlief. Auf das Schränkchen neben seinem Bett wurden eine Reihe Kieselsteine gelegt. Die Mutter berichtete, daß sich die Infektneigung nach acht Wochen deutlich gebessert habe.

Fragen Sie nach dem Wandlungsmaterial

Wie Sie den obigen Fallbeispielen entnehmen konnten, ist es gar nicht so schwer, das passende Wandlungsmaterial in das Schlafzimmer zu integrieren. Es ist jedoch erforderlich, mit Biotensor oder Pendel abzufragen, welche Gegenstände oder Maßnahmen im konkreten Fall ausreichend sind. Wenn Sie also in einem problematischen Sektor ihres Hauses schlafen, fragen Sie als erstes, ob das Hinzufügen eines geeigneten Wandlungsmaterials den störenden Einfluß ausreichend mindert. Die Frage lautet: *„Ist das Hinzufügen des Wandlungsmaterials ... (Name des Wandlungsmaterials) im Schlafzimmer ausreichend, um den störenden Einfluß im Sektor ... (Name des Sektors) auszugleichen?"* Wenn Sie ein JA bekommen, ist es erforderlich, den geeigneten Gegenstand und die geeignete Plazierung zu finden.

Sie fragen beispielsweise, wenn Sie das Wandlungsmaterial Holz im Sektor Kan benötigen: *„Sind Kiefernmöbel aus Massivholz als Wandlungsmaterial geeignet, den störenden Einfluß im Sektor Kan auszugleichen?"*

Wenn Sie ein NEIN bekommen, fragen Sie nach weiteren Gegenständen. Wenn Sie ein JA bekommen, fragen Sie weiter: *„Ist es ausreichend, in dieses Schlafzimmer Kiefernmöbel aus Massivholz zu stellen, um den störenden Einfluß im Sektor Kan auszugleichen?"*

Wenn Sie ein JA bekommen, haben Sie den geeigneten Gegenstand gefunden. Wenn Sie ein NEIN bekommen, fragen Sie nach zusätzlichen Gegenständen aus dem Wandlungsmaterial Holz. Oft ist es erforderlich, mehrere Gegenstände im Schlafzimmer zu plazieren. Überlegen Sie sich, welche Gegenstände geeignet sein könnten.

Wandlungsmaterialien sollten möglichst in die Nähe des Bettes gestellt werden. Ist dies aus räumlichen Gründen nicht möglich, fragen Sie mit Biotensor oder Pendel, ob die geplante Plazierung ausreichend nahe am Bett ist.

Die Projektion der Trigrammsektoren auf den Grundriß des Hauses

Im vorhergehenden Abschnitt „Die acht Trigramme und ihre Sektoren" haben Sie gesehen, wie Sie den Mittelpunkt Ihres Hauses an Hand des Grundrisses bestimmen können. Die Zeichnungen mit den problematischen Trigrammsektoren haben die Lage der Sektoren bei quadratischen Häusern gezeigt, die nach Norden ausgerichtet sind. Wenn Häuser nicht quadratisch sind, bleibt der Winkel der einzelnen Sektoren vom Mittelpunkt des Hauses aus gesehen konstant. Auch die Ausrichtung der Trigrammsektoren auf die Himmelsrichtungen bleibt erhalten (siehe Übersicht auf S. 194: „Die acht Trigramme und ihre Sektoren" im vorhergehenden Abschnitt).

Es hat sich als praktisch erwiesen, für die Projektion der Trigrammsektoren auf den Hausgrundriß eine Folie zu verwenden. Sie können sich eine Folie mit den Trigrammsektoren selbst herstellen, indem Sie die Kopiervorlage „Die acht Trigrammsektoren" im Anhang des Buches auf Seite 273 auf Folie fotokopieren (ggfs. als Vergrößerung auf DIN A 4). Auf dem Hausgrundriß ist in der Regel die geographische Nordrichtung mit einem Pfeil eingezeichnet. Diesen Pfeil verlängern Sie mit einem Lineal. Außerdem markieren Sie den Mittelpunkt Ihres Hauses, wie am Ende von Kapitel 8 beschrieben. Nun zeichnen Sie mit einem Geodreieck (spezielles Lineal; in Schreibwarenläden erhältlich) parallel zu dem verlängerten Pfeil für die geographische Nordrichtung eine Linie durch den Mittelpunkt des Hauses. (Wenn Ihr Geodreieck zu klein ist, müssen Sie eventuell noch eine oder mehrere parallele Hilfslinien einzeichnen, damit Sie bis zum Mittelpunkt des Hauses gelangen.) Dann legen Sie die Folie auf den Grundriß Ihres Hauses, wobei Sie die getrichelte Linie der Folie auf die gerade gezeichnete Mittelpunktslinie legen. Das Linienkreuz der Folie liegt nun direkt auf dem Mittelpunkt des Hauses. Wenn Sie längerfristig mit den Trigrammsektoren Ihres Hausgrundrisses arbeiten wollen, empfiehlt es sich, Hausgrundriß mit richtig aufgelegter Folie zusammen zu kopieren.

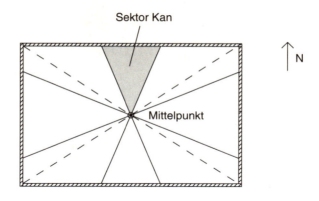

Projektion der Trigrammsektoren auf ein rechteckiges Haus, das nach Norden ausgerichtet ist. Eingezeichnet ist der Trigrammsektor Kan. Die Lage der anderen Sektoren ergibt sich aus der Zuordnung zu den bekannten Himmelsrichtungen.

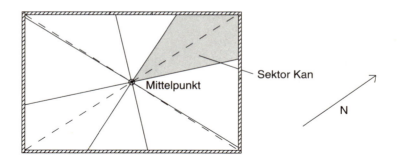

Projektion der Trigrammsektoren auf ein rechteckiges Haus, das nicht nach Norden ausgerichtet ist. Eingezeichnet ist auch hier der Trigrammsektor Kan.

Wenn Trigrammsektoren außerhalb des Hauses liegen

Die Energien des Feng Shui benötigen zu ihrer vollständigen Entfaltung im Haus eine **quaderförmige Hausform**. Es ist nicht allein ausreichend, wenn der Grundriß quadratisch oder rechteckig ist. Für die Verteilung der Energien im Haus ist vielmehr die gesamte räumliche Form des Hauses (inklusive Unterkellerung) von Bedeutung.

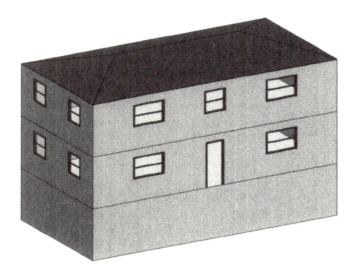

Ein quaderförmiges Haus

Gibt es Aussparungen im Quader, so befindet sich ein Teil der Energien außerhalb des umbauten Raumes. Wenn ein Trigrammsektor im ausgesparten Teil des Hauses liegt, kann dieser eine ähnliche Wirkung ausüben, als würde man in diesem Sektor schlafen. Dies gilt allerdings nur, wenn der Schlafplatz sich auf einer Etage befindet, deren Grundriß eine Aussparung aufweist. Ist die Aussparung beispielsweise nur im Obergeschoß, der Schlafplatz jedoch im Erdgeschoß, so wird diese Aussparung nicht wirksam. Die betroffene Personengruppe leitet sich ebenfalls aus dem Trigramm des Geburtsmonats ab. Das Trigramm Ihres Geburtsmonats kennen Sie bereits.

Ein L-förmiges Haus

Ein Haus, bei dem ein Teil des Obergeschosses ausgespart ist.

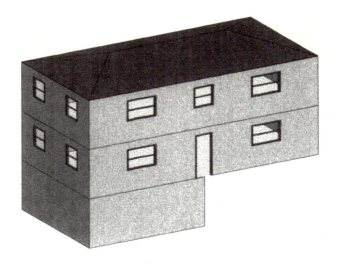

Ein Haus, das nur halb unterkellert ist. Schläft eine Person in einem solchen Kellergeschoß (was auch aus anderen Feng-Shui-Gründen Probleme machen kann), so fehlt im Kellergeschoß ein Teil des Hauses.

Disposition zu Erkrankungen durch Aussparungen im Haus

Wenn Sie in einem L-förmigen Haus bzw in einem Haus oder einer Etage mit einer Aussparung wohnen bzw. in ein solches Haus ziehen wollen, sollten Sie Ihre persönliche Disposition erneut mit Biotensor oder Pendel klären. Unabhängig davon, daß L-förmige Häuser bzw. Häuser mit Aussparungen über ihre Form auch andere Feng-Shui-Probleme haben können, ergibt sich die Disposition wieder aus dem Trigramm Ihres Geburtsmonats, wie bereits im vorherigen Abschnitt „Die acht Trigramme und ihre Sektoren" beschrieben. In diesem Fall gelten der ausgesparte Sektor bzw. die ausgesparten Sektoren des Etagengrundrisses als problematisch. Ob bei Ihnen nun tatsächich eine Disposition zu Erkrankungen vorliegt, müssen Sie allerdings erneut abfragen. Es kann sein, daß Sie bei Bearbeitung des vorherigen Abschnitts herausgefunden haben, daß Sie in jedem Sektor Ihres Hauses schlafen können. Sie können jedoch ein Problem bekommen, wenn Sie in einem Haus oder einer Etage mit einer Aussparung schlafen, die für Sie in einem ungünstigen Sektor liegt.

Sie klären zunächst mit Hilfe des Grundrisses Ihres Hauses, welcher bzw. welche Sektoren in Ihrem Haus oder auf der Etage, auf der Sie schlafen, fehlen. Am Ende des letzten Abschnitts haben Sie gesehen, wie Sie die Trigrammsektoren (möglicherweise unter Zuhilfenahme einer Folie) auf den Grundriß Ihres Hauses projizieren können. Aus der Tabelle „Problematische Trigrammsektoren" im vorhergehenden Abschnitt auf Seite 216 können Sie entnehmen, welche Sektoren für Sie auf Grund Ihres persönlichen Trigramms des Geburtsmonats potentiell problematisch sind. Liegt die Aussparung in Ihrem Haus nicht in einem für Sie problematischen Sektor, macht die Aussparung in Ihrem Haus unter diesem Gesichtspunkt für Sie kein Problem. Fehlen Trigrammsektoren nur teilweise, so ist der Einfluß geringer, als wenn sie vollständig oder fast vollständig fehlen.

Fragen Sie nach Ihrer Disposition durch Aussparungen
Sie müssen also prüfen: *„Bin ich auf Grund meines Geburtsmonats für Trigramm-bezogene Erkrankungen disponiert, weil in meinem Haus der Sektor ... (Name des Sektors) fehlt?"*

Fragen Sie die fehlenden und für Sie problematischen Sektoren einzeln ab. Wenn Sie für einen Sektor ein JA bekommen, können Sie im nächsten Abschnitt über Feng-Shui-Maßnahmen nachlesen.

Beispiel 1: Wenn Sie das persönliche Trigramm des Geburtsmonats Qian haben, in Ihrem Haus die Sektoren Qian und Kan fehlen, stellen Sie also folgende Fragen: *„Bin ich auf Grund meines Geburtsmonats Qian für Trigramm-bezogene Erkrankungen disponiert, weil in meinem Haus der Sektor Qian fehlt?"* und: *„Bin ich auf Grund meines Geburtsmonats Qian für Trigramm-bezogene Erkrankungen disponiert, weil in meinem Haus der Sektor Kan fehlt?"*

Beispiel 2: Haben Sie das persönliche Trigramm des Geburtsmonats Gen und fehlen in Ihrem Haus die Sektoren Kun und Dui, so brauchen Sie die obige Frage nicht zu stellen, weil die Sektoren Kun und Dui für eine Person mit dem Trigramm Gen in dieser Hinsicht nicht problematisch sind.

Sie können Ihre Disposition auch generell klären: *„Bin ich generell auf Grund meines Geburtsmonats für Trigramm-bezoge-*

ne Erkrankungen disponiert, wenn in meinem Haus einer oder mehrere Sektoren fehlen?"

Bekommen Sie ein NEIN, können Sie gegebenenfalls Ihr Ergebnis von einer zweiten Person überprüfen zu lassen, die ebenfalls gut und sicher mit dem Biotensor oder Pendel arbeiten kann. Die Frage würde dann lauten: *„Ist ... (Name) generell auf Grund seines/ihres Geburtsmonats für Trigramm-bezogene Erkrankungen disponiert, wenn in seinem/ihrem Haus einer oder mehrere Sektoren fehlen?"*

Hat auch diese Person ein NEIN bekommen, gehören Sie nicht zu der Gruppe der disponierten Personen. Sie gehören also zu den Personen, die keine Probleme mit diesem Trigrammaspekt haben.

Feng-Shui-Maßnahmen bei Aussparungen im Haus

Ziel einer Feng-Shui-Maßnahme ist es, eine ungünstige Grundriß- oder Hausform zum Rechteck bzw. Quader zu ergänzen. Eine häufig anzutreffende Hausform bei freistehenden Einfamilienhäusern ist die **L-Form**. Es empfiehlt sich, diese Hausform z. B. durch eine Terrasse zum Rechteck zu ergänzen. Diese Ergänzung kann dadurch gestärkt werden, daß der Abschluß der Terrasse nach außen durch eine Mauer betont wird. Ferner ist es günstig, die äußere Ecke der Terrasse durch eine Statue, die nach innen schauen sollte, eine Laterne oder anderweitig markant zu betonen. Eine andere Ergänzungsmöglichkeit besteht darin, eine Hecke als äußeren Terrassenabschluß zu pflanzen, die Ecke könnte dann durch einen Busch betont werden. Ähnliche Ergänzungsmöglichkeiten bestehen bei **U-Formen, Kreuz-** und **H-Formen** sowie anderen nicht rechteckigen Formen. Halbkreise können zu Kreisen ergänzt werden.

Das **Material**, das Sie zur Vervollständigung des gedachten Rechteckes benutzen, sollte nach Möglichkeit aus dem gleichen Wandlungsmaterial sein, das Sie verwenden würden, wenn Sie in dem problematischen Sektor schliefen. Es empfiehlt sich außerdem, dieses Wandlungsmaterial zusätzlich in dem außerhalb des Hauses liegenden Trigrammsektor selbst zu plazieren. Sie können also das geeignete Wandlungsmaterial der Tabelle „Welches Wandlungsmaterial in welchen Sektor" auf S. 217 entnehmen.

Nächtliches Wasserlassen bei Fehlen des Trigrammsektors Kan

Eine 22jährige Frau war seit 1 1/2 Jahren wegen einer Reizblase in urologischer Behandlung. Sie stand etwa dreimal nächtlich zum Wasserlassen auf. Ihre Mutter riet ihr daraufhin, einen Feng-Shui-Berater zu konsultieren. Bei der Beratung stellte sich heraus, daß der Trigrammsektor Kan des L-förmigen Hauses fehlte. Das Trigramm des Geburtsmonats der jungen Frau war ebenfalls Kan. Neben anderen Maßnahmen empfahl ihr der Feng-Shui-Berater, das Haus mit einer grünen Hecke zum Rechteck zu ergänzen und in die Ecke des gedachten Rechteckes einen Busch zu pflanzen. Im Frühjahr des nächsten Jahres wurden Hecke und Busch wie empfohlen gepflanzt. Terassenmöbel aus Kunststoff wurden durch Holzmöbel ersetzt. Ein halbes Jahr später hatten sich die Beschwerden so weit gebessert, daß die junge Frau nur noch einmal in der Nacht aufstehen mußte.

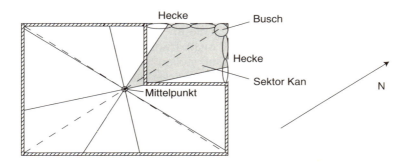

Bei Fehlen des Trigrammsektors Kan wird ein L-förmiges Haus mittels Hecke und Busch zum Rechteck ergänzt.

Muskelkrämpfe bei Fehlen des Trigrammsektors Zhen

Eine 22jährige Frau klagte über seit drei Jahren insbesondere nächtliche Muskelkrämpfe in den Beinen. Sie nahm regelmäßig Mineralstoffpräparate. Trotzdem traten die Beschwerden immer wieder auf. Die junge Frau wohnte in einem L-förmigen Haus, bei dem die östliche Ecke ausgespart war. Es fehlte also der Trigrammsektor

Zhen. Das Trigramm des Geburtsmonats der jungen Frau war Li. Der Feng-Shui-Berater empfahl, das Haus unter Verwendung des Wandlungsmaterials Feuer zum Rechteck zu ergänzen. In die Ecke des gedachten Rechtecks wurde eine etwa 20 Jahre alte, mit Kieselsteinen gefüllte Kupferkanne gestellt. Zusätzlich wurden Kieselsteine auf die gedachte Grenzlinie gestreut. Es wurde bewuß eine alte Kupferkanne genommen, die nicht mehr als Wandlungsmaterial Metall wirkte. Vier Monate später konnte die Frau berichten, daß sie zum ersten Mal seit langem für einen Monat ohne nächtliche Muskelkrämpfe war. Kieselsteine sollten aus anderen Feng-Shui-Gründen nicht in zu großem Umfang als Material für den Terassenboden verwendet werden.

Fehlt der Trigrammsektor **Li**, so besteht die Möglichkeit, in die gedachte Ecke des Rechteckes eine Statue zu stellen und zusätzlich auf die gedachte Linie eine Natursteinmauer zu setzen; auch könnte noch eine Steinbank aufgestellt werden.

Fehlt der Trigrammsektor **Kun**, wäre es möglich, beispielsweise eine Metallstatue in die gedachte Ecke des Rechteckes zu setzen. Doch wenn Sie zusätzliche Metalle im Trigrammsektor Kun plazieren, achten Sie darauf, daß nicht Trans-Sha ins Haus gelangt.

Fehlt der Trigrammsektor **Dui**, stellen Sie eine Glasschale mit frischem Wasser oder einen kleinen Wasserfall in die gedachte Ecke des Rechteckes. Ein Teich sollte nicht innerhalb des Trigrammsektors angelegt werden. Auch von Springbrunnen innerhalb des Trigrammsektors ist eher abzuraten. Diese sollten nahe der Außenlinie des zum Rechteck ergänzten Grundstücks plaziert werden.

Kapitel 10

Tierzeichensektoren und Gesundheit

Die Tierzeichen-Sektoren

Im Kapitel 9 haben wir uns im Abschnitt „Trigrammsektoren können Ihre Gesundheit beeinflussen" mit der Bedeutung des chinesischen Tierzeichens des Geburtsmonats befaßt. Jetzt geht es um die Bedeutung des chinesischen Tierzeichens des Geburtsjahres.

Den zwölf chinesischen Tierzeichen sind jeweils zwei nebeneinanderliegende Sektoren der inneren Aura-Struktur des Hauses zugeordnet. Das bedeutet, daß jeder Tierzeichensektor 15 Grad umfaßt und zwischen zwei Tierzeichensektoren immer 15 Grad freier Sektor ist.

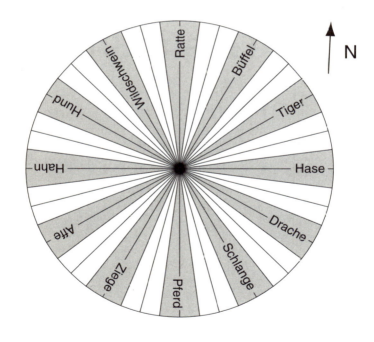

Die zwölf Tierzeichen und ihre Sektoren
(Kopiervorlage im Anhang auf S. 272)

Chinesisches Tierzeichen des Jahres	Yin/Yang-Zuordnung, Wu Xing	Himmels-richtung*
Ratte	Yang – Wasser	352,5–7,5 Grad
Büffel (oder Ochse)	Yin – Erde	22,5–37,5 Grad
Tiger	Yang – Holz	52,5–67,5 Grad
Hase (oder Kaninchen)	Yin – Holz	82,5–97,5 Grad
Drache	Yang – Erde	112,5–127,5 Grad
Schlange	Yin – Feuer	142,5–157,5 Grad
Pferd	Yang – Feuer	172,5–187,5 Grad
Ziege (oder Schaf)	Yin – Erde	202,5–217,5 Grad
Affe	Yang – Metall	232,5–247,5 Grad
Hahn	Yin – Metall	262,5–277,5 Grad
Hund	Yang – Erde	292,5–307,5 Grad
Wildschwein (oder Schwein)	Yin – Wasser	322,5–337,5 Grad

Störende Einflüsse im Tierzeichensektor

Einige Menschen, bzw. die einfacheren Anteile** des Geistes dieser Menschen, reagieren besonders empfindlich auf bestimmte Einflüsse in dem Sektor des Hauses, der ihrem Tierzeichen zugeordnet ist. Es handelt sich dabei um Einflüsse, die im wesentlichen über die Aura des Menschen auf seine einfacheren Geistanteile wirken. Sie können Störungen insbesondere in den Sektoren der Aura-Struktur des Hauses besonders intensiv wahrnehmen, die dem Tierzeichen des Geburtsjahres des Menschen zugeordnet sind. Dabei sind sie ausgesprochen empfänglich für Störungen bei Nacht. Es ist nicht erforderlich, daß sich der Mensch selbst in dem betreffenden Areal aufhält. Es ist ausreichend, daß sich der störende Sektor der Aura-Struktur im Bewegungsbereich der Geistanteile befindet. Dieser Bewegungsbereich geht, wie beschrieben, im allgemeinen bis zur ersten Hülle der äußeren Aura des Hauses.

---

* Die angegebene Gradzahl bezieht sich in Mitteleuropa auf eine Ausrichtung von ca. 2,6 Grad westlich des geographischen Nordpols.

**Die einfacheren Geistanteile haben u. a. die Aufgabe, die Körperfunktionen des Menschen zu kontrollieren und gegebenenfalls zu korrigieren. Diese Aufgaben haben sie auch nachts, normalerweise aber mit geringerem Aufwand, weil der Körper schläft. Wird ihre Aufmerksamkeit jedoch durch für sie interessante Vorgänge in einem oder mehreren Sektoren der inneren Aura-Struktur des Hauses abgelenkt, kommt es vor, daß sie die Mechanismen dieser Vorgänge auf die Funktionsweise des Körpers übertragen. Dies kann zu gesundheitlichen Störungen führen. Glücklicherweise sind hiervon nur etwa 12 % der Menschen potentiell betroffen. Es ist also sinnvoll, mit Biotensor oder Pendel abzufragen, ob Sie überhaupt zu dieser Personengruppe gehören.

Überprüfen Sie, ob Sie für Einflüsse aus Ihrem Tierzeichensektor empfänglich sind

Fragen Sie: *„Bin ich auf Grund meines Geburtsjahres für Einflüsse aus meinem Tierzeichensektor empfänglich?"*

Wenn Sie ein NEIN bekommen, können Sie gegebenenfalls Ihr Ergebnis von einer zweiten Person überprüfen zu lassen, die ebenfalls gut und sicher mit Biotensor oder Pendel arbeiten kann. Die Frage lautet dann: *„Ist ... (Name) auf Grund seines/ihres Geburtsjahres für Einflüsse aus seinem/ihrem Tierzeichensektor empfänglich?"*

Hat auch diese Person ein NEIN bekommen, gehören Sie nicht zu der Gruppe der potentiell empfänglichen Personen. Sie brauchen also diesen Aspekt nicht zu berücksichtigen.

Haben Sie ein JA bekommen, suchen Sie in Ihrem Haus Ihren Tierzeichensektor. Benutzen Sie dafür wieder einen Grundriß, wie bereits für die Trigrammsektoren beschrieben. Auch für die Tierzeichensektoren können Sie sich mit Hilfe der Kopiervorlage „Die 12 Tierzeichensektoren" im Anhang des Buches eine Folie herstellen (ggfs. als Vergrößerung auf DIN A 4). Das Auflegen der Folie erfolgt wie bereits für die Trigrammsektoren beschrieben. Wenn Sie längerfristig mit den Tierzeichensektoren Ihres Hausgrundrisses arbeiten wollen, empfiehlt es sich wieder, Hausgrundriß mit richtig aufgelegter und ausgerichteter Folie zusammen zu kopieren.

Relevant sind in diesem Zusammenhang Einflüsse, die sich auf der Etage befinden, auf der auch Ihr Schlafzimmer ist. Wenn Sie also im 1. Stock schlafen, brauchen Sie nur Einflüsse zu berücksichtigen, die sich im 1. Stock Ihres Hauses befinden. Achten Sie aber darauf, daß der Mittelpunkt des Hauses, von dem die Tierzeichensektoren ausgehen, sich auf den Mittelpunkt des Gesamthauses bezieht. Dies ist dann von Bedeutung, wenn die Fläche der Etage, auf der Sie schlafen, kleiner ist als die Gesamtfläche des Hauses.

Was kann in den Tierzeichensektoren störend wirken?

Die einzelnen Tierzeichen sind für Einflüsse von Gegenständen bzw. Einrichtungen, die Ihnen in der nachfolgenden Liste zugeordnet sind, besonders empfänglich. D. h., befindet sich ein solcher Gegenstand bzw. eine solche Einrichtung im Tierzeichensektor einer potentiell empfänglichen Person, so ist die Wahrscheinlichkeit groß, daß der Einfluß auch tatsächlich wirksam wird. Grundsätzlich ist es jedoch möglich, daß auch die bei anderen Tierzeichen erwähnten Gegenstände oder Einrichtungen einen Einfluß haben können.

Störende Einflüsse in den Tierzeichensektoren

Chinesisches Tierzeichen des Jahres	Häufig vorkommende störende Gegenstände und Einrichtungen: Wirkung
Ratte	• keine spezifischen Einflüsse
Büffel (oder Ochse)	• Gasheizung: Lunge • Hausaltäre: übersteigertes Selbstbewußtsein
Tiger	• Staubsauger: Dickdarm/Durchfälle • Haushaltsdampfreiniger: Dickdarm
Hase (oder Kaninchen)	• keine spezifischen Einflüsse
Drache	• Dachrinnen: Lymphe (selten) • Funkstation: stört die Orientierung
Schlange	• Eintritt und Austritt (z. B. Abwasser) von Zuleitungen ins Haus (Hauptwasser-, Stromleitungen): nicht gut für die Zähne • elektrische Brotschneidemaschinen und Mixer: nicht gut für die Zähne • Schornstein: Siebbeinzellen
Pferd	• Funkstation: stört die Orientierung
Ziege (oder Schaf)	• Abwassertank: Niere • Badewanne: Niere • Dusche: Niere • Geschirrspülmaschine: Niere • Computer am Internet: Unzufriedenheit
Affe	• Badewanne: Niere • Dusche: Niere • Gefrierschrank bzw. Gefrierfach im Kühlschrank: Kälteerscheinungen
Hahn	• Dachrinnen: Lymphe • Springbrunnen: Entzündungsneigung
Hund	• Anrufbeantworter: Sprechfaulheit • CD-Player: schwächt den Orientierungssinn • elektrische Brotschneidemaschinen und Mixer: nicht gut für die Zähne • Geschirrspülmaschine: Niere
Wildschwein (oder Schwein)	• CD-Player: schwächt den Orientierungssinn • Gasanschluß: Venen • Computer am Internet: Unzufriedenheit

Weitere Einflußmöglichkeiten

Im Einzelfall können auch andere Gegenstände bzw. Einrichtungen störend wirken. Erwähnt werden sollten zumindest **Gas- und Elektroherde**, die Hitzeerscheinungen hervorrufen können, wobei Gasherde stärker wirksam sind als Elektroherde. **Maschinen mit größerem Motor** können die Herzfunktion beeinträchtigen.

Es empfiehlt sich, bei potientiell empfänglichen Personen abzufragen, ob auch tatsächlich ein Einfluß über Nacht wirksam wird.

Dafür sollten Sie in den betreffenden Tierzeichensektor gehen. Dort fragen Sie: *„Gibt es in diesem Tierzeichensektor Einflüsse, die auf Grund meines Geburtsjahres nachts auf mich wirken?"*

Wenn sie ein NEIN bekommen, lassen Sie Ihr Ergebnis von einer zweiten Person überprüfen. Hat auch diese Person ein NEIN bekommen, gehören Sie zwar zur Gruppe der potentiell empfänglichen Personen, es befindet sich jedoch momentan kein Gegenstand bzw. keine Einrichtung in Ihrem Tierzeichensektor, der einen Einfluß auf Sie hat. Beachten Sie, daß Sie auch in Zukunft keine entsprechenden Gegenstände oder Einrichtungen dort plazieren.

Wenn Sie ein JA bekommen, suchen Sie nach dem oder den Gegenständen bzw. Einrichtungen mit der Frage: *„Wirkt ... (Name des Gegenstandes/der Einrichtung) auf Grund meines Geburtsjahres nachts auf mich ein?"*

Fragen Sie die Gegenstände bzw. Einrichtungen einzeln ab. Beachten Sie, daß auch mehrere Gegenstände bzw. Einrichtungen stören können. Fragen Sie zum Schluß zur Sicherheit: *„Habe ich alle Gegenstände bzw. Einrichtungen gefunden, die nachts auf Grund meines Geburtsjahres auf mich wirken?"*

Wenn Sie ein NEIN bekommen, suchen Sie weiter. Wenn Sie ein JA bekommen, gibt es mehrere Möglichkeiten:

1) Sie entfernen den Gegenstand bzw. die Einrichtung aus Ihrem Tierzeichensektor.
2) Sie verlegen Ihren Schlafplatz auf eine andere Etage.
3) Da es insbesondere bei festinstallierten Einrichtungen problematisch sein kann, diese zu verlegen und ein Schlafplatzwechsel auf eine andere Etage auch nicht immer möglich ist, ist es notwendig, die einfacheren Anteile des menschlichen Geistes über Nacht in dem betreffenden Tierzeichensektor abzulenken. Dies ist dann möglich, wenn sie etwas finden, was für diese anziehender ist als der störende Gegenstand oder die störende Einrichtung. Die einfacheren Anteile des menschlichen Geistes wenden sich gern bestimmten Gerüchen zu, wie sie von einigen Frucht- und Pflanzensäften ausgehen. Es gilt nun die geeigneten Frucht- oder Pflanzensäfte zu finden, die ausreichend wirksam sind.

Abhilfen bei störenden Einflüssen in den Tierzeichensektoren

Chinesisches Tierzeichen des Jahres	Geeignete Frucht- oder Pflanzensäfte
Ratte	Apfelsaft (sauer, naturtrüb), Fliedersaft, Kirschsaft (keine Sauerkirsche, sondern Süßkirsche)
Büffel (oder Ochse)	Roter Traubensaft, Rotkohlsaft, Sauerampfersaft, Zuckerrübensaft
Tiger	Karottensaft (am besten mit Honig, nicht mit Zitrone), Rote-Bete-Saft, Tomatensaft
Hase (oder Kaninchen)	Weißer Traubensaft
Drache	Sauerkrautsaft, Fliedersaft, Holundersaft, Brennesselsaft, Mistelsaft
Schlange	Limonensaft, Rotkohlsaft
Pferd	Pfirsichsaft, Weißdornsaft
Ziege (oder Schaf)	Orangensaft, Grapefruitsaft, Brennesselsaft
Affe	Aprikosensaft, Birkensaft
Hahn	Kirschsaft (keine Sauerkirsche, sondern Süßkirsche), Rettichsaft
Hund	Orangensaft, Limonen-, Limetten-, Mandarinen-, Blutorangen- und Zitrussäfte (außer Grapefruit)
Wildschwein (oder Schwein)	Heidelbeersaft, Paprikasaft

Es reicht aus, zwei Tropfen Saft über Nacht in den betreffenden Tierzeichensektor zu stellen. Nehmen Sie ein mit Wasser gefülltes Schälchen von 6 cm Durchmesser, und geben Sie zwei Tropfen Saft dazu. Das Wasser mit dem Saft muß alle drei Tage erneuert werden. Es ist im allgemeinen ausreichend, wenn Sie diese Prozedur ca. acht Wochen lang durchführen. Fragen Sie mit Biotensor oder Pendel nach ca. acht Wochen, ob die Wirkung ausreichend war. Erhalten Sie ein NEIN, stellen Sie zwei weitere Wochen Wasser und Saft hin, und fragen Sie erneut. Bekommen Sie ein JA, ist es in der Regel notwendig, die Prozedur nach einem Jahr zu wiederholen. Sie sollten auch dann wieder für ca. acht Wochen Wasser mit zwei Tropfen Saft hinstellen. Es ist in der Regel nicht erforderlich, den Vorgang mehr als sechs Jahre zu wiederholen.

Es ist möglich, statt Planzensäften kalt angesetzte Blatt- oder Pflanzenauszüge der oben genannten Pflanzen zu nehmen. Blätter oder Pflanzen sollten zwei Tage im kalten Wasser stehen. Der Auszug ist dann fertig und kann durch ein Sieb abgegossen werden. Der Auszug wird unverdünnt verwendet und ebenfalls alle drei Tage erneuert.

Zusammenfassung und Ausblick

Der gesunde Schlafplatz

Sie haben nun eine Fülle von möglichen Einflüssen auf Ihre Gesundheit insbesondere auf dem Schlafplatz erfahren. Wir wollen Ihnen nun noch einmal einen Überblick geben, damit Sie die Bedeutung der einzelnen Einflüsse richtig einordnen können.

Schädliche Energien

Geo-Sha
Geo-Sha ist die schädlichste Energie, die auf unsere Gesundheit einwirkt. Das **10-m-System** hat auf Grund der Kombination der verschiedenen Feinstofflichkeiten des Geo-Sha die größte Bedeutung. Da die Seitenwände in ca. 10 m Abstand sowohl in Nord/Süd-Richtung als auch in Ost/West-Richtung sind, finden wir in einem Großteil der Wohnungen zumindest eine Seitenwand. Die Wirkung des Geo-Sha in der Seitenwand wird dadurch verstärkt, daß wir in ihr fast kein Vital-Qi finden. Die Bedeutung des **250-m-Systems** für unsere Gesundheit ist deshalb geringer, weil zum einen die Seitenwände recht weit auseinanderliegen (ca. 250 m) und zum anderen die Kombination der verschiedenen Feinstofflichkeiten unsere Abwehr nicht so stark herabsetzt.

Trans-Sha
Trans-Sha, das durch Metalle in der Seitenwand des 250-m-Systems aktiviert wird, ist ähnlich stark wirksam, wie Trans-Sha, das durch Metalle in einer Seitenwand des 10-m-Systems aktiviert wird.

Ähnlich stark wie Geo-Sha in der Seitenwand des 10-m-Systems wirkt lediglich **Trans-Sha, das durch Metalle in einer Seitenwand des 10-m-Systems aktiviert wird**. Damit ist die herausragende Bedeutung des 10-m-Systems für die Gefährdung unserer Gesundheit noch einmal unterstrichen.

Trans-Sha über verwirbelndem Wasser ist von seiner Stärke auf den einzelnen Ebenen in der Regel deutlich schwächer wirksam als Geo-Sha oder Trans-Sha durch Metalle in einer Seitenwand des 10-m-Systems. Das Gleiche wie für verwirbelndes Wasser gilt für Trans-Sha in einer Seitenwand des Hartmann- sowie des 170-m-Systems. Darüber hinaus liegen die Seitenwände des 170-m-Systems recht weit auseinander (ca. 170 m). Trans-Sha durch Metalle in den Seitenwänden des Hartmann- und 170-m-Systems sowie über verwirbelndem Wasser sind ähnlich wirksam wie Trans-Sha in den Seitenwänden bzw. über verwirbelndem Wasser selbst.

Per-Sha

Am stärksten wirksam ist *Per-Sha, das durch Radiowecker mit roter Digitalanzeige aktiviert wird.* Mit Ausnahme von Krebs und Herzinfarkt finden wir die gleiche Wirkung wie beim Geo-Sha in einer Seitenwand des 10-m-Systems. Da die Radiowecker mit roter Digitalanzeige derzeit recht weit verbreitet sind und oft direkt neben dem Bett stehen, sind die durch sie hervorgerufenen Probleme recht häufig anzutreffen (obwohl die teureren Markenfabrikate in der Regel diese schädliche Energie nicht aktivieren).

Per-Sha über Verwerfungszonen ist ähnlich stark wirksam wie Trans-Sha über Wasserführungen oder in den Seitenwänden des Hartmann- und 170-m-Systems. Die Häufigkeit von Verwerfungszonen ist regional sehr unterschiedlich. Im Flachland sind sie relativ selten.

Positive Energien

Vital-Qi

Vital-Qi ist für unsere Gesundheit vergleichsweise wichtiger als Perm-Qi. D. h. ein Mangel an Vital-Qi wirkt sich stärker aus als ein Mangel an Perm-Qi. Darüber hinaus ist Vital-Qi in den Seitenwänden des 10-m- und 250-m-Systems praktisch nicht vorhanden. Wenn man zusätzlich noch bedenkt, daß Metalle in diesen Seitenwänden zu einem fast vollständigen Verlust von Vital-Qi im Raum führen, kann man abschätzen, wie weit verbreitet der Mangel an Vital-Qi im Schlafzimmer ist. Die Kombination von Vital-Qi-Mangel und Geo-Sha bzw. Trans-Sha durch Metall führt häufig erst zu den starken gesundheitlichen Beeinträchtigungen bis hin zu Krebs und Herzinfarkt.

Perm-Qi

Ein Mangel an Perm-Qi im Schlafzimmer ist relativ häufig. Allerdings finden wir Perm-Qi in den Seitenwänden des 10-m- und 250-m-Systems nicht vermindert. Auch durch Metalle in ihren Seitenwänden tritt keine Verminderung auf. Zusätzlich ist zu bedenken, daß die Bedeutung von Vital-Qi für unsere Gesundheit größer ist als die Bedeutung von Perm-Qi. Trotzdem sollten Sie versuchen, das Perm-Qi im Schlafzimmer zu erhöhen, um günstig auf Ihre Gesundheit und Ihr Wohlbefinden einzuwirken.

Die Bedeutung der Sektoren

Die Bedeutung der Trigrammsektoren
Wir haben Ihnen die Trigrammsektoren recht ausführlich dargestellt, um Ihnen eine weitere Möglichkeit in die Hand zu geben, sich negativen Einflüssen zu entziehen. Im Vergleich zur Wirkung des Geo-Sha in der Seitenwand des 10-m-Systems sind schwerwiegende Erkrankungen eher weniger häufig anzutreffen. Ein weiterer Unterschied besteht darin, daß die Erkrankungen auf einen klar definierbaren Personenkreis beschränkt sind. Es ist deshalb erforderlich, die Frage nach der Disposition besonders sorgfältig zu klären und nicht die Sektoren mit den Krankheitswahrscheinlichkeiten B bis E zu vergessen.

Die Bedeutung der Tierzeichensektoren
Die Erkrankungen bzw. Störungen über die Tierzeichen sind ebenfalls auf einen definierten Personenkreis beschränkt. Deshalb ist auch hier die Frage nach der Empfänglichkeit für diese Einflüsse besonders sorgfältig zu klären. Da sich häufig Gegenstände oder Einrichtungen nicht aus dem Sektor entfernen lassen, ist die beschriebene „Therapie" der eigenen Geistanteile sorgfältig durchzuführen und nicht zu früh abzubrechen.

Ausblick

Sie haben in diesem Buch einiges über die Schlafplatzuntersuchung und Schlafplatzsanierung gelernt. Wir haben uns bemüht, alles für Ihre Gesundheit Wesentliche in dieses Buch zu integrieren. Wenn Sie unsere Ratschläge befolgen, haben Sie einen guten Grundstein zur Erhaltung oder auch Verbesserung Ihrer Gesundheit und Ihres Wohlbefindens zu Hause gelegt.

Welche Möglichkeiten bietet nun das System des Feng Shui über das bisher Erfahrene hinaus?

Der richtige Platz für ein Haus

Das System des Feng Shui hilft Ihnen bei der Wahl des richtigen und auch „glücklichen" Platzes für Ihr Haus. Dies gilt nicht nur für Ihr Privathaus, sondern auch für Geschäftsgebäude verschiedener Art. Oft ermöglicht erst die richtige Wahl Ihrer Wohn- und Arbeitsräume den „Raum" für Ihre Ideen und deren praktische Umsetzung. Harmonie, sowohl privat als auch geschäftlich, kann sich erst dann richtig entfalten, wenn Sie die Energien und Kräfte des richtigen Ortes aktivieren.

Das unsichtbare Innenleben des Hauses

Wir haben Ihnen bereits einen Einblick in die innere Aura-Struktur des Hauses gegeben. Über gesundheitliche Erwägungen hinaus gibt Ihnen das System des Feng Shui die Möglichkeiten in die Hand, das Innere Ihres Hauses so zu gestalten, daß sowohl das Glück Ihrer Familie als auch Ihr beruflicher Erfolg gestärkt werden. Die Chinesen haben schon seit langer Zeit darauf geachtet, daß keine „bösen Geister" und Fremdenergien in ihr Heim eindringen. Der Schutz des Hauses vor äußeren Einflüssen lag ihnen dabei besonders am Herzen.

Feng Shui – Die Kompaßschule

Einen kleinen Einblick in die Kompaßschule des Feng Shui haben Sie bereits bekommen, als wir Ihnen die Trigrammsektoren und die Tierzeichensektoren sowie deren Bedeutung für Ihre Gesundheit vorstellten. Die Ausrichtung des Hauses bestimmt zu einem großen Teil die Verteilung der Energien im Haus. Dies hat eine große Bedeutung für die Nutzung der einzelnen Räume im Haus. Wichtige Einflüsse sind der Zeitpunkt der Fertigstellung des Hauses, der Geburtszeitpunkt der Bewohner und aktuelle Zeiteinflüsse des Jahres, des Monats, des Tages und der chinesischen Doppelstunde.

Feng Shui der Zeit

Die Wahl des richtigen Zeitpunktes spielt für die Durchführung eines Projekts eine große Rolle. An Hand der „Vier Säulen der Zeit" kann man bestimmen, welcher Zeitpunkt für eine Person günstig für ein bestimmtes Vorhaben ist. Ist der Zeitpunkt ungünstig, ist es oft besser, die Aktivitäten um einige Zeit zu verschieben. Die Kombination des richtigen Zeitpunktes mit dem richtigen Ort erst bringt die Möglichkeiten des Feng Shui zur vollen Entfaltung.

Anhang

Glossar

Abschirmmaterialien
Abschirmmaterialien können vor Sha schützen. Als Abschirmmaterialien verwendet werden EPS-Platten, Fresnel-Linsen, Kork geeigneter Qualität und Zellglasplatten geeigneter Qualität (s. jeweils unter diesen Begriffen).

Analytische Schule
In der Analytischen Schule des Feng Shui werden Einflüsse, die an einem bestimmten Ort zu einer bestimmten Zeit auf den Menschen wirken, direkt wahrgenommen. Die Analytische Schule benutzt zur Bestimmung dieser Einflüsse Biotensor oder Pendel.

Aura
Als Aura bezeichnen wir den feinstofflichen Körper des Menschen und die feinstoffliche Struktur im Haus und um das Haus.

Beschleunigung
Damit eine Energie von einer höheren Dimension in eine niedrigere wechseln kann, muß sie beschleunigt werden. Wichtig sind für uns Energien, die von der 5. oder 4. Dimension in unsere Dimension (3. Dimension) beschleunigt werden.

Biotensor
Der Biotensor ist die moderne Form der Wünschelrute. Er wird in einer Hand gehalten. Mit dem Biotensor können Sie Art und Stärke von Energien bestimmen und Strukturen suchen. Der Biotensor ermöglicht Ihnen, Antworten auf Fragen verschiedener Art in Form von JA und NEIN zu bekommen.

Chemische Belastungen
Insbesondere durch Lösungsmittel, Holzschutzmittel und Schwermetalle kann es im Hause zu gesundheitlichen Belastungen der Bewohner kommen.

Dimension
Im System des Feng Shui gibt es 7 Dimensionen. Wir leben in der 3. Dimension.

Ebene
Die unsichtbare Welt hat 32 Ebenen. Davon bezeichnen wir 10 Ebenen als feinstofflich und 22 als nicht-stofflich. Mit Ebenen ist nicht die Ebene im Raum gemeint, sondern verschiedene Grade der Feinstofflichkeit.

Elektrosmog
Elektromagnetische Einflüsse unterschiedlicher Art fassen wir unter dem Begriff Elektrosmog zusammen.

EPS-Platte
Die extrudierte Polystyrolhartschaumplatte ist ein Abschirmmaterial für schädliche Energien am Schlaf- und Arbeitsplatz. Die Handelsmarken sind „Fina X", „Styrodur", „Roofmate" und „Jackodur".

Formschule
In den bergigen Regionen Südchinas entwickelte sich die sogenannte Formschule des Feng Shui. Über die Beobachtung der Landschafts- und Flußformen kam man zu einer differenzierten Bewertung der einzelnen Formen hinsichtlich ihrer positiven und negativen Wirkung auf den Menschen.

Fresnel-Linse
Die Fresnel-Linse ist im Handel erhältlich als Weitwinkellinse zur Verbesserung der Sicht nach hinten für Karavane, Kleintransporter und Busse. Sie kann auch zur „Abschirmung" von schädlichen Energien insbesondere am Arbeitsplatz und durch Metall eingesetzt werden.

Geomagnetisches Kubensystem
Ein geomagnetisches Kubensystem ist eine mit physikalischen Meßmethoden nicht nachweisbare Struktur im Erdmagnetfeld, die zur Fortleitung von Energien benutzt wird. Es kann jedoch mittels Biotensor oder Pendel aufgespürt werden. Die Seitenwände bestimmter Kubensysteme sollten insbesondere während des Schlafes gemieden werden. In diesem Buch beschreiben wir das Hartmann-System sowie das 10-m-, 170-m- und 250-m-System. In den Seitenwänden des 10-m- und 250-m-Systems wird Geo-Sha von oben nach unten geleitet. In den Seitenwänden des 170-m- und Hartmann-Systems wird Trans-Sha von unten nach oben

geleitet. Die Seitenwände des Hartmann-Systems leiten außerdem in der Nähe von Verwerfungszonen Per-Sha von unten nach oben.

Geo-Sha
Geo-Sha ist eine für den Menschen schädliche Energie, die in den Seitenwänden bestimmter geomagnetischer Kubensysteme zu finden ist. Geo-Sha bewegt sich von oben nach unten. Die schädliche Wirkung auf den Menschen ist während des Schlafes am stärksten.

Hartmann-Kubensystem
Das Hartmann-Kubensystem wird kurz auch als Hartmann-System bezeichnet. In der Nähe von Wasserführungen leitet es in seinen Seitenwänden Trans-Sha von unten nach oben. In der Nähe von Verwerfungszonen führt es in den Seitenwänden Per-Sha von unten nach oben.

Individueller Bedarf
Der individuelle Bedarf für eine positive Energie gibt an, wieviel der einzelne Mensch von dieser Energie benötigt. Dabei wird mit Biotensor oder Pendel bestimmt, ob der individuelle Bedarf an dieser Energie gedeckt ist oder nicht.

Individueller Grenzwert
Der individuelle Grenzwert für eine schädliche Energie gibt an, wieviel der einzelne Mensch von dieser Energie auf einer Skala von 0 bis 100 maximal verträgt, ohne krank zu werden. Der individuelle Grenzwert für Geo-Sha, Trans-Sha und Per-Sha liegt in der Regel zwischen 4 und 5.

Kombination von Abschirmmaterialien
Abschirmmaterialien lassen sich nicht beliebig miteinander kombinieren. Genaueres entnehmen Sie bitte dem gleichnamigen Abschnitt in Kapitel 4.

Kompaßschule
In den Ebenen Nordchinas wurde ein umfangreiches System zur Bewertung eines Ortes auf Grund der Einflüsse der Himmelsrichtungen sowie zeitlicher Faktoren entwickelt. Die Bewertung der Energien erfolgte mit Hilfe des Feng-Shui-Kompasses (Luopan).

Kork geeigneter Qualität
Korkplatten und Korkparkett können insbesondere zur Schlafplatzsanierung als Abschirmmaterial gegen schädliche Energien eingesetzt werden. Wichtig ist zu beachten, daß die handelsüblichen Qualitäten im allgemeinen nicht den gewünschten Effekt bringen.

Lebensdauer von Abschirmmaterialien
Die Wirkungsdauer von Abschirmmaterialien ist unterschiedlich lang. Sie beträgt bei Zellglasplatten geeigneter Qualität 60 Jahre, bei Kork geeigneter Qualität 40 Jahre, bei EPS-Platten 8 bis 9 Jahre und für Fresnel-Linsen ca. 2 Jahre.

Lebensdauer von Wandlungsmaterialien
Die Lebensdauer eines Materials als sogenanntes Wandlungsmaterial ist begrenzt. Das heißt, daß diese Materialien nach einem bestimmten Zeitraum nicht mehr in der Lage sind, die Wandlungsgesetze zu aktivieren.

Li
Die Chinesen bezeichnen Strukturen aller Art als Li.

L-Rute
Die L-förmige Rute findet insbesondere Verwendung, um feinstoffliche Strukturen aufzuspüren. Im allgemeinen arbeitet man gleichzeitig mit zwei L-Ruten. Der kurze Arm der L-Rute wird mit der Hand umfaßt, so daß der lange Arm oberhalb der Hand in etwa waagerecht nach vorne zeigt. Bei der Reaktion JA drehen sich die langen Arme zueinander. Bei der Reaktion NEIN drehen sich die langen Arme nach außen.

Metalle
Wenn Metalle in den Seitenwänden geomagnetischer Kubensysteme oder über Wasserführungen plaziert sind, aktivieren sie Trans-Sha und führen zum Verlust von Vital-Qi im Raum.

Mutung
Ein anderer Begriff für das Aufspüren unsichtbarer Strukturen und Energien mittels Wünschelrute, Biotensor, Pendel oder L-Rute.

Pendel
Mit dem Pendel können Sie Art und Stärke von Energien bestimmen und Strukturen suchen. Es ermöglicht Ihnen, Antworten auf Fragen verschiedener Art in Form von JA und NEIN zu bekommen.

Per-Sha
Als Per-Sha bezeichnen wir drei Energien, die in der 5. Dimension eine Fließrichtung schräg von oben haben. Diese Energien finden wir über Verwerfungszonen und bei Radioweckern mit roter Digitalanzeige. Sie haben auf den Menschen eine ungünstige Wirkung.

Perm-Qi
Perm-Qi ist eine für den Menschen positive Energie. Es ist eine Art des Qi.

Polyxane
Polyxane sind homöopathische Potenzakkorde von „carex flava". Sie werden zum Abbau der Belastung durch Geo-Sha, Trans-Sha und Per-Sha verwendet.

Qualität von Zellglas und Kork
Im Gegensatz zu EPS-Platten und Fresnel-Linsen ist die handelsübliche Qualität von Zellglas- und Korkplatten sowie Korkparkett im allgemeinen nicht ausreichend für den Einsatz als Abschirmmaterial gegen schädliche Energien.

Qi (gesprochen tschi)
Die Chinesen fassen für den Menschen positive Energien häufig unter dem Begriff Qi zusammen. Da die verschiedenen positiven Energien ein unterschiedliches Verhalten haben, haben wir in diesem Buch die Begriffe Perm-Qi, Vital-Qi und Shen benutzt. Die Japaner benutzen für den Begriff Qi das gleiche Schriftzeichen wie die Chinesen, sprechen es jedoch Ki aus (wie in Reiki).

Radiowecker mit roter Digitalanzeige
Radiowecker mit roter Digitalanzeige (vor allem Billigprodukte aus Fernost) aktivieren Per-Sha, wenn die roten Zahlen leuchten. Dieses hat eine ähnliche negative Wirkung wie Geo-Sha.

Schnittstelle
Der Wechsel von Energien zwischen den Dimensionen findet an

sogenannten Schnittstellen statt. Diese unsichtbaren Schnittstellen haben die Form einer Linse oder Spirale. Schnittstellen liegen oft in den Seitenwänden geomagnetischer Kubensysteme.

Sektor
Die innere Struktur der Aura des Hauses besteht aus 48 gleich großen Sektoren. Mehrere dieser Sektoren werden u. a. zu den sogenannten Trigrammsektoren und den Tierzeichensektoren zusammengefaßt.

Sha (gesprochen scha)
Die Chinesen fassen für den Menschen negative Energien unter dem Oberbegriff Sha zusammen. In diesem Buch haben wir die einzelnen schädlichen Energien mit verschiedenen Namen bezeichnet (s. „Geo-Sha", „Trans-Sha" und „Per-Sha").

Shen
Als Shen bezeichnen die Chinesen positive Energien, die insbesondere auf den menschlichen Geist wirken.

Spiegelmaße für senkrecht hängende/stehende Spiegel
Geignete Spiegelmaße sind wichtig für die Energie im Raum. Für runde Spiegel sind alle Maße günstig. Dies gilt ebenfalls für ovale Spiegel, solange das Höhenmaß das Breitenmaß nicht mehr als 3 zu 1 übersteigt, bzw. das Breitenmaß das Höhenmaß nicht mehr als 5 zu 1 übersteigt. Für rechteckige Spiegel gelten die gleichen Maße wie für Haustüren (s. Kapitel 7 im Abschnitt „Perm-Qi"). Allerdings gibt es keine Mindesthöhen oder Breiten. Deshalb geben wir hier noch die günstigen Höhen- und Breitenmaße für kleinere Spiegel an:

Günstige Höhenmaße sind 0 bis 5,4 cm, 16,1 bis 26,8 cm, 37,5 bis 48,3 cm, usw. wie bei Türmaßen.Günstige Breitenmaße sind: 5,4 bis 16,1 cm, weiter wie bei Türmaßen.

Beispiel: Ein Spiegel mit der Höhe 40 cm und der Breite 35 cm ist günstig, ein Spiegel mit der Höhe 35 cm und der Breite 40 cm ist dagegen ungünstig.

Stärke von Energien
Mit Biotensor oder Pendel läßt sich nicht nur die Art, sondern auch die Stärke einer Energie bestimmen. Es gibt zwei Möglichkeiten, die Stärke einer Energie anzugeben:

a) Wir bestimmen die Stärke einer Energie auf einer Skala von 0 bis 100.
b) Wir bestimmen, ob die Stärke der Energie über oder unter dem individuellen Grenzwert einer Person liegt.

Struktur
Die Chinesen bezeichnen Strukturen aller Art als Li. In diesem Buch haben wir insbesondere geomagnetische Kubensysteme, die Aura-Struktur des Hauses und Strukturen beschrieben, die von sogenannten Abschirmmaterialien gebildet werden.

Styropor
Styropor ist kein Abschirmmaterial, kann jedoch im Einzellfall die Wirkung der oben beschriebenen Abschirmmaterialien beeinträchtigen oder in seltenen Fällen auch verstärken.

Tierzeichen
Die Chinesen ordnen u. a. den Jahren und den Monaten die zwölf chinesischen Tierzeichen zu. Diese sind nicht zu verwechseln mit den zwölf westlichen Tierkreiszeichen. Die chinesischen Tierzeichen sind: Ratte, Büffel, Tiger, Hase, Drache, Schlange, Pferd, Ziege, Affe, Hahn, Hund und Wildschwein.

Trans-Sha
Als Trans-Sha bezeichnen wir eine Energie, die in der 5. Dimension eine horizontale Fließrichtung hat. Kommt diese Energie in unsere Dimension, so hat sie eine ungünstige Wirkung auf den Menschen. Wir finden Trans-Sha von unten kommend in den Seitenwänden bestimmter geomagnetischer Kubensysteme und über verwirbelndem Wasser. Trans-Sha, das durch ungünstig plazierte Metalle aktiviert wird, hat auch in unserer Dimension eher einen horizontalen Verlauf. Seine Schädlichkeit entspricht ungefähr dem Geo-Sha.

Trigramm
Ein Trigramm besteht aus einer Kombination von drei horizontalen Linien. Die durchgehende Linie steht für Yang, die unterbrochene für Yin. Die acht Trigramme heißen: Kan, Gen, Zhen, Sun, Li, Kun, Dui und Qian.

Türmaße
Die richtigen Türmaße in der Höhe und in der Breite sind wichtig für zusätzliches Perm-Qi und zusätzliches Vital-Qi im Haus

Verwerfungszone
Verwerfungen oder Faltungen in der Erdkruste aktivieren zwei schädliche Arten von Per-Sha, das in diesem Fall jedoch leicht fächerförmig von unten nach oben aufsteigt. Die Energien haben eine Yang-Wirkung auf den Menschen.

Wandlungsmaterial
Wandlungsmaterialien sind Materialien, die die fünf Wandlungsgesetze (Wu Xing) aktivieren.

Wasserführung
Eine Wasserführung mit verwirbelndem Wasser aktiviert für den Menschen schädliches sogenanntes Trans-Sha, das von unten nach oben aufsteigt.

WS-Frequenzgerät
Das WS-Frequenzgerät wird zum Abbau der Belastung durch Geo-Sha, Trans-Sha und Per-Sha eingesetzt. WS steht für „weites Spektrum". Das Gerät basiert auf der Heilwirkung ausgewählter Natursteinmehle, die auf Keramikstäbe aufgetragen sind und erhitzt werden. Es ist auch für vielfältige Heilzwecke einsetzbar.

Wu Xing
Wu Xing kann mit „Fünf Wandlungsgesetze" übersetzt werden. Die Fünf Wandlungsgesetze führen zu bestimmten Energiequalitäten in unserer Dimension. Diese haben die Namen: Holz, Feuer, Erde, Metall und Wasser. Gelegentlich findet man auch die Übersetzung „Fünf Elemente", obwohl diese Übersetzung an sich irreführend ist.

Vital-Qi
Vital-Qi ist eine für den Menschen positive Energie. Es ist eine Art des Qi.

Yin und Yang
Yin und Yang beschreiben zwei gegensätzliche Aspekte derselben Sache. So ist der Mensch weiblich und männlich. Die Vorderseite

des Menschen ist Yin, die Rückseite Yang, die linke Seite ist Yin, die rechte Yang, der untere Teil Yin, der obere Yang usw.

Zellglasplatten geeigneter Qualität

Zellglasplatten können insbesondere beim Hausbau als Abschirmmaterial gegen schädliche Energien am Schlaf- und Arbeitsplatz eingesetzt werden. Wichtig ist zu beachten, daß die handelsüblichen Qualitäten oft nicht den gewünschten Effekt bringen.

Bauanleitungen für Biotensor und Pendel

A) Biotensor

Für den Bau eines Biotensors benötigen wir drei Dinge:
1) Handgriff
2) federnder Draht
3) Gewicht an der Spitze

zu 1)
Der Handgriff kann aus Holz, Metall, Kunststoff oder aus einem anderen Material bestehen. Er sollte gut in der Hand liegen. Die Länge des Griffes sollte 10-15 cm betragen. Der Durchmesser ist materialabhängig. Der Durchmesser eines Metallgriffes sollte ca. 10 mm betragen, bei leichteren Materialien wie Holz oder Kunststoff haben sich 20-30 mm bewährt.

zu 2)
Der federnde Draht besteht aus einem Stahldraht von ca. 1 mm Durchmesser. Die freie Länge des Drahtes zwischen Handgriff und Gewicht an der Spitze beträgt ca. 30 cm.

zu 3)
Als Gewicht an der Spitze haben sich ein Ring oder eine Kugel bewährt. Gängige Modelle mit einem Ring haben Ringe in Form einer flachen Scheibe mit einem Außendurchmesser von ca. 34 mm und einem Innendurchmesser von ca. 22 mm bei einer Höhe von ca. 2 mm.

Es gibt auch Rutenmodelle, die vollständig aus Kunststoff bestehen, wobei der Abstand zum Gewicht an der Spitze meist etwas größer als 30 cm ist.

B) Pendel

Ein Pendel besteht aus:
1) einem Pendelkopf
2) einer Pendelschnur

zu 1)
Der Pendelkopf ist normalerweise ein Kegel, dessen Spitze nach unten zeigt. Sie können aber auch einen anderen Gegenstand mit einem Gewicht von ca. 12 bis 50 Gramm nehmen. Selbst ein Ring (z. B. der Ehering) ist als Pendelkopf geeignet.

zu 2)
Die Pendelschnur ist ein normaler Zwirnsfaden, eine Schnur oder Kette. Am unteren Ende der Pendelschnur ist der Pendelkopf befestigt, den oberen Teil der Pendelschnur halten Sie zwischen Daumen und Zeigefinger oder zwischen Zeige- und Mittelfinger, je nachdem, wie es für Sie angenehmer ist. Der Abstand zwischen Pendelkopf und Hand sollte ca. 10 bis 15 cm betragen. Der optimale Abstand ist abhängig vom Gewicht des Pendelkopfes und der Art dem Zweck des Pendelns. Probieren Sie aus, mit welchem Abstand Sie am besten zurecht kommen.

Chinesischer Mondkalender

Beispiele für das Aufsuchen des chinesischen Tierzeichen des Jahres und des Monats für ein gegebenes Geburtsdatum (die Uhrzeiten beziehen sich auf die mitteleuropäische Zeit/MEZ):

1) Geburtsdatum: 16.07.1924
In der Zeile neben der Jahreszahl 1924 finden Sie das Tierzeichen Ratte. Das entsprechende chinesische Mondjahr beginnt am 05.02.1924 um 02:38 Uhr und endet am 24.01.1925 um 15:45 Uhr. Dem 16.07.1924 ist also zweifelsohne das *Tierzeichen des Jahres Ratte* zuzuordnen.

Der chinesische Mondmonat für das gegebene Datum ist der 6. Monat mit dem *Tierzeichen des Monats Ziege*. Der Monat beginnt am 02.07.1924 um 06:35 Uhr und endet am 31.07.1924 um 20:42 Uhr. Damit wäre das persönliche Trigramm für Frauen GEN, für Männer KUN.

2) *Geburtsdatum:* 12.01.1956
Das zugehörige *Tierzeichen des Jahres* ist *Affe.* Beachten Sie, daß das chinesische Mondjahr, das in der Zeile neben 1956 steht, vom 11.02.1956 um 22:38 Uhr bis zum 30.01.1957 um 22:25 geht. Die chinesischen Mondjahre und die Jahre nach der westlichen Zählung sind nicht ganz deckungsgleich.
    Das *Tierzeichen des Monats* ist *Büffel.* Der entsprechende chinesische Mondmonat beginnt am 01.01.1957 um 03:14 Uhr und endet am 30.01.1957 um 22:25 Uhr. Der Beginn am 01.01. ist rein zufällig und hat nichts mit dem Jahresanfang nach dem westlichen Kalender zu tun. Das persönliche Trigramm ist GEN.

3) *Geburtsdatum:* 28.01.1960 um 12:00 (MEZ)
Tierzeichen des Jahres: *Ratte.* Das entsprechende Jahr beginnt am 28.01.1960 um 07:15 Uhr (MEZ) und endet am 15.02.1962 um 01:10 Uhr.
    Das *Tierzeichen des Monats* ist *Tiger.* Der zugehörige chinesische Mondmonat beginnt am 28.01.1960 um 07:15 Uhr und endet am 26.02.1960 um 19:24 Uhr. Das persönliche Trigramm ist ZHEN.

4) *Geburtsdatum:* 02.06.1982
Tierzeichen des Jahres: *Hund. Tierzeichen des Monats*: *Schlange.* Wir finden hinter dem Datum 23.04. im Kalender als Markierung ein Sternchen: *. Dies bedeutet, daß am 23.04. ein Mondmonat beginnt, dem ein sogenannter Schaltmonat folgt. Schaltmonate sind erforderlich, da die chinesischen Mondmonate nur etwas länger als 29,5 Tage sind. Da Schaltmonate dem gleichen chinesischen Tierzeichen zugeordnet sind wie der vorangehende Mondmonat, sind ihre Anfangsdaten nicht gesondert aufgeführt. Der entsprechende Mondmonat mit dem Tierzeichen Schlange beginnt also am 23.04.1982 um 21:29 Uhr. Der nachfolgende Schaltmonat endet am 21.06.1982 um 12:52 Uhr. Das persönliche Trigramm ist LI.

Anmerkung:
Personen, die nahe (ein bis zwei Stunden) am Übergang von einem Monat in den anderen geboren sind, müssen bei Ihrer Geburtszeit ggfs. noch die Sommerzeit berücksichtigen. Rechnen Sie Ihre Geburtszeit unter Zuhilfenahme der folgenden Übersicht über die Sommerzeiten in MEZ um.

Übersicht über die Sommerzeiten

Seit dem 01.04.1893 um 0.00 Uhr gilt in Deutschland und in Österreich die Mitteleuropäische Zeit (MEZ). In der Schweiz gilt die Mitteleuropäische Zeit seit dem 01.06.1894 um 0.00 Uhr. Von Frühjahr bis Herbst wurde und wird die Zeit in diesen Ländern, allerdings nicht in allen Jahren, um eine Stunde gegenüber der Mitteleuropäischen Zeit vorgestellt. Es gilt dann die Mitteleuropäische Sommerzeit (MESZ). Bei der sogenannten doppelten Sommerzeit wurde die Zeit um zwei Stunden vorgestellt.

Sommerzeiten in Deutschland
30.04.1916 23.00 Uhr bis 01.10.1916 01.00 Uhr
16.04.1917 02.00 Uhr bis 17.09.1917 03.00 Uhr
15.04.1918 02.00 Uhr bis 16.09.1918 03.00 Uhr

Von 1919 bis 1927 war in der französisch besetzten Zone die Zeit gegenüber der MEZ zeitweise um eine Stunde nachgestellt (s. unter „Sommerzeiten in der französisch besetzten Zone").

01.04.1940 02.00 Uhr bis 02.11.1942 03.00 Uhr
29.03.1943 02.00 Uhr bis 04.10.1943 03.00 Uhr
03.04.1944 02.00 Uhr bis 02.10.1944 03.00 Uhr

Westzonen:
02.04.1945 02.00 Uhr bis 16.09.1945 02.00 Uhr

Sowjetisch besetzte Zone und Großberlin:
02.04.1945 02.00 Uhr bis 24.05.1945 02.00 Uhr (einfache MESZ)
24.05.1945 02.00 Uhr bis 24.09.1945 03.00 Uhr (doppelte MESZ)
24.09.1945 03.00 Uhr bis 18.11.1945 02.00 Uhr (einfache MESZ)

Ab 1946 gelten die folgenden Zeiten für Deutschland bzw. BRD/DDR:
14.04.1946 02.00 Uhr bis 07.10.1946 03.00 Uhr

06.04.1947 03.00 Uhr bis 11.05.1947 03.00 Uhr (einfache MESZ)
11.05.1947 03.00 Uhr bis 29.06.1947 03.00 Uhr (doppelte MESZ)
29.06.1947 03.00 Uhr bis 05.10.1947 03.00 Uhr (einfache MESZ)
18.04.1948 02.00 Uhr bis 03.10.1948 03.00 Uhr
10.04.1949 02.00 Uhr bis 02.10.1949 03.00 Uhr
06.04.1980 02.00 Uhr bis 28.09.1980 03.00 Uhr

```
29.03.1981  02.00 Uhr bis  27.09.1981  03.00 Uhr
28.03.1982  02.00 Uhr bis  26.09.1982  03.00 Uhr
27.03.1983  02.00 Uhr bis  25.09.1983  03.00 Uhr
25.03.1984  02.00 Uhr bis  30.09.1984  03.00 Uhr
31.03.1985  02.00 Uhr bis  29.09.1985  03.00 Uhr
30.03.1986  02.00 Uhr bis  28.09.1986  03.00 Uhr
29.03.1987  02.00 Uhr bis  27.09.1987  03.00 Uhr
27.03.1988  02.00 Uhr bis  25.09.1988  03.00 Uhr
26.03.1989  02.00 Uhr bis  24.09.1989  03.00 Uhr
25.03.1990  02.00 Uhr bis  30.09.1990  03.00 Uhr
31.03.1991  02.00 Uhr bis  29.09.1991  03.00 Uhr
29.03.1992  02.00 Uhr bis  27.09.1992  03.00 Uhr
28.03.1993  02.00 Uhr bis  26.09.1993  03.00 Uhr
27.03.1994  02.00 Uhr bis  25.09.1994  03.00 Uhr
26.03.1995  02.00 Uhr bis  24.09.1995  03.00 Uhr
31.03.1996  02.00 Uhr bis  27.10.1996  03.00 Uhr
30.03.1997  02.00 Uhr bis  26.10.1997  03.00 Uhr
29.03.1998  02.00 Uhr bis  25.10.1998  03.00 Uhr
28.03.1999  02.00 Uhr bis  31.10.1999  03.00 Uhr
26.03.2000  02.00 Uhr bis  29.10.2000  03.00 Uhr
```

Sommerzeiten in der französisch besetzten Zone
Vom 01.01.1919 23.00 Uhr bis 09.04.1927 galt in der französisch besetzten Zone Deutschlands die gleiche Zeit wie in Frankreich. Zur französisch besetzten Zone gehörten die linksrheinischen Gebiete mit Mainz, Koblenz, Köln, Wiesbaden und Mannheim. In der französisch besetzten Zone galt die sogenannte Greenwich Mean Time (GMT), auch Greenwich-Zeit genannt. Die GMT ist gegenüber der MEZ um eine Stunde nachgestellt. Während der Sommerzeit in der französischen Zone war die Zeit gegenüber der GMT um eine Stunde vorgestellt, entsprach also der MEZ. In den folgenden Zeiten galt in der französischen Zone die MEZ:

```
01.03.1919  23.00 Uhr bis  05.10.1919  24.00 Uhr
14.02.1920  23.00 Uhr bis  23.10.1920  24.00 Uhr
14.03.1921  23.00 Uhr bis  25.10.1921  24.00 Uhr
25.03.1922  23.00 Uhr bis  07.10.1922  24.00 Uhr
10.03.1923  23.00 Uhr bis  06.10.1923  24.00 Uhr
29.03.1924  23.00 Uhr bis  04.10.1924  24.00 Uhr
04.04.1925  23.00 Uhr bis  03.10.1925  24.00 Uhr
17.04.1926  23.00 Uhr bis  02.10.1926  24.00 Uhr
```

Sommerzeit in Österreich
Die Sommerzeit galt wie in Deutschland, doch mit folgenden Unterschieden:

Auch 1919 und 1920 gab es die Sommerzeit.
28.04.1919 02.00 Uhr bis 29.09.1919 03.00 Uhr
05.04.1920 02.00 Uhr bis 13.09.1920 03.00 Uhr

Westzonen (Vorarlberg, Tirol, Salzburg, Oberösterreich, Steiermark, Kärnten):
02.04.1945 02.00 Uhr bis 16.09.1945 02.00 Uhr

Wien und sowjetisch besetzte Zone (Niederösterreich, Burgenland):
02.04.1945 02.00 Uhr bis 07.04.1945

1947 gab es lediglich die einfache Sommerzeit, keine doppelte MESZ.
06.04.1947 03.00 Uhr bis 05.10.1947 03.00 Uhr (einfache MESZ)

1949 gab es keine Sommerzeit.

Sommerzeit in der Schweiz
Die Sommerzeit galt wie in Deutschland, doch mit folgenden Unterschieden:

05.05.1941 02.00 Uhr bis 06.10.1941 03.00 Uhr
04.05.1942 02.00 Uhr bis 05.10.1942 03.00 Uhr

1980 keine Sommerzeit, ab 1981 wie in Deutschland

Mondkalender 1900–1919

		1. Tiger	2. Hase	3. Drache	4. Schlange	5. Pferd
1900	Ratte	31.01. 02:23	01.03. 12:25	30.03. 21:30	29.04. 06:23	28.05. 15:50
1901	Büffel	19.02. 03:45	20.03. 13:53	18.04. 22:37	18.05. 06:38	16.06. 14:33
1902	Tiger	08.02. 14:21	10.03. 03:50	08.04. 14:50	07.05. 23:45	06.06. 07:11
1903	Hase	28.01. 17:38	27.02. 11:19	29.03. 02:26	27.04. 14:31	26.05.* 23:50
1904	Drache	16.02. 12:05	17.03. 06:39	15.04. 22:53	15.05. 11:58	13.06. 22:10
1905	Schlange	04.02. 12:06	06.03. 06:19	05.04. 00:23	04.05. 16:50	03.06. 06:56
1906	Pferd	24.01. 18:09	23.02. 08:57	25.03. 00:52	23.04.* 17:06	22.06. 00:05
1907	Ziege	12.02. 18:43	14.03. 07:05	12.04. 20:06	12.05. 09:59	11.06. 00:50
1908	Affe	02.02. 09:36	02.03. 19:57	01.04. 06:02	30.04. 16:33	30.05. 4:14
1909	Hahn	22.01. 01:12	20.02.* 11:52	20.04. 05:51	19.05. 14:42	18.06. 00:28
1910	Hund	10.02. 02:13	11.03. 13:12	09.04. 22:25	09.05. 06:33	07.06. 14:16
1911	Wild- schwein	30.01. 10:44	01.03. 01:31	30.03. 13:38	28.04. 23:25	28.05. 07:24
1912	Ratte	18.02. 06:44	18.03. 23:08	17.04. 12:40	16.05. 23:13	15.06. 07:23
1913	Büffel	06.02 06:22	08.03. 01:22	06.04. 18:48	06.05. 09:24	04.06. 20:57
1914	Tiger	26.01. 07:34	25.02. 01:02	26.03. 19:09	25.04. 12:21	25.05.* 03:34
1915	Hase	14.02. 05:31	15.03. 20:42	14.04. 12:35	14.05. 04:31	12.06. 19:57
1916	Drache	03.02. 17:05	04.03. 04:57	02.04. 17:21	02.05. 06:29	31.05. 20:37
1917	Schlange	23.01. 08:40	21.02. 19:09	23.03.* 05:05	21.05. 01:46	19.06. 14:02
1918	Pferd	11.02. 11:04	12.03. 20:52	11.04. 05:34	10.05. 14:01	08.06. 23:02
1919	Ziege	01.02. 00:07	02.03. 12:11	31.03. 22:04	30.04. 06:30	29.05. 14:12

---

* Schaltmonat: der nachfolgende Monat wird dem gleichen Tierzeichen zugeordnet

6. Ziege	7. Affe	8. Hahn	9. Hund	10. Wild- schwein	11. Ratte	12. Büffel
27.06. 02:27	26.07. 14:43	25.08.* 04:53	23.10. 14:27	22.11. 08:17	22.12. 01:01	20.01.01 15:36
15.07. 23:10	14.08. 09:27	12.09. 22:19	12.10. 14:11	11.11. 08:34	11.12. 03:53	09.01.02 22:14
05.07. 13:59	03.08. 21:17	02.09. 06:19	01.10. 18:09	31.10. 09:14	30.11. 03:04	29.12. 22:25
24.07. 13:46	22.08. 20:51	21.09. 05:31	20.10. 16:30	19.11. 06:10	18.12. 22:26	17.01.04 16:47
13.07. 06:27	11.08. 13:58	09.09. 21:43	09.10. 06:25	07.11. 16:37	07.12. 04:46	05.01.05 19:17
02.07. 18:50	01.08. 05:02	30.08. 14:13	28.09. 22:59	28.10. 07:58	26.11. 17:47	26.12. 05:04
21.07. 13:59	20.08. 02:27	18.09. 13:33	17.10. 23:43	16.11. 09:36	15.12. 19:54	14.01.07 06:57
10.07. 16:17	09.08. 07:36	07.09. 22:04	07.10. 11:20	05.11. 23:39	05.12. 11:22	03.01.08 22:43
28.06. 17:31	28.07. 08:17	26.08. 23:59	25.09. 15:59	25.10. 07:46	23.11. 22:53	23.12. 12:50
17.07. 11:45	16.08. 00:54	14.09. 16:08	14.10. 09:13	13.11. 03:18	12.12. 20:58	11.01.10 12:51
06.07. 22:20	05.08. 07:37	03.09. 19:06	03.10. 09:32	02.11. 02:56	01.12. 22:10	31.12. 17:21
26.06.* 14:19	24.08. 05:14	22.09. 15:37	22.10. 05:09	20.11. 21:49	20.12. 16:40	19.01.12 12:10
14.07. 14:13	12.08. 20:57	11.09. 04:48	10.10. 14:40	09.11. 03:05	08.12. 18:06	07.01.13 11:28
04.07. 06:06	02.08. 13:58	31.08. 21:38	30.09. 05:57	29.10. 15:29	28.11. 02:41	27.12. 15:58
23.07. 03:38	21.08. 13:26	19.09. 22:33	19.10. 07:33	17.11. 17:02	17.12. 03:35	15.01.15 15:42
12.07. 10:30	10.08. 23:52	09.09. 11:52	08.10. 22:42	07.11. 08:52	06.12. 19:03	05.01.16 05:45
30.06. 11:43	30.07. 03:15	28.08. 18:24	27.09. 08:34	26.10. 21:37	25.11. 09:50	24.12. 21:31
19.07. 04:00	17.08. 19:21	16.09. 11:27	16.10. 03:41	14.11. 19:28	14.12. 10:17	12.01.18 23:35
08.07. 09:22	06.08. 21:29	05.09. 11:43	05.10. 04:05	03.11. 22:01	03.12. 16:19	02.01.19 09:24
27.06. 21:52	27.07.* 06:22	24.09. 05:34	23.10. 21:39	22.11. 16:19	22.12. 11:55	21.01.20 06:27

Mondkalender 1920–1939

		1. Tiger	2. Hase	3. Drache	4. Schlange	5. Pferd
1920	Affe	19.02 22:34	20.03. 11:55	18.04. 22:43	18.05. 07:25	16.06 14:41
1921	Hahn	08.02. 01:36	09.03. 19:09	08.04. 10:05	07.05. 22:01	06.06. 07:14
1922	Hund	28.01. 00:48	26.02. 19:47	28.03. 14:03	27.04. 06:03	26.05.* 19:04
1923	Wildschwein	15.02. 20:07	17.03. 13:51	16.04. 07:28	15.05. 23:38	14.06. 13:42
1924	Ratte	05.02. 02:38	05.03. 16:58	04.04. 08:17	04.05. 00:00	02.06. 15:34
1925	Büffel	24.01. 15:45	23.02. 03:12	24.03. 15:03	23.04.* 03:28	21.06. 07:17
1926	Tiger	12.02. 18:20	14.03. 04:20	12.04. 13:56	11.05. 23:55	10.06. 11:08
1927	Hase	02.02. 09:54	03.03. 20:24	02.04. 05:24	01.05. 13:40	30.05. 22:06
1928	Drache	22.01. 21:19	21.02.* 10:41	20.04. 06:25	19.05. 14:14	17.06. 21:42
1929	Schlange	09.02. 18:55	11.03. 09:36	09.04. 21:32	09.05. 07:07	07.06. 14:56
1930	Pferd	29.01. 20:07	28.02. 14:33	30.03. 06:46	28.04. 20:08	28.05. 06:36
1931	Ziege	17.02. 14:11	19.03. 08:51	18.04. 02:00	17.05. 16:28	16.06. 04:02
1932	Affe	06.02. 15:45	07.03. 08:44	06.04. 02:21	05.05. 19:11	04.06. 10:16
1933	Hahn	26.01. 00:20	24.02. 13:44	26.03. 04:20	24.04. 19:38	24.05.* 11:07
1934	Hund	14.02. 01:43	15.03. 13:08	14.04. 00:57	13.05. 13:30	12.06. 03:11
1935	Wildschwein	03.02. 17:27	05.03. 03:40	03.04. 13:11	02.05. 22:36	01.06. 08:52
1936	Ratte	24.01. 08:18	22.02. 19:42	23.03.* 05:14	20.05. 21:34	19.06. 06:14
1937	Büffel	11.02. 08:34	12.03. 20:32	11.04. 06:10	10.05. 14:18	08.06. 21:43
1938	Tiger	31.01. 14:35	02.03. 06:40	31.03. 19:52	30.04. 06:28	29.05. 14:59
1939	Hase	19.02. 09:28	21.03. 02:49	19.04. 17:35	19.05. 05:25	17.06. 14:37

* Schaltmonat: der nachfolgende Monat wird dem gleichen Tierzeichen zugeordnet

6. Ziege	7. Affe	8. Hahn	9. Hund	10. Wild-schwein	11. Ratte	12. Büffel
15.07. 21:25	14.08. 04:44	12.09. 13:51	12.10. 01:50	10.11. 17:05	10.12. 11:04	09.01.21 06:26
05.07. 14:36	03.08. 21:17	02.09. 04:33	01.10. 13:26	31.10. 00:38	29.11. 14:25	29.12. 06:39
24.07. 13:47	22.08. 21:34	21.09. 05:38	20.10. 14:40	19.11. 01:06	18.12. 13:20	17.01.23 03:41
14.07. 01:45	12.08. 12:16	10.09. 21:52	10.10. 07:05	08.11. 16:27	08.12. 02:30	06.01.24 13:48
02.07. 06:35	31.07. 20:42	30.08. 09:37	28.09. 21:16	28.10. 07:57	26.11. 18:15	26.12. 04:46
20.07. 22:40	19.08. 14:15	18.09. 05:12	17.10. 19:06	16.11. 07:58	15.12. 20:05	14.01.26 07:35
10.07. 00:06	08.08. 14:48	07.09. 06:45	06.10. 23:13	05.11. 15:34	05.12. 07:11	03.01.27 21:28
29.06. 07:32	28.07. 18:36	27.08. 07:45	25.09. 23:11	25.10. 16:37	24.11. 11:09	24.12. 05:13
17.07. 05:35	15.08. 14:48	14.09. 02:20	13.10. 16:56	12.11. 10:35	12.12. 06:06	11.01.29 01:28
06.07. 21:47	05.08. 04:40	03.09. 12:47	02.10. 23:19	01.11. 13:01	01.12. 05:48	31.12. 00:42
26.06.* 14:46	24.08. 04:37	22.09. 12:42	21.10. 22:48	20.11. 11:21	20.12. 02:24	18.01.31 19:35
15.07. 13:20	13.08. 21:27	12.09. 05:26	11.10. 14:06	09.11. 23:55	09.12. 11:16	08.01.32 00:29
03.07. 23:20	02.08. 10:42	31.08. 20:54	30.09. 06:30	29.10. 15:56	28.11. 01:43	27.12. 12:22
22.07. 17:03	21.08. 06:48	19.09. 19:21	19.10. 06:45	17.11. 17:24	17.12. 03:53	15.01.34 14:37
11.07. 18:06	10.08. 09:46	09.09. 01:20	08.10. 16:05	07.11. 05:44	06.12. 18:25	05.01.35 06:20
30.06. 20:44	30.07. 10:32	29.08. 02:00	27.09. 18:29	27.10. 11:15	26.11. 03:36	25.12. 18:49
18.07. 16:19	17.08. 04:21	15.09. 18:41	15.10. 11:20	14.11. 05:42	14.12. 00:25	12.01.37 17:47
08.07. 05:13	06.08. 13:37	04.09. 23:53	04.10. 12:58	03.11. 05:16	03.12. 00:11	01.01.38 19:58
27.06. 22:10	27.07.* 04:53	23.09. 21:34	23.10. 09:42	22.11. 01:05	21.12. 19:07	20.01.39 14:27
16.07. 22:03	15.08. 04:53	13.09. 12:22	12.10. 21:30	11.11. 08:54	10.12. 22:45	09.01.40 14:53

Mondkalender 1940–1959

		1. Tiger	2. Hase	3. Drache	4. Schlange	5. Pferd
1940	Drache	08.02. 08:45	09.03. 03:23	07.04. 21:18	07.05. 13:07	06.06. 02:05
1941	Schlange	27.01. 12:03	26.02. 04:02	27.03. 21:14	26.04. 14:23	26.05. 06:18
1942	Pferd	15.02. 11:03	17.03. 00:50	15.04. 15:33	15.05. 06:45	13.06. 22:02
1943	Ziege	05.02. 00:29	06.03. 11:34	04.04. 22:53	04.05. 10:43	02.06. 23:33
1944	Affe	25.01. 16:24	24.02. 02:59	24.03. 12:36	22.04.* 21:43	20.06. 18:00
1945	Hahn	12.02. 18:33	14.03. 04:51	12.04. 13:30	11.05. 21:21	10.06. 05:26
1946	Hund	02.02. 05:43	03.03. 19:01	02.04. 05:37	01.05. 14:16	30.05. 21:49
1947	Wild-schwein	22.01. 09:34	21.02.* 03:00	21.04. 05:19	20.05. 14:44	18.06. 22:26
1948	Ratte	10.02. 04:02	10.03. 22:15	09.04. 14:17	09.05. 03:30	07.06. 13:55
1949	Büffel	29.01. 03:42	27.02. 21:55	29.03. 16:11	28.04. 09:02	27.05. 23:24
1950	Tiger	16.02. 23:53	18.03. 16:20	17.04. 09:25	17.05. 01:54	15.06. 16:53
1951	Hase	06.02. 08:54	07.03. 21:51	06.04. 11:52	06.05. 02:36	04.06. 17:40
1952	Drache	26.01. 23:26	25.02. 10:16	25.03. 21:13	24.04. 08:27	23.05.* 20:28
1953	Schlange	14.02. 02:10	15.03. 12:05	13.04. 21:09	13.05. 06:06	11.06. 15:55
1954	Pferd	03.02. 16:55	05.03. 04:11	03.04. 13:25	02.05. 21:22	01.06. 05:03
1955	Ziege	24.01. 02:07	22.02. 16:54	24.03.* 04:42	21.05. 21:59	20.06. 05:12
1956	Affe	11.02. 22:38	12.03. 14:37	11.04. 03:39	10.05. 14:04	08.06. 22:29
1957	Hahn	30.01. 22:25	01.03. 17:12	31.03. 10:19	30.04. 00:54	29.05. 12:39
1958	Hund	18.02. 16:38	20.03. 10:50	19.04. 04:23	18.05. 20:00	17.06. 08:59
1959	Wild-schwein	07.02. 20:22	09.03. 11:51	08.04. 04:29	07.05. 21:11	06.06. 12:53

---

* Schaltmonat: der nachfolgende Monat wird dem gleichen Tierzeichen zugeordnet

6. Ziege	7. Affe	8. Hahn	9. Hund	10. Wild-schwein	11. Ratte	12. Büffel
05.07. 12:28	03.08. 21:09	02.09. 05:15	01.10. 13:41	30.10. 23:03	29.11. 09:42	28.12. 21:56
24.06.* 20:22	22.08. 19:34	21.09. 05:38	20.10. 15:20	19.11. 01:04	18.12. 11:18	16.01.42 22:32
13.07. 13:03	12.08. 03:28	10.09. 16:53	10.10. 05:06	08.11. 16:19	08.12. 02:59	06.01.43 13:38
02.07. 13:44	01.08. 05:06	30.08. 20:59	29.09. 12:29	29.10. 02:59	27.11. 16:23	27.12. 04:50
20.07. 06:42	18.08. 21:25	17.09. 13:37	17.10. 06:35	15.11. 23:29	15.12. 15:35	14.01.45 06:07
09.07. 14:35	08.08. 01:32	06.09. 14:44	06.10. 06:22	05.11. 00:11	04.12. 19:07	03.01.46 13:30
29.06. 05:06	28.07. 12:54	26.08. 22:07	25.09. 09:45	25.10. 00:32	23.11. 18:24	23.12. 14:06
18.07. 05:15	16.08. 12:12	14.09. 20:28	14.10. 07:10	12.11. 21:01	12.12. 13:53	11.01.48 08:45
06.07. 22:09	05.08. 05:13	03.09. 12:21	02.10. 20:42	01.11. 07:03	30.11. 19:44	30.12. 10:45
26.06. 11:02	25.07.* 20:33	22.09. 13:21	21.10. 22:23	20.11. 08:29	19.12. 19:56	18.01.50 09:00
15.07. 06:05	13.08. 17:48	12.09. 04:29	11.10. 14:33	10.11. 00:25	09.12. 10:29	07.01.51 21:10
04.07. 08:48	02.08. 23:39	01.09. 13:50	01.10. 02:57	30.10. 14:54	29.11. 02:00	28.12. 12:43
22.07. 00:31	20.08. 16:20	19.09. 08:22	18.10. 23:42	17.11. 13:56	17.12. 03:02	15.01.53 15:08
11.07. 03:28	09.08. 17:10	08.09. 08:48	08.10. 01:40	06.11. 18:58	06.12. 11:48	05.01.54 03:21
30.06. 13:26	29.07. 23:20	28.08. 11:21	27.09. 01:50	26.10. 18:47	25.11. 13:30	25.12. 08:33
19.07. 12:35	17.08. 20:58	16.09. 07:19	15.10. 20:32	14.11. 13:02	14.12. 08:07	13.01.56 04:01
08.07. 05:38	06.08. 12:25	04.09. 19:57	04.10. 05:25	02.11. 17:44	02.12. 09:13	01.01.57 03:14
27.06. 21:53	27.07. 05:28	25.08.* 12:33	23.10. 05:43	21.11. 17:19	21.12. 07:12	19.01.58 23:08
16.07. 19:33	15.08. 04:33	13.09. 13:02	12.10. 21:52	11.11. 07:34	10.12. 18:23	09.01.59 06:34
06.07. 03:00	04.08. 15:34	03.09. 02:56	02.10. 13:31	31.10. 23:41	30.11. 09:46	29.12. 20:09

263

Mondkalender 1960–1979

		1. Tiger	2. Hase	3. Drache	4. Schlange	5. Pferd
1960	Ratte	28.01. 07:15	26.02. 19:24	27.03. 08:37	25.04. 22:44	25.05. 13:26
1961	Büffel	15.02. 09:10	16.03. 19:51	15.04. 06:37	14.05. 17:54	13.06. 06:16
1962	Tiger	05.02. 01:10	06.03. 11:31	04.04. 20:45	04.05. 05:25	02.06. 14:27
1963	Hase	25.01. 14:42	24.02. 03:06	25.03. 13:10	23.04.* 21:29	21.06. 12:46
1964	Drache	13.02. 14:01	14.03. 03:14	12.04. 13:37	11.05. 22:02	10.06. 05:22
1965	Schlange	01.02. 17:36	03.03. 10:56	02.04. 01:21	01.05. 12:56	30.05. 22:12
1966	Pferd	21.01. 16:46	20.02. 11:49	22.03.* 05:46	20.05. 10:42	18.06. 21:09
1967	Ziege	09.02. 11:44	11.03. 05:30	09.04. 23:20	09.05. 15:55	08.06. 06:13
1968	Affe	29.01. 17:29	28.02. 07:56	28.03. 23:48	27.04. 16:21	27.05. 08:30
1969	Hahn	16.02. 17:25	18.03. 05:51	16.04. 19:16	16.05. 09:26	15.06. 00:09
1970	Hund	06.02. 08:13	07.03. 18:42	06.04. 05:09	05.05. 15:51	04.06. 03:21
1971	Wild- schwein	26.01. 23:55	25.02. 10:49	26.03. 20:23	25.04. 05:02	24.05.* 13:32
1972	Ratte	15.02. 01:29	15.03. 12:35	13.04. 21:31	13.05. 05:08	11.06. 12:30
1973	Büffel	03.02. 10:23	05.03. 01:07	03.04. 12:45	02.05. 21:55	01.06. 05:34
1974	Tiger	23.01. 12:02	22.02. 06:34	23.03. 22:24	22.04.* 11:16	20.06. 05:56
1975	Hase	11.02. 06:17	13.03. 00:47	11.04. 17:39	11.05. 08:05	09.06. 19:49
1976	Drache	31.01. 07:20	01.03. 00:25	30.03. 18:08	29.04. 11:19	29.05. 02:47
1977	Schlange	18.02. 04:37	19.03. 19:33	18.04. 11:35	18.05. 03:51	16.06. 19:23
1978	Pferd	07.02. 15:54	09.03. 03:36	07.04. 16:15	07.05. 05:47	05.06. 20:01
1979	Ziege	28.01. 07:20	26.02. 17:45	28.03. 04:00	26.04. 14:15	26.05. 01:00

---

* Schaltmonat: der nachfolgende Monat wird dem gleichen Tierzeichen zugeordnet

6. Ziege	7. Affe	8. Hahn	9. Hund	10. Wild- schwein	11. Ratte	12. Büffel
24.06.* 04:27	22.08. 10:15	21.09. 00:12	20.10. 13:02	19.11. 00:46	18.12. 11:47	16.01.61 22:30
12.07. 20:11	11.08. 11:36	10.09. 03:50	09.10. 19:52	08.11. 10:58	08.12. 00:52	06.01.62 13:35
02.07. 00:52	31.07. 13:24	30.08. 04:09	28.09. 20:39	28.10. 14:05	27.11. 07:29	26.12. 23:59
20.07. 21:43	19.08. 08:35	17.09. 21:51	17.10. 13:43	16.11. 07:50	16.12. 03:06	14.01.64 21:43
09.07. 12:31	07.08. 20:17	06.09. 05:34	05.10. 17:20	04.11. 08:16	04.12. 02:18	02.01.65 22:07
29.06. 05:52	28.07. 12:45	26.08. 19:50	25.09. 04:18	24.10. 15:11	23.11. 05:10	22.12. 22:03
18.07. 05:30	16.08. 12:48	14.09. 20:13	14.10. 04:52	12.11. 15:26	12.12. 04:13	10.01.67 19:06
07.07. 18:00	06.08. 03:48	04.09. 12:37	03.10. 21:24	02.11. 06:48	01.12. 17:10	31.12. 04:38
25.06. 23:24	25.07.* 12:49	22.09. 12:08	21.10. 22:44	20.11. 09:01	19.12. 19:19	18.01.69 05:59
14.07. 15:11	13.08. 06:16	11.09. 20:56	11.10. 10:39	09.11. 23:11	09.12. 10:42	07.01.70 21:35
03.07. 16:18	02.08. 06:58	31.08. 23:01	30.09. 15:31	30.10. 07:28	28.11. 22:14	28.12. 11:43
22.07. 10:15	20.08. 23:53	19.09. 15:42	19.10. 08:59	18.11. 02:46	17.12. 20:03	16.01.72 11:52
10.07. 20:39	09.08. 06:26	07.09. 18:28	07.10. 09:08	06.11. 02:21	05.12. 21:24	04.01.73 16:42
30.06. 12:39	29.07. 19:59	28.08. 04:25	26.09. 14:54	26.10. 04:17	24.11. 20:55	24.12. 16:07
19.07. 13:06	17.08. 20:02	16.09. 03:45	15.10. 13:25	14.11. 01:53	13.12. 17:25	12.01.75 11:20
09.07. 05:10	07.08. 12:57	05.09. 20:19	05.10. 04:23	03.11. 14:05	03.12. 01:50	01.01.76 15:40
27.06. 15:50	27.07. 02:39	25.08.* 12:01	23.10. 06:10	21.11. 16:11	21.12. 03:08	19.01.77 15:11
16.07. 09:36	14.08. 22:31	13.09. 10:23	12.10. 21:31	11.11. 08:09	10.12. 18:33	09.01.78 05:00
05.07. 10:50	04.08. 02:01	02.09. 17:09	02.10. 07:41	31.10. 21:06	30.11. 09:19	29.12. 20:36
24.06.* 12:58	22.08. 18:10	21.09. 10:47	21.10. 03:23	19.11. 19:04	19.12. 09:23	17.01.80 22:19

Mondkalender 1980–1999

		1. Tiger	2. Hase	3. Drache	4. Schlange	5. Pferd
1980	Affe	16.02. 09:51	16.03. 19:56	15.04. 04:46	14.05. 13:00	12.06. 21:38
1981	Hahn	04.02. 23:14	06.03. 11:31	04.04. 21.19	04.05. 05:19	02.06. 12:32
1982	Hund	25.01. 05:56	23.02. 22:13	25.03. 11:17	23.04.* 21:29	21.06. 12:52
1983	Wild- schwein	13.02. 01:32	14.03. 18:43	13.04. 08:58	12.05. 20:25	11.06. 05:37
1984	Ratte	02.02. 00:46	02.03. 19:31	01.04. 13:10	01.05. 04:45	30.05. 17:48
1985	Büffel	19.02. 19:43	21.03. 12:59	20.04. 06:22	19.05. 22:41	18.06. 12:58
1986	Tiger	09.02. 01:55	10.03. 15:52	09.04. 07:08	08.05. 23:10	07.06. 15:00
1987	Hase	29.01. 14:45	28.02. 01:51	29.03. 13:46	28.04. 02:34	27.05. 16.13
1988	Drache	17.02. 16:54	18.03. 03:02	16.04. 13:00	15.05. 23:11	14.06. 10:14
1989	Schlange	06.02. 08:37	07.03. 19:19	06.04. 04:33	05.05. 12:46	03.06. 20:53
1990	Pferd	26.01. 20:20	25.02. 09:54	26.03. 20:48	25.04. 05:27	24.05.* 12:47
1991	Ziege	14.02. 18:32	16.03. 09:10	14.04. 20:38	14.05 05:36	12.06. 13:06
1992	Affe	03.02. 20:00	04.03. 14:22	03.04. 06:01	02.05. 18:44	01.06. 04:57
1993	Hahn	22.01. 19:27	21.02. 14:05	23.03.* 08:14	21.05. 15:07	20.06. 02:52
1994	Hund	10.02. 15:30	12.03. 08:05	11.04. 01:17	10.05. 18:07	09.06. 09:26
1995	Wild- schwein	30.01. 23:48	01.03. 12:48	31.03. 03:09	29.04. 18:36	29.05. 10:27
1996	Ratte	19.02. 00:30	19.03. 11:45	17.04. 23:49	17.05. 12:46	16.06. 02:36
1997	Büffel	07.02. 16:06	09.03. 02:15	07.04. 12:02	06.05. 21:47	05.06. 08:04
1998	Tiger	28.01. 07:01	26.02. 18:26	28.03. 04:14	26.04. 12:41	25.05.* 20:32
1999	Hase	16.02. 07:39	17.03. 19:48	16.04. 05:22	15.05. 13:05	13.06. 20:03

* Schaltmonat: der nachfolgende Monat wird dem gleichen Tierzeichen zugeordnet

6. Ziege	7. Affe	8. Hahn	9. Hund	10. Wild-schwein	11. Ratte	12. Büffel
12.07. 07:46	10.08. 20:09	09.09. 11:00	09.10. 03:50	07.11. 21:43	07.12. 15:35	06.01.81 08:24
01.07. 20:03	31.07. 04:52	29.08. 15:43	28.09. 05:07	27.10. 21:13	26.11. 15:38	26.12. 11:10
20.07. 19:57	19.08. 03:45	17.09. 13:09	17.10. 01:04	15.11. 16:10	15.12. 10:18	14.01.83 06:08
10.07. 13:18	08.08. 20:18	07.09. 03:35	06.10. 12:16	04.11. 23:21	04.12. 13:26	03.01.84 06:16
29.06. 04:18	28.07. 12:51	26.08. 20:25	25.09. 04:11	24.10.* 13:08	22.12. 12:47	21.01.85 03:28
18.07. 00:56	16.08. 11:05	14.09. 20:20	14.10. 05:33	12.11. 15:20	12.12. 01:54	10.01.86 13:22
07.07. 05:55	05.08. 19:36	04.09. 08:10	03.10. 19:55	02.11. 07:02	01.12. 17:43	31.12. 04:10
26.06.* 06:37	24.08. 12:59	23.09. 04:08	22.10. 18:28	21.11. 07:33	20.12. 19.25	19.01.88 06:26
13.07. 22:53	12.08. 13:31	11.09. 05:49	10.10. 22:49	09.11. 15:20	09.12. 06:36	07.01.89 20:22
03.07. 05:59	01.08. 17:06	31.08. 06:45	29.09. 22:47	29.10. 16:27	28.11. 10:41	28.12. 04:20
22.07. 03:54	20.08. 13:39	19.09. 01:46	18.10. 16:37	17.11. 10:05	17.12. 05:22	16.01.91 00:50
12.07. 20:06	10.08. 03:28	08.09. 12:01	07.10. 22:39	06.11. 12:11	06.12. 04:56	05.01.92 00:10
30.06. 13:18	29.07. 20:35	28.08. 03:42	26.09. 11:40	25.10. 21:34	24.11. 10:11	24.12. 01:43
19.07. 12:24	17.08. 20:28	16.09. 04:10	15.10. 12:36	13.11. 22:34	13.12. 10:27	12.01.94 00:10
08.07. 22:37	07.08. 09:45	05.09. 19:33	05.10. 04:55	03.11. 14:35	03.12. 00:54	01.01.95 11:56
28.06. 01:50	27.07. 16:13	26.08.* 05:31	24.10. 05:36	22.11. 16:43	22.12. 03:22	20.01.96 13:51
15.07. 17:15	14.08. 08:34	13.09. 00:07	12.10. 15:14	11.11. 05:16	10.12. 17:56	09.01.97 05:26
04.07. 19:40	03.08. 09:14	02.09. 00:52	01.10. 17:52	31.10. 11:01	30.11. 03:14	29.12. 17:57
23.07. 14:44	22.08. 03:03	20.09. 18:02	20.10. 11:09	19.11. 05:27	18.12. 23:42	17.01.99 16:46
13.07. 03:24	11.08. 12:09	09.09. 23:02	09.10. 12:34	08.11. 04:53	07.12. 23:32	06.01.00 19:14

267

Mondkalender 2000–2019

		1. Tiger	2. Hase	3. Drache	4. Schlange	5. Pferd
2000	Drache	05.02. 14:03	06.03. 06:17	04.04. 19:12	04.05. 05:12	02.06. 13:14
2001	Schlange	24.01. 14:07	23.02. 09:21	25.03. 02:21	23.04.* 16:26	21.06. 12:58
2002	Pferd	12.02. 08:41	14.03. 03:03	12.04. 20:21	12.05. 11:45	11.06. 00:47
2003	Ziege	01.02. 11:48	03.03. 03:35	01.04. 20:19	01.05. 13:15	31.05. 05:20
2004	Affe	21.01. 22:05	20.02.* 10:18	19.04. 14:21	19.05. 05:52	17.06. 21:27
2005	Hahn	08.02. 23:28	10.03. 10:10	08.04. 21:32	08.05. 09:46	06.06. 22:55
2006	Hund	29.01. 15:15	28.02. 01:31	29.03. 11:15	27.04. 20:44	27.05. 06:26
2007	Wild-schwein	17.02. 17:14	19.03. 03:43	17.04. 12:36	16.05. 20:27	15.06. 04:13
2008	Ratte	07.02. 04:45	07.03. 18:14	06.04. 04:55	05.05. 13:18	03.06. 20:23
2009	Büffel	26.01. 08:55	25.02. 02:35	26.03. 17:06	25.04. 04:23	24.05.* 13.11
2010	Tiger	14.02. 03:51	15.03. 22:01	14.04. 13:29	14.05. 02:04	12.06. 12:15
2011	Hase	03.02. 03:31	04.03. 21:46	03.04. 15:32	03.05. 07:51	01.06. 22:03
2012	Drache	23.01. 08:39	21.02. 23:35	22.03. 15:37	21.04.* 08:19	19.06. 16:02
2013	Schlange	10.02. 08:20	11.03. 20:51	10.04. 10:35	10.05. 01:29	08.06. 16:56
2014	Pferd	30.01. 22:39	01.03. 09:00	30.03. 19:45	29.04. 07:14	28.05. 19:40
2015	Ziege	19.02. 00:47	20.03. 10:36	18.04. 19:57	18.05. 05:13	16.06. 15:05
2016	Affe	08.02. 15:39	09.03. 02:55	07.04. 12:24	06.05. 20:30	05.06. 04:00
2017	Hahn	28.01. 01:07	26.02. 15:59	28.03. 03:57	26.04. 13:16	25.05. 20:45
2018	Hund	15.02. 22:05	17.03. 14:12	16.04. 02:57	15.05. 12:48	13.06. 20:43
2019	Wild-schwein	04.02. 22:04	06.03. 17:04	05.04. 09:51	04.05. 23:46	03.06. 11:02

---

* Schaltmonat: der nachfolgende Monat wird dem gleichen Tierzeichen zugeordnet

6. Ziege	7. Affe	8. Hahn	9. Hund	10. Wild-schwein	11. Ratte	12. Büffel
01.07. 20:20	31.07. 03:25	29.08. 11:19	27.09. 20:53	27.10. 08:58	26.11. 00:11	25.12. 18:22
20.07. 20:44	19.08. 03:55	17.09. 11:27	16.10. 20:23	15.11. 07:40	14.12. 21:47	13.01.02 14:29
10.07. 11:26	08.08. 20:15	07.09. 04:10	06.10. 12:18	04.11. 21:35	04.12. 08:34	02.01.03 21:23
29.06. 19:39	29.07. 07:53	27.08. 18:26	26.09. 04:09	25.10. 13:50	23.11. 23:59	23.12. 10:43
17.07. 12:24	16.08. 02:24	14.09. 15:29	14.10. 03:48	12.11. 15:27	12.12. 02:29	10.01.05 13:03
06.07. 13:03	05.08. 04:05	03.09. 19:45	03.10. 11:28	02.11. 02:25	01.12. 16:01	31.12. 04:12
25.06. 17:05	25.07.* 05:31	22.09. 12:45	22.10. 06:14	20.11. 23:18	20.12. 15:01	19.01.07 05:01
14.07. 13:04	13.08. 00:03	11.09. 13:44	11.10. 06:01	10.11. 00:03	09.12. 18:40	08.01.08 12:37
03.07. 03:19	01.08. 11:13	30.08. 20:58	29.09. 09:12	29.10. 00:14	27.11. 17:55	27.12. 13:22
22.07. 03:35	20.08. 11:02	18.09. 19:44	18.10. 06:33	16.11. 20:14	16.12. 13:02	15.01.10 08:11
11.07. 20:41	10.08. 04:08	08.09. 11:30	07.10. 19:45	06.11. 05:52	05.12. 18:36	04.01.11 10:03
01.07. 09:54	30.07. 19:40	29.08. 04:04	27.09. 12:09	26.10. 20:56	25.11. 07:10	24.12. 19:06
19.07. 05:24	17.08. 16:55	16.09. 03:11	15.10. 13:03	13.11. 23:08	13.12. 09:42	11.01.13 20:44
08.07. 08:14	06.08. 22:51	05.09. 12:36	05.10. 01:35	03.11. 13:50	03.12. 01:22	01.01.14 12:14
27.06. 09:09	26.07. 23:42	25.08. 15:13	24.09.* 07:14	22.11. 13:32	22.12. 02:36	20.01.15 14:14
16.07. 02:24	14.08. 15:54	13.09. 07:41	13.10. 01:06	11.11. 18:47	11.12. 11:30	10.01.16 02:31
04.07. 12:01	02.08. 21:45	01.09. 10:03	01.10. 01:12	30.10. 18:38	29.11. 13:18	29.12. 07:53
24.06.* 03:31	21.08. 19:30	20.09. 06:30	19.10. 20:12	18.11. 12:42	18.12. 07:31	17.01.18 03:17
13.07. 03:48	11.08. 10:58	09.09. 19:02	09.10. 04:47	07.11. 17:02	07.12. 08:20	06.01.19 02:28
02.07. 20:16	01.08. 04:12	30.08. 11:37	28.09. 19:26	28.10. 04:39	26.11. 16:06	26.12. 06:13

Mondkalender 2020–2025

		1. Tiger	2. Hase	3. Drache	4. Schlange	5. Pferd
2020	Ratte	24.01. 22:42	23.02. 16:32	24.03. 10:28	23.04.* 03:26	21.06. 07:42
2021	Büffel	11.02. 20:06	13.03. 11:21	12.04. 03:31	11.05. 20:00	10.06. 11:53
2022	Tiger	01.02. 06:46	02.03. 18:35	01.04. 07:25	30.04. 21:28	30.05. 12:30
2023	Hase	21.01 21:53	20.02.* 08:06	20.04. 05:13	19.05. 16:53	18.06. 05:37
2024	Drache	09.02. 23:59	10.03. 10:01	08.04. 19:21	08.05. 04:22	06.06. 13:38
2025	Schlange	29.01. 13:36	28.02. 01:45	29.03. 11:58	27.04. 20:31	27.05. 04:02

* Schaltmonat: der nachfolgende Monat wird dem gleichen Tierzeichen zugeordnet

6. Ziege	7. Affe	8. Hahn	9. Hund	10. Wild- schwein	11. Ratte	12. Büffel
20.07. 18:33	19.08. 03:42	17.09. 12:00	16.10. 20:31	15.11. 06:07	14.12. 17:17	13.01.21 06:00
10.07. 02:17	08.08. 14:50	07.09. 01:52	06.10. 12:06	04.11. 22:15	04.12. 08:43	02.01.22 19:34
29.06. 03:52	28.07. 18:55	27.08. 09:17	25.09. 22:55	25.10. 11:49	23.11. 23:57	23.12. 11:17
17.07. 19:32	16.08. 10:38	15.09. 02:40	14.10. 18:55	13.11. 10:28	13.12. 00:32	11.01.24 12:58
05.07. 23:58	04.08. 12:13	03.09. 02:56	02.10. 19:49	01.11. 13:47	01.12. 07:22	30.12. 23:27
25.06.* 11:32	23.08. 07:07	21.09. 20:54	21.10. 13:25	20.11. 07:47	20.12. 02:43	18.01.26 20:52

Kopiervorlagen

Die zwölf Tierzeichen und ihre Sektoren

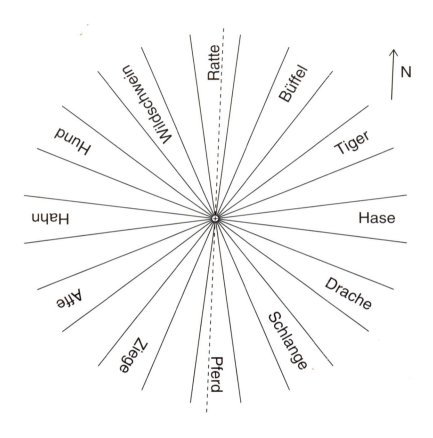

Die acht Trigramme und ihre Sektoren

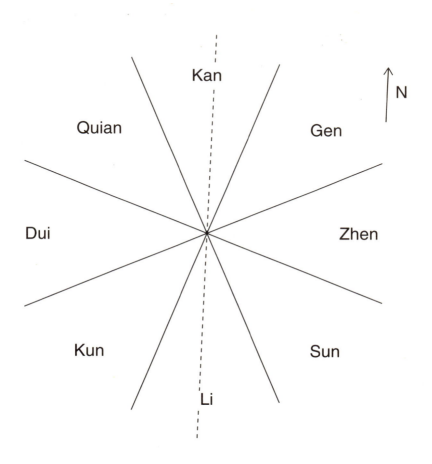

Anzeige

Rat und Hilfe

bei den unten aufgeführten Adressen erhalten Sie Informationen für Deutschland und angrenzende Länder über:

- *Seminare und Ausbildungen in Feng Shui und Business-Feng-Shui*

- *Feng-Shui-Beratungen für Privat- und Geschäftsleute*

- *Feng-Shui-Beratungen für Industrie, Handel und Gewerbe*

- *Aktuelle Bezugsquellen für:*

Biotensor (Einhandruten), Korkplatten geeigneter Qualität und Korkparkett geeigneter Qualität, Zellglasplatten geeigneter Qualität, das WS-Frequenzgerät, Ständer mit Fresnel-Linsen, geeignete Klangspiele sowie andere Feng-Shui-Hilfsmittel

Institut für angewandtes Kanyu
Kasseler Landstraße 25c
D-37081 Göttingen
Tel.: 0551/9 10 06, Fax: 0551/9 10 08
Bürozeiten: Montag bis Freitag 10 bis 12 Uhr

Feng Shui Büro Neumünster
Jens Mehlhase
Am Teich 11–12
D-24534 Neumünster
Tel.: 04321/4 45 55, Fax: 04321/4 69 46

Adressen, Rat und Hilfe

Seminare und Ausbildungen
Ergänzend zu diesem Buch bieten die Autoren Seminare und Ausbildungen in **Feng Shui** und **Business-Feng-Shui** an. Ihr Institut für angewandtes Kanyu in Göttingen ist Anlaufstelle für alle diesbezüglichen Anfragen. Zudem ist Jens Mehlhase über sein **Feng-Shui-Büro** in Neumünster zu erreichen.

Feng-Shui-Beratungen
Individuelle Feng-Shui-Beratungen für Privatpersonen und Geschäftsleute, in Deutschland und angrenzenden Ländern, werden ebenfalls angeboten.

Aktuelle Bezugsquellen
Aktuelle Bezugsquellen für Biotensor (Einhandruten), Korkplatten geeigneter Qualität und Korkparkett geeigneter Qualität, das WS-Frequenzgerät sowie Ständer mit Fresnel-Linsen finden Sie ebenfalls in dieser Liste.

Liste mit Adressen und Bezugsquellen
Die Adressen des Institutes sowie der Beratungsbüros erhalten Sie, wenn Sie an den Leserservice des Verlages (siehe unten) schreiben. Hierher können Sie sich mit allen Ihren Fragen zum Thema wenden.

Mit dieser Liste erhalten Sie sämtliche Adressen und Telefonnummern sowie die immer aktuellen Informationen zu Kursen und Seminaren.

So erhalten Sie alle genannten Adressen:
Senden Sie bitte einen adressierten und frankierten Rückumschlag an den Windpferd Verlag. (Bitte sehen Sie von telefonischen Anfragen ab.) Sie erhalten innerhalb weniger Tage alle oben genannten Adressen und Telefonnummern. Schreiben Sie an:

Windpferd Verlag
Stichwort: „Feng-Shui-Gesundheitsbuch"
Postfach
D-87648 Aitrang

Außerdem
Sie können im Internet zu **www.windpferd.com** surfen. Dort finden Sie weitere Informationen zum Thema und zum gesamten Windpferd-Programm, Autorenportraits, Infos und vieles mehr. Ebenfalls können Sie in Kürze die **Chat-Rooms** nutzen, um mit anderen interessierten Lesern Gedanken und Informationen auszutauschen. Sie sind dort jederzeit herzlich willkommen!

Zellglasplatten geeigneter Qualität

Sowohl für Feng-Shui-Zwecke als auch universell als Wärmedämmmaterial geeignet ist nach unseren Erkenntnissen lediglich „Foamglas F" von der Firma: **Deutsche Pittsburgh Corning GmbH**, Haan.
Foamglas F gibt es in verschiedenen Dicken. Für Feng-Shui-Zwecke geeignet sind Dicken ab 5 cm. Bitte beachten Sie, daß die Firma Deutsche Ptittsburgh Corning GmbH auch andere Foamglas-Qualitäten anbieten, die zwar als Wärmedämmaterial Verwendung finden, jedoch für die angegebenen Feng-Shui-Zwecke ungeeignet sind. Die Qualitäten werden unterschieden durch den Buchstaben (bzw. eine Buchstaben/Zahlenkombination), der/die dem Wort Foamglas nachgestellt ist. Verwenden Sie ausdrücklich nur die Qualität *Foamglas F*. Die angegebene Firma kann Ihnen Auskunft erteilen über die technischen Verwendungsmöglichkeiten des Produktes, gibt jedoch keine Auskunft über die Verwendungsmöglichkeiten im Feng-Shui-Sinne. Wenn Sie hierzu Fragen haben, wenden Sie sich bitte an das Institut für angewandtes Kanyu, Göttingen, oder das Feng-Shui-Büro, Neumünster. *Foamglas F* gibt es als *Foamglas-F-Platten* in 600 x 450 mm und in 300 x 450 mm als auch kaschiert als *Foamglas Floor Board F* in 600 x 1.200 mm. Die *Foamglas-F-Platten* werden bei Verlegung unter der Bodenplatte in der Regel mit Heißbitumen verlegt. *Foamglas Floor Board F* ist bei Verlegung unter der Bodenplatte einfacher zu handhaben, dafür geringfügig teurer.
Produkte anderer Firmen waren nach bisher durchgeführten Testungen entweder für Feng-Shui-Zwecke nicht geeignet oder nicht in technisch geeigneter Form verfügbar.

Über die Autoren

Wilhelm Gerstung, Jahrgang 1948, ist Pädagoge und beschäftigt sich seit Anfang der 80er Jahre mit Feng Shui in Theorie und Praxis. Er befaßte sich in diesem Zusammenhang schon früh mit den feinstofflichen Energien am Schlafplatz. Dabei arbeitete er insbesondere auch die fundamentalen Zusammenhänge zwischen ganz bestimmten gesundheitlichen Störungen und ortsabhängigen energetischen Störfeldern heraus.

Jens Mehlhase, Jahrgang 1956, ist Internist und Feng-Shui-Berater. Bereits während seiner Studienzeit befaßte er sich intensiv mit alternativen Heilmethoden. Dabei stieß er auch auf die im Westen entwickelte Methode, den Schlafplatz mittels Pendel oder Wünschelrute zu untersuchen. Die Kombination mit dem östlichen Wissen des Feng Shui faszinierte ihn besonders deshalb, weil er hier zudem ein umfangreiches System zur Bewertung der Qualität von Raum und Zeit fand.

Als Team arbeiten beide seit 1992 zusammen. Sie entwickelten ein System zur direkten Bewertung der einzelnen Energien des Feng Shui und deren Auffindung und Bestimmung mittels Biotensor oder Pendel und widmen sich der gemeinsamen Erforschung und Differenzierung verschiedenster Energieformen.

TRAUM STATION
INSEL DER ENTSPANNUNG

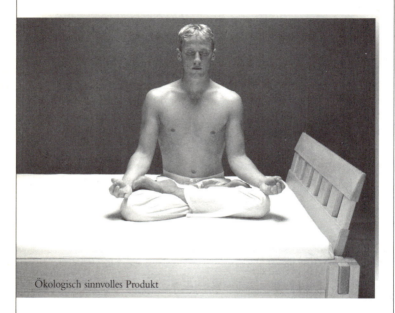

Ökologisch sinnvolles Produkt

BETTEN UND SCHLAFSOFAS

- große Kollektion
- Design-Massivholzbetten
- naturgepolsterte Schlafsofas
- ausgewählte Hölzer
- Naturgeflecht (Rattan)
- biologische Oberflächen

DAS SCHLAFSYSTEM

- kompetente Beratung
- ausgiebiger ergonomischer Test
- speziell abgestimmte Schlafsysteme
- Matratzen aus reinen Naturmaterialien
- 100% Naturlatex
- auf Schadstoffe und Qualität geprüft

INFORMATIONEN ÜBER
Feng Shui

TRAUM STATION SCHLAFSYSTEME GMBH
BURGSTRASSE 2 · 37136 WAAKE
NIEDERLASSUNGEN IN GANZ DEUTSCHLAND

TRAUM STATION®

DIE BETTENMACHER

KATALOGE + HÄNDLERNACHWEISE ÜBER HOTLINE: 0 55 07/96 50 35
INFORMATIONEN ÜBER ÖKOTEL HOTEL- & OBJEKTEINRICHTUNGEN: 0841/97 59 55

Kwan Lau

Die Geheimnisse der chinesischen Astrologie

Ein Handbuch der chinesischen „Kalenderpsychologie" · Die Vielfalt der eigenen Lebenschancen erfahren, Stärken und Schwächen bewußt erleben und Gesundheit, Liebe und Partnerwahl in neuem Licht sehen

Die chinesische Astrologie will unsere Selbstwahrnehmung steigern. Sie öffnet uns eine größere Bandbreite an Wahlmöglichkeiten und die Mittel, gegenüber der wirklichen Welt, in der wir leben und in der wir nach dem Besten streben, zu positiveren und einfühlsameren Einstellungen zu gelangen.
Kwan Laus Arbeit sticht besonders hervor durch den für akkurate Interpretationen unabdingbaren chinesischen Astrologiekalender, der bis in das Jahr 2050 reicht und einem vereinfachten I-Ging-Münzorakel, das auf uralten Texten basiert.

208 Seiten, DM 24,80, SFr 23,00
ÖS 181,00 ISBN 3-89385-141-0

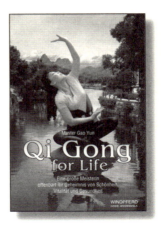

Master Gao Yun

Qi Gong for Life

Eine Großmeisterin offenbart ihr Geheimnis von Schönheit, Vitalität und Gesundheit

Master Gao, eine Qi Gong Meisterin von außergewöhnlicher Ausstrahlung, Kraft und Erfahrung offenbart in diesem Buch ihr großes Geheimnis: stets mindestens 20 Jahre jünger auszusehen als sie ist – und dabei gesund und vital zu sein.
Ihr „Qi Gong for Life" ist eine neue therapeutische Form des Qi Gong: kurze, einfache aber sehr wirkungsvolle Übungen zum Heilen von Bluthochdruck, Magen-Darm-Beschwerden, sexuellen Problemen, Schlaflosigkeit oder Übergewicht und vielem mehr. Als Ärztin weiß sie, wo die größten Probleme liegen, als Qi Gong Meisterin hat sie den sanftesten und wirkungsvollsten Weg gefunden, die Lebensenergie als solche, das Chi im Menschen zu stärken – die beste Grundage, sich rundum wohl, gesund und jugendlich fit zu fühlen.

160 Seiten, DM 24,80, SFr 23,00
ÖS 181,00 ISBN 3-89385-183-6

Astrid Schillings · Petra Hinterthür

Qi Gong
Der fliegende Kranich

Die selbstheilende Kraft meditativer Bewegungsübungen für Körper, Seele und Geist

Über die Jahrtausende entwickelt, in den Klöstern sowie im täglichen Leben gepflegt und als Schutz vor Krankheit und frühem Tod hochgeschätzt: Qi Gong – der fliegende Kranich.
Qi Gong bedeutet nichts anderes als Übung (Gong) für die Lebenskraft (Qi). In ihrem aus der Praxis und für die Praxis geschriebenen Buch stellen die beiden Autorinnen die am weitesten verbreitete und von Dr. Zhao Jin Xiang wiederentdeckte Form des fliegenden Kranichs vor.
Sämtliche Übungsanleitungen sind anhand sehr schöner und anschaulicher Fotos illustriert.

288 Seiten, DM 24,80, SFr 23,00
ÖS 181,00 ISBN 3-89385-033-3

Takeo Mori · Dragan Milenkovic

Die Geheimnisse der japanischen Astrologie

Ein einführendes Handbuch zur Persönlichkeitsanalyse und Partnerwahl · Fünf Elemente, neun Sterne und zwölf Tierkreiszeichen weisen den Weg zur richtigen Entscheidung

Dieses Buch ist eine kurze Einführung in das bei uns noch relativ unbekannte System der japanischen Astrologie, das in Japan in jedem Haushalt zu finden ist. Tabellen, Diagramme und klare Deutungen informieren über die Zahlen, Farben, Elemente, Tierzeichen und Sterne, die in diesem faszinierenden System der Schicksalsvorhersage für unser Leben eine bestimmende Rolle spielen. Besonders spannend sind die Verbindungen zum Fünf-Elemente-System und den Neun Sternen des Feng-Shui.

128 Seiten, DM 16,80, SFr 16,00
ÖS 123,00 ISBN 3-89385-145-3